ROBERT HUNTERI PÕNEVIK

Chris Carterilt on eesti keeles ilmunud:

„Krutsifiksimõrvad"   „Timukas"   „Öine jälitaja"

CHRIS CARTER

SURMASKULPTOR

Inglise keelest tõlkinud Ülle Jälle

KRIMIRAAMAT

EESTI RAAMAT

Originaal:
Chris Carter
The Death Sculptor
A CBS COMPANY
London, 2012

Toimetanud Helle Raidla
Kujundanud Anu Ristmets
Kaas: Jentas A/S

ISBN 978-9916-12-957-9
ISBN 978-9916-12-958-6 (epub)

www.eestiraamat.ee
www.facebook.com/Eesti Raamat

Trükitud Euroopa Liidus

See romaan on pühendatud neile lugejatele, kes osalesid konkursil, et saada selle raamatu tegelaseks, ja ennekõike võitjale Alice Beaumontile Sheffieldist. Loodetavasti meeldib see teile kõigile.

Tänusõnad

Ehkki kirjutamist peetakse üksildaseks ametiks, ei ole ma kaugeltki üksi. Mul on olemas imeliste inimeste abi, toetus ja sõprus. Minu sõber ja parim agent, keda üks kirjanik tahta võib, Darley Anderson. Camilla Wray, kes aitas taas vormida lihtsast mustandist valmis romaani. Minu fantastiline toimetaja Simon & Schusterist Maxine Hitchcock, kes on oma töös vapustav – tänud toetuse, ettepanekute ja juhendamise eest esimesest sõnast viimaseni. Tänan Emma Lowthi asjatundlikkuse ja nõuannete eest. Aitäh Samantha Johnsonile kuulamise ja toetuse eest. Tänan kõiki Darley Anderson Literary Agency ääretult töökaid inimesi kirjastamise kõigi aspektidega vaevanägemise eest. Ian Chapman, Suzanne Baboneau, Florence Partridge, Jamie Groves ja kõik Suurbritannia Simon & Schusteris – te olete parimad. Tahaksin tänada ka kõiki lugejaid ja teisi, kes on mind ja mu romaane algusest peale nii suurepäraselt toetanud.

Üks

„Issand jumal, ma jään hiljaks," ütles Melinda Wallis voodist välja hüpates, kui tema väsinud silmade pilk langes öökapil olevale digitaalsele kellale. Ta oli olnud ärkvel poole neljani öösel, õppides kliinilise farmakoloogia eksamiks, mis pidi toimuma kolme päeva pärast. Ta liikus unesegasena toas ringi, kuni aju mõtles sellele, mida esimesena teha. Ta kiirustas vannituppa ja nägi ennast peeglist.

„Raisk, raisk, raisk."

Melinda võttis meigikoti ja hakkas nägu puuderdama. Ta oli kahekümne kolme aastane ja paar päeva tagasi ühest naisteajakirjast loetud artikli järgi oma pikkuse kohta pisut ülekaaluline – ta oli kõigest 163 cm pikk. Tema pikad pruunid juuksed olid alati hobusesabas, ka magama minnes, ja ta ei läinud mitte kunagi kodust välja, ilma et oleks vähemasti jumestuskreemi kihi näkku määrinud, varjamaks aknega kaetud põski. Hammaste pesemise asemel pigistas ta lihtsalt sortsu hambapastat suhu, et pahast maitsest lahti saada.

Toas nägi ta oma riideid korralikult kokkupanduna laua kõrval toolil – valge pluus, sukkpüksid, põlvini ulatuv seelik ja madalad valged kingad. Ta riietus rekordajaga ja jooksis väikesest külalistemajast välja peahoone poole.

Melinda oli UCLA* õenduseriala bakalaureuseõppe kolmanda kursuse üliõpilane ning ta töötas igal nädalavahetusel

---

* UCLA – California ülikool Los Angeleses. *Siin ja edaspidi tõlkija märkused.*

9

õppepraktika osana koduhooldusõena. Viimased neliteist nädalavahetust oli ta olnud härra Derek Nicholsoni hooldajaks Los Angelese lääneosas Cheviot Hillsis.

Kaks nädalat enne Melinda palkamist oli härra Nicholsonil diagnoositud kaugelearenenud kopsuvähk. Kasvaja oli juba ploomisuurune ja hävitas tema kudesid kiiresti. Kõndimine oli liiga valulik, vahel vajas mees abi hingamisaparaadiga ja ta kõneles vaevukuuldavalt sosinal.

Ta keeldus keemiaravist tütarde palvetest hoolimata. Mees ei tahtnud veeta oma viimaseid elupäevi haiglapalatis ja otsustas jääda koju.

Melinda avas välisukse luku ja astus avarasse esikusse, kiirustades seejärel läbi suure, ent napilt möbleeritud elutoa. Härra Nicholsoni magamistuba asus teisel korrusel. Maja oli kõhedalt vaikne, nagu ikka hommikuti.

Derek Nicholson elas üksinda. Tema abikaasa oli surnud kaks aastat tagasi ja ehkki tütred käisid teda iga päev vaatamas, oli neil oma elu.

„Vabandust, et hilinesin," hüüdis Melinda allkorruselt. Ta vaatas taas kella. Täpselt nelikümmend kolm minutit hiljaks jäänud. „Kuramus!" pomises ta endamisi. „Derek, oled ärganud?" hõikas ta, läks trepi juurde ja kiirustas üles, võttes kaks astet korraga.

Derek Nicholson oli Melinda töötamise esimesel nädalavahetusel palunud end sinatada. Talle ei meeldinud formaalne „härra Nicholson".

Kui Melinda magamistoa ukse juurde jõudis, tundis ta sealt välja kanduvat vänget iiveldamaajavat haisu.

Oh, kuramus, mõtles ta. Ilmselgelt oli ta mehe esimeseks tualetis käiguks hiljaks jäänud.

„Nii, koristame kõik esmalt ära ..." ütles Melinda ust avades, „... ja siis toon ma sulle hommikusöö ..."

Ta tõmbus üleni kangeks, silmad läksid õudusest suureks ja õhk väljus kopsudest, nagu oleks ta järsku avakosmosesse paisatud. Ta tundis, kuidas maosisu kerkis kurku ja ta oksendas sinnasamasse ukse juurde.

„Issand halasta!" Need olid sõnad, mida Melinda oli kavatsenud öelda, kui oma värisevaid huuli liigutas, ent häält ei tulnud. Põlved hakkasid nõtkuma, ümbrus tiirles ringi ja ta klammerdus kahe käega uksepiida külge, et püsti püsida. Sel hetkel langes tema roheliste silmade õudust täis pilk kaugemale seinale. Aju ei saanud kohe aru, mida ta vaatab, aga kui see kohale jõudis, paisus ürgne hirm ja paanika tema südames nagu äikesetorm.

Kaks

Inglite linnas oli suvi vaevu alanud, aga temperatuur oli juba 30 kraadi. Uurija Robert Hunter Los Angelese röövide ja mõrvarühma eriüksusest pani käekellal stopperi seisma, kui jõudis kesklinnast kagusse jäävas Huntington Parkis asuva kodumaja juurde. Üksteist kilomeetrit kolmekümne kaheksa minutiga. Pole paha, mõtles ta ise, ehkki higistas nagu kalkun tänupühade ajal ning jalad ja põlved valutasid kuratlikult. Võibolla oleks pidanud enne venitama. Tegelikult ta teadis, et peaks venitama enne ja pärast trenni, eriti pärast pikka jooksutretti, aga ta ei viitsinud seda kunagi teha.

Hunter läks trepist kolmandale korrusele. Talle ei meeldinud liftid ja tema maja lifti kutsuti põhjusega „sardiinivõrguks".

Ta avas oma kahetoalise korteri ukse ja astus sisse. Korter oli väike, aga puhas ja mugav, ehkki võinuks arvata, et mööbli on annetanud heatahtlikud inimesed – must kunstnahast diivan,

11

erinevad toolid, kriimuline söögilaud, mis täitis ka arvutilaua aset, ja vana raamatukapp, mis nägi välja, et võib täistuubitud riiulite raskuse all iga hetk kokku kukkuda.

Hunter tõmbas särgi seljast ja kuivatas sellega laupa, kaela ja lihaselist rinda. Pulss oli juba maha rahunenud. Köögis võttis ta külmikust kannu jääteega ja valas endale suurde klaasi jooki. Ta lausa ootas igavat päeva eemal politsei administratiivhoonest ja eriüksuse peamajast. Tal polnud just tihti vabu päevi. Võibolla sõidab Venice Beachi ja mängib seal võrkpalli. Ta polnud aastaid võrkpalli mänginud. Või siis üritab minna vaatama Lakersi mängu. Ta polnud kindel, kas täna õhtul on mäng. Aga kõigepealt peab ta käima duši all ja seejärel selvepesulas.

Hunter jõi jäätee lõpuni, läks vannituppa ja vaatas ennast peeglist. Ta peab ka habet ajama. Kätt habemeajamisvahu ja žileti poole sirutades kuulis ta magamistoast telefonihelinat.

Hunter võttis öökapilt telefoni ja vaatas ekraanile – tema paariline Carlos Garcia. Alles siis märkas ta ekraani ülemises servas väikest punast noolt, mis tähendas, et tal on vastamata kõnesid – kümme.

„No tore!" sosistas ta kõnele vastates. Ta teadis täpselt, mida kümme vastamata kõnet ja paarimehe kõne nii vara nende vabal päeval tähendavad.

„Carlos," ütles Hunter telefoni kõrva juurde tõstes. „Mis lahti?"

„Jestas! Kus sa olid? Olen sulle pool tundi helistanud."

Üks kõne iga kolme minuti tagant, mõtles Hunter. Asi on halb.

„Käisin jooksmas," vastas ta rahulikult. „Ei vaadanud tagasi tulles telefoniekraanile. Nägin alles praegu vastamata kõnesid. Mis meil siis on?"

„Üks kuradima kaos. Tule kähku siia, Robert. Ma pole midagi sellist varem näinud." Tekkis kiire kõhklev paus. „Ma ei usu, et üldse keegi kunagi midagi sellist on näinud."

Kolm

Isegi pühapäeva hommikul kulus Hunteril peaaegu tund, et sõita Huntington Parkist 24 km kaugusele Cheviot Hillsi.

Garcia polnud telefonis talle suurt midagi rääkinud, aga šokk ja kerge hirm paarimehe hääles olid kindlasti ebatavalised. Hunter ja Garcia olid röövide ja mõrvarühma väikese eriüksuse liikmed. See tegeles sarimõrvarite ja avalikkuse kõrgendatud tähelepanu all olevate mõrvajuhtumitega, mille lahendamine nõuab rohkem aega ja kogemusi. Hunteri taust kriminaalpsühholoogina tegi temast veelgi spetsiifilisemate oskustega uurija. Kõik juhtumid, mille puhul oli tegemist erakordselt julma või sadistliku kurjategijaga, nimetati ultravägivaldseteks ehk UV-ks. Robert Hunter ja Carlos Garcia *olid* UV üksus ning seetõttu polnud neid just lihtne rivist välja lüüa. Nad olid näinud piisavalt õudusi, mida mitte keegi teine maamunal polnud näinud.

Hunter peatas auto ühe mustvalge patrullauto kõrval, milliseid seisis LA lääneosas kahekordse maja ees mitu. Ajakirjanikud olid juba kohal, ummistades väikest tänavat, aga see ei üllatanud. Nad jõudsid enamasti kuriteopaika enne uurijaid.

Hunter väljus oma vanast Buick LeSabre'ist ja teda tabas sooja õhu laine. Ta avas jakinööbid, kinnitas ametimärgi vööle ja vaatas aeglaselt ringi. Ehkki maja asus vaikses tänavas vaikses piirkonnas, oli politseilindi taha kogunenud hulk uudishimulikke, kelle arv kasvas kiiresti.

Hunter pöördus maja poole. See oli ilus, kahekordne, punastest tellistest, tumesiniste aknaraamide ja kelpkatusega. Eesaed oli suur ja hoolitsetud. Majast paremal oli kahekohaline garaaž, aga sissesõiduteel autosid polnud, ainult politsei sõidukid. Mõne meetri kaugusel seisis kriminalistide kaubik. Hunter märkas Garciat, kes väljus maja peauksest. Paarimehel oli seljas

13

tavapärane valge kapuutsiga kaitseülikond. 188 sentimeetri pikkune Garcia oli Hunterist viis sentimeetrit pikem.

Garcia seisatas kivitrepi juures, mis viis verandalt alla, ja tõmbas kapuutsi peast. Tema pikavõitu juuksed olid kuklal hobusesabas. Ka tema märkas paarilist kohe.

Käratsevat reporterite karja eirates näitas Hunter politseilindi juures seisvale patrullpolitseinikule oma ametimärki ja puges kollase lindi alt läbi.

Los Angelese suguses linnas olid ajakirjanikud seda rohkem äksi täis, mida jõhkramad ja vägivaldsemad olid kuriteod. Enamik neist teadis Hunterit ja seda, milliseid juhtumeid ta uurib. Nad tulistasid küsimusi nagu kuulipildujast.

„Halvad uudised liiguvad kiiresti," ütles Garcia pead rahvamassi poole kallutades, kui Hunter tema juurde jõudis. „Ja potentsiaalne hea uudislugu veel kiiremini." Ta ulatas paarimehele kinnises plastkotis tuttuue kaitseülikonna.

„Mis mõttes?" Hunter võttis koti, rebis selle katki ja hakkas ülikonda selga ajama.

„Ohver oli jurist," selgitas Garcia. „Keegi härra Derek Nicholson, California osariigi ringkonnaprokuratuuri prokurör."

„Ei no tore."

„Ta ei töötanud enam seal."

Hunter tõmbas kaitseülikonna luku kinni.

„Tal diagnoositi kaugelearenenud kopsuvähk," jätkas Garcia.

Hunter vaatas teda küsivalt.

„Ta oli põhimõtteliselt ühe jalaga hauas. Hapnikumask, jalad ei kuulanud enam sõna … Arstid andsid talle kõige enam pool aastat elulootust. See oli neli kuud tagasi."

„Kui vana ta oli?"

„Viiskümmend. Polnud saladus, et ta oli suremas. Milleks teda siis niimoodi tappa?"

Hunter peatus. „Ja selles pole kahtlust, et ta mõrvati?"

„Oo ei, mitte mingisugust."

Garcia sisenes Hunteri ees majja ja läks läbi esiku. Ukse kõrval oli valvesüsteemi klahvistik. Hunter vaatas Garcia poole. „Valve ei töötanud," selgitas paarimees. „Seda ei lülitatud just tihti sisse."

Hunter grimassitas nägu.

„Tean," nentis Garcia, „milleks see siis üldse paigaldada, eks?" Nad läksid edasi.

Elutoas võtsid kaks kriminalisti kaugemas seinas olevalt trepilt sõrmejälgi.

„Kes surnukeha leidis?" küsis Hunter.

„Ohvri koduhooldusõde," vastas Garcia ja suunas Hunteri tähelepanu idaseinas olevale avatud uksele. See viis suurde kabinetti. Seal istus klassikalisel nahast diivanil valges riietuses noor naine. Tema juuksed olid kuklale kinnitatud. Silmad olid nutmisest punased ja paistes. Tal oli põlvedel kohvitass, mida ta hoidis kahe käega. Tema pilk tundus eemalolev. Hunter pani tähele, et naine kõigutas kergelt ülakeha edasi-tagasi. Ta oli ilmselgelt šokis. Temaga koos oli kabinetis mundris politseinik.

„Kas keegi on üritanud temaga rääkida?"

„Mina," vastas Garcia. „Sain temalt teada mõned põhiasjad, aga ta on psühholoogiliselt välja lülitunud ja mind see ei üllata. Võib-olla proovid hiljem. Sa oled neis asjus minust osavam."

„Ta oli pühapäeval siin?" küsis Hunter.

„Ta töötabki ainult nädalavahetustel," selgitas Garcia. „Tema nimi on Melinda Wallis. Õpib UCLA-s. Hakkab lõpetama õenduseriala bakalaureusekraadi. See on tema praktika osa. Ta sai selle töö nädal pärast härra Nicholsoni diagnoosi."

„Aga ülejäänud nädal?"

„Härra Nicholsonil on ka teine hooldusõde." Garcia avas oma kaitseülikonna luku ja võttis rinnataskust märkmiku. „Amy

Dawson," luges ta nime. „Amy ei ole tudeng. Ta on medõde. Tema hoolitses härra Nicholsoni eest nädala sees. Ka mehe kaks tütart käisid teda iga päev vaatamas."

Hunter kergitas kulme.

„Nendega pole veel ühendust võetud."

„Nii et ohver elas siin üksinda?"

„Jah. Tema abikaasa, kellega ta oli abielus kakskümmend kuus aastat, hukkus kaks aastat tagasi autoavariis." Garcia pani märkmiku taskusse tagasi. „Surnukeha on teisel korrusel." Ta viitas trepi poole.

Üles minnes hoidus Hunter oma tööd tegevaid kriminaliste häirimast. Teise korruse trepitasand meenutas ooteruumi – kaks tooli, kaks nahast tugitooli, väike raamaturiiul, ajakirjarest ja elegantsete pildiraamidega puhvetkapp. Hämaralt valgustatud koridor viis edasi nelja magamistoa ja kahe vannitoa juurde. Garcia juhatas Hunteri paremale jääva viimase ukseni ja seisatas selle ees.

„Tean, et sa oled näinud igasuguseid ebanormaalseid asju, Robert. Jumal ise teab, et minagi olen." Ta pani kummikindas käe uksenupule. „Aga see ... isegi mitte õudusunenägudes." Garcia avas ukse.

Neli

Hunter seisis suure magamistoa lävel. Pilk registreeris silme ees avaneva vaatepildi, aga ajul oli keeruline seda mõista.

Põhjapoolse seina keskel oli lai reguleeritava kõrgusega voodi. Sellest paremal nägi ta väikest hapnikuballooni ja puidust öökapil hapnikumaski. Voodiotsa juures seisis ratastool. Toas oli ka antiikne kummut, mahagonist kirjutuslaud ja suur sektsioon-kapp voodi vastas. Kapi keskel oli lameekraaniga teler.

Hunter hingas välja, aga ei liigutanud, ei pilgutanud silmi, ei öelnud sõnagi.

„Kust me alustame?" sosistas Garcia tema kõrval.

Kõik kohad olid verd täis – voodi, põrand, vaip, seinad, lagi, kardinad ja peaaegu kõik mööblitükid. Härra Nicholsoni surnukeha lamas voodil. Või vähemasti see, mis temast järel oli. Surnukeha oli tükeldatud. Käed ja jalad olid keha küljest ära rebitud. Üks käsi oli liigeste kohalt väiksemateks tükkideks raiutud. Mõlemad jalalabad olid säärte küljest ära lõigatud. Ent kõiki tuppa astujaid jahmatas skulptuur.

Ohvri äralõigatud ja tükeldatud kehaosad olid kuhjatud väikesele diivanilauale akna all, moodustades verise, moonutatud, arusaamatu kuju.

„Ei ole võimalik," sosistas Hunter endamisi.

„Ma ei hakka küsimagi, sest ma tean, et sa pole midagi sellist varem näinud, Robert," ütles doktor Carolyn Hove kaugemast toanurgast. „Mitte keegi meist pole."

Doktor Hove oli Los Angelese maakonna peakoroner. Ta oli pikk ja sale, roheliste silmade läbitungiva pilguga. Tema pikad kastanpruunid juuksed olid valge kaitseülikonna kapuutsi alla topitud, täidlased huuled ja väike nina maski all peidus.

Hunteri pilk liikus paariks sekundiks naise peale ja siis suurtele vereloikudele põrandal. Ta kõhkles hetke. Vereloiku sattumata polnud võimalik tuppa siseneda.

„Pole hullu," ütles doktor Hove, viibates talle ja Garciale. „Põrand on pildistatud."

Hunter üritas siiski verest kõrvale hoiduda. Ta läks voodi ja härra Nicholson jäänuste juurde. Ohvri nägu oli verest paakunud. Silmad ja suu olid laiali lahti, nagu oleks tema viimane hirmukarjatus poole peal tardunud. Voodilinad, padjad ja madrats olid mitmest kohast katki rebitud.

17

„Ta tapeti sellel voodil," ütles doktor Hove Hunteri juurde astudes.

Hunter silmitses jäänuseid.

„Pritsmete ja verekoguse järgi otsustades tekitas mõrtsukas ohvrile nii palju valu kui too taluda suutis, enne kui lasi tal surra," jätkas naine.

„Mõrtsukas tükeldas teda enne surma?"

Doktor noogutas. „Ja alustas väikestest kehaosadest, mille kaotus ei ole eluohtlik."

Hunter kibrutas laupa.

„Kõik varbad ja keel olid ära lõigatud." Doktor vaatas taas kehaosadest jälgi skulptuuri poole. „Ütleksin, et skulptuuri alus tehti enne, kui teda tükeldama hakati."

„Ta oli majas üksi?"

„Jah," vastas Garcia. „Melinda, see tudengist medõde, keda sa all nägid, veedab nädalavahetused siin, aga magab külaliskorteris garaaži peal, mida sa nägid maja ees. Tema sõnul käisid härra Nicholsoni tütred siin iga päev ja veetsid isa seltsis paar tundi, vahel rohkem. Nad lahkusid eile õhtul üheksa paiku. Kui Melinda oli sättinud patsiendi magama ja majas oma tegemised lõpetanud, lahkus ta siit üheteistkümne paiku õhtul. Ta läks tagasi külaliskorterisse ja oli ärkvel poole neljani öösel, õppides eksamiks."

Hunteril polnud keeruline aru saada, miks õde midagi ei kuulnud. Garaaž asus peamaja ees umbes kahekümne meetri kaugusel. See tuba, kus nad praegu olid, paiknes maja tagumises küljes, koridoris viimane. Aknad avanesid tagaaeda. Siin võinuks pidu käia ja Melinda poleks midagi kuulnud.

„Paanikanuppu ei ole?" uuris Hunter.

Garcia osutas ühele asitõendikotile toanurgas. Selles oli kaablijupp, mille otsas oli lüliti. „Kaabel oli katki lõigatud."

Hunter keskendus nüüd voodil, mööblil ja seintel olevatele verepritsmetele. „Kas tapariist on leitud?"

„Ei, veel mitte," vastas Garcia.

„Alt üles laienev verepritsmete muster ja sakilised haava-servad viitavad sellele, et mõrtsukas kasutas mingisugust elekt-rilist saagimisvahendit," ütles doktor Hove.

„Mootorsaag?" pakkus Garcia.

„Võimalik."

Hunter raputas pead. „Mootorsaag teeb liiga kõva lärmi. Liiga ohtlik. Mõrtsukas poleks tahtnud, et keegi teda segama tuleb, enne kui on lõpetanud. Samuti on mootorsaagi keeruli-sem käsitleda, eriti kui eesmärgiks on täpsed lõiked." Ta uuris jäänuseid ja voodit veel natuke aega, läks siis diivanilaua ja morbiidse skulptuuri juurde.

Härra Nicholsoni mõlemad käsivarred olid kohmakalt randmetest väänatud, moodustades kaks selget, ent tähenduseta kuju. Jalalabad olid ära lõigatud ning koos käsivarte ja käe-labadega kokku kuhjatud. Kõike seda hoidis koos peenike, ent tugev traat. Traati oli kasutatud ka osade varvaste kinni-tamiseks kahe tüki servade külge. Jalad oli pandud kõrvuti lauale ja need moodustasid skulptuuri põhja. Kõik oli verine.

Hunter tegi sellele aeglaselt tiiru peale, püüdes mitte midagi kahe silma vahele jätta.

„Mis iganes see on," tähendas doktor Hove, „paari minutiga seda kokku ei pane. See võtab aega."

„Ja kui mõrtsukas selle kokkupanekule aega kulutas," lisas Garcia lähemale tulles, „peab see midagi tähendama."

Hunter taganes paar sammu ja vaatas võigast teost eemalt. See ei tähendanud tema jaoks mitte midagi.

„Kas su labor saaks sellest elusuuruses maketi teha?" küsis ta doktor Hove'ilt.

Naine väänas maski all suud. „Ma ei näe põhjust, miks mitte. See on juba pildistatud, aga ma kutsun fotograafi tagasi

19

ja lasen tal teha pilti iga nurga alt. Olen kindel, et labor saab sellega hakkama."

„Teeme siis seda," lausus Hunter. „Siin ja praegu ei mõtle me midagi välja." Ta pöördus kaugema seina poole ja tardus. See oli nii verine, et ta peaaegu poleks seda märganudki. „Mis asi see ometi on?"

Garcia vaatas Hunterit ja siis seina. Ta ohkas raskelt. „See ... on kõikide kõige jubedam painaja."

Viis

Doktor Hove võttis maski eest ja pöördus Garcia poole. „Ta ei tea?"

Hunter kergitas kulmu.

Garcia avas kaitseülikonna luku ja võttis taas taskust märkmiku. „Räägin sulle, mida me teame, aga et sa kõigest lõpuni aru saaksid, pean alustama eilsest pärastlõunast."

„Olgu." Hunter oli uudishimulik.

Garcia jätkas lugemist. „Härra Nicholsoni vanem tütar Olivia käis isa vaatamas viie paiku õhtul. Tema noorem õde Allison saabus pool tundi hiljem. Nad sõid koos isaga õhtust ja olid talle seltsiks kella üheksani, kui mõlemad lahkusid. Pärast seda aitas hooldusõde Melinda härra Nicholsoni tualetti ja seejärel voodisse, nagu kõikidel nädalavahetuse õhtutel. Patsient uinus umbkaudu poole tunni jooksul. Melinda oli selle aja tema juures." Garcia viitas toolile teisel pool voodit. „Ta istus seal. Õpikud olid kaasas." Ta keeras lehte. „Melinda kustutas tuled, võttis all nõudepesumasinast nõud välja ja läks üheteistkümne paiku õhtul külaliskorterisse."

Hunter noogutas, vaadates taas seina poole.

„Kohe-kohe," ütles Garcia. „Melinda mäletab, et keeras uksed lukku, ka tagumise ukse, kust pääseb kööki, aga akende osas ta kindel pole. Kui ma hommikul siia jõudsin, olid kaks alumise korruse akent lahti, kabinetis ja köögis. LAPD* esmareageerijad ütlesid, et ei puudutanud midagi."

„Nii et need võisid öö läbi lahti olla," lausus Hunter.

„Tõenäoliselt küll."

Hunter vaatas rõdu liuguksi.

„Need olid paokile jäetud," selgitas Garcia. „See tuba võib umbseks minna, eriti suvel. Härra Nicholsonile ei meeldinud konditsioneer. Rõdu on tagaaia ja basseini poole. Häda on selles, et kogu majasein on väljast kaetud kassitapuga – nagu sa arvatavasti tead, on see Californias kõige levinum ronitaim. Puidust sõrestik selle all on piisavalt tugev, et sealt inimene üles võiks ronida. Tagaaiast siia tuppa pääsemine ei oleks keeruline."

„Kriminalistid vaatavad tagaaia ja rõdu üle kohe, kui on sees lõpetanud," lisas doktor Hove.

„Kesköö paiku meenus Melindale, et ta oli ühe õpiku siia unustanud," jätkas Garcia märkmikust lugemist. „Ta tuli tagasi, avas välisukse ja tuli trepist üles." Garcia aimas Hunteri järgmisi küsimusi ette ja vastas enne, kui paarimees need esitada jõudis. „Jah, välisuks oli lukus. Ta mäletab, et keeras luku võtmega lahti. Ja ei, ta ei märganud majas viibides midagi ebatavalist. Mitte mingeid hääli ka ei kuulnud."

Hunter noogutas.

„Melinda käis üleval," lasi Garcia edasi, „aga kuna ta ei tahtnud härra Nicholsoni segada ja teadis täpselt, kuhu ta õpiku jättis ..." Ta osutas mahagonist kirjutuslauale seina ääres,

---

★ LAPD – *Los Angeles Police Department* ehk Los Angelese politseijaoskond.

„... sellele lauale seal, ei pannud ta tuld põlema. Ta tuli vaikselt tuppa, võttis õpiku ja läks vaikselt välja."

Hunteri pilk kandus taas verisele seinale voodi juures ja süda jättis löögi vahele, kui Garcia kirjeldus arusaadavamaks muutus. „Melinda magas täna hommikul sisse," jutustas Garcia edasi. „Ta tõusis, riietus kähku ja jooksis peamajja. Ütles, et avas peaukse 8.43. Ta vaatas käekella." Garcia sulges märkmiku ja pistis tagasi taskusse. „Ta tuli kohe üles ja tuppa astudes nägi mitte ainult seda vaatepilti, mis sulle siin avaneb, vaid ka sõnum isikult, kes oli toas olnud." Ta viitas taas seinale.

Verepritsmetes oli suurte veriste tähtedega lause „HEA, ET SA TULD PÕLEMA EI PANNUD".

Kuus

Toas tekkis kohmetu vaikus. Hunter astus paar sammu seina poole ning uuris sõnu ja tähti pikalt.

„Millega mõrtsukas selle kirjutas, kas verre kastetud riidetükiga?" küsis ta.

„Mina pakuksin sama," nõustus doktor Hove. „Aga kriminalistid oskavad paari päeva pärast täpsemini öelda." Ta keeras seinale selja ja vaatas uuesti voodi poole. Tema hääl vä'ises meeleheitest. „See on täiesti mõeldamatu, Robert. Minu töös pole mitte midagi sellist ette tulnud. Mõrtsukas veetis siin mitu tundi, esmalt piinas ja seejärel tükeldas ohvrit. Ja siis tegi ta selle asja." Ta osutas verisele skulptuurile. „Ja tal jäi ikka aega sõnum kirjutada." Naine vaatas Garcia poole. „Kui vana see tütarlaps on? See tudengist hooldaja?"

„Kakskümmend kolm."

„Sina muidugi tead paremini kui keegi teine, et tal kulub sellest üle saamiseks mitu kuud või isegi aastaid teraapiat, kui ta üldse sellest üle saab. Mõrtsukas oli toas, kui ta õpikut võtmas käis. Kui ta oleks tule põlema pannud, oleks meil kaks laipa, ja tema oleks arvatavasti osa sellest groteskset asjandusest." Doktor Hove viitas taas skulptuurile. „Tema medõe karjäär on läbi enne, kui see alata jõudis, ja psüühika elu lõpuni rikutud. Õudusunenäod ja unetud ööd pole veel teda piinama hakanud. Sa tead omast käest, kui hävitav see olla võib."

Hunteri unetus polnud mingi saladus. Tal oli see tekkinud seitsmeaastasena pärast seda, kui tema ema vähki suri.

Hunter oli väga vaese tööklassi perekonna ainus laps Comptonist, Los Angelese lõunaosa vaeses piirkonnas. Peale isa tal rohkem sugulasi polnud ning seetõttu oli ema surm olnud väga raske ja üksildane läbielamine. Ta igatses ema lausa füüsilise valuga.

Pärast matuseid hakkas Hunter unenägusid pelgama. Iga kord, kui ta silmad sulges, nägi ta ema nägu. Nägi teda nutmas, valust moondunud, abi anumas, surma palumas. Nägi kunagi nii heas vormis ja tervet keha elust tühjaks pigistatuna, hapra ja nõrgana, et ema ei suutnud end iseseisvalt istumagi ajada. Ta nägi nägu, mis kunagi oli olnud imeilus, maailma kõige säravama naeratusega, nende viimaste kuude jooksul tundmatuseni muutumas. Aga see oli sellegipoolest nägu, mida ta armastas.

Unest sai vangla, mille eest Hunter üritas igati põgeneda. Unetus oli loogiline lahendus, mille tema organism leidis hirmu ja öösel tekkivate hirmuunenägudega võitlemiseks. Lihtne kaitsemehhanism.

Hunter ei osanud doktor Hove'ile vastata.

„Kes küll millekski selliseks võimeline on?" Naine raputas vastikustundest pead.

„Keegi, kelles on palju vihkamist," vastas Hunter vaikselt.

Kõigi tähelepanu kandus toalt valjudele häältele, mis kostsid alumiselt korruselt. Naisehääl, mis muutus kiiresti hüsteeriliseks. Hunter vaatas murelikult Garcia poole.

„Üks tütardest," ütles ta ja hakkas kiiresti ukse poole minema. „Hoidke see uks kinni." Hunter väljus toast ja jooksis alla viiva trepi juurde. Trepi alumise otsa lähedal seisis kahe takistava politseiniku ees kolmekümneaastane naine. Tema lainelised heledad juuksed olid pikad ja lahtised, ulatudes poolde selga. Tal oli südamekujuline nägu, helerohelised silmad, kõrged põsesarnad ja väike terav nina. Tema näol oli ülim meeleheide. Hunter jõudis tema juurde, enne kui naine end politseinike haardest lahti jõudis kiskuda.

„Pole midagi," ütles ta paremat kätt üles tõstes. „Ma jätkan ise."

Politseinikud lasid naisest lahti.

„Mis toimub? Kus mu isa on?" Naise hääl oli hirmust ja ahastusest kähe.

„Mina olen uurija Robert Hunter LAPD-st," ütles Hunter nii rahulikult, kui suutis.

„Mul ükskõik, kes te olete. Kus mu isa on?" küsis naine uuesti, üritades Hunterist mööda trügida.

Hunter astus märkamatult tagasi, takistades teda. Nende pilgud kohtusid korraks ja ta raputas kergelt pead. „Tunnen kaasa."

Naine sulges pisarais silmad ja surus käe suule. „Oh jumal. Isa ..."

Hunter lasi tal end koguda.

Naine peatus ja põrnitses Hunterit, nagu oleks järsku midagi taibanud. „Mida teie siin teete? Miks politsei siin on? Miks kõik on politseilindiga piiratud?"

Kuna Derek Nicholsoni arstid olid tema haiguse diagnoosinud neli kuud tagasi, olid tema tütred teatud mõttes isa surmaks valmistuma hakanud. Seda oli oodata ja see polnud tütre jaoks tegelikult üllatus. Kõik muu oli.

„Vabandage, ma ei kuulnud teie nime," sõnas Hunter.

„Olivia, Olivia Nicholson."

Hunter oli juba märganud naise neljanda sõrme nõrka heledamat riba. Naine oli kas hiljuti leseks jäänud või lahutanud. Enamik Ameerika Ühendriikide lesknaisi ei kibele abielusõrmust sõrmest võtma ja abikaasa nimest lahti ütlema. Olivia tundus ka liiga noor, et lesk olla, kui just polnud toimunud mingit tragöödiat. Hunter oletas, et ta oli lahutatud.

„Kas me võiksime rääkida kuskil privaatsemas kohas, preili Nicholson," pakkus Hunter, viidates elutoa poole.

„Võime siin rääkida," vastas Olivia trotslikult. „Mis siin toimub? Mida see kõik tähendab?"

Hunteri pilk liikus kahele politseinikule trepi alumise otsa juures, kes kuulasid tähelepanelikult. Mõlemad said vihjest kähku aru ja suundusid ukse poole. Hunter vaatas taas Oliviale otsa.

„Teie isa ei surnud haiguse tagajärjel." Ta ootas, et need sõnad Oliviale kohale jõuaksid, ja jätkas siis. „Ta tapeti."

„Mis asja? See ... see on tobedus."

„Palun lähme istume kuskil," lausus Hunter.

Olivia hingas välja, kui pisarad taas silma tungisid. Ta andis viimaks alla ja järgnes Hunterile elutuppa. Hunter ei tahtnud teda noore medõega samasse tuppa viia.

Olivia istus helepruunile tugitoolile akna all, Hunter tema vastu diivanile.

„Kas te soovite klaasi vett?" küsis Hunter.

„Jah, palun."

Hunter ootas ukse juures, kuni üks politseinik tõi neile kaks klaasi vett. Ta ulatas ühe Oliviale, kes jõi suurte sõõmudega klaasi tühjaks.

Hunter istus uuesti ja selgitas neutraalsel häälel, et vara-hommikul oli keegi majja ja härra Nicholsoni magamistuppa tunginud.

Olivia ainult värises ja nuttis ning kahtles mõistetavalt kõiges.

„Me ei tea, miks teie isa tapeti. Me ei tea, kuidas kurjategija majja tungis. Hetkel on meil vaid hulk küsimusi ja mitte ühtegi vastust. Aga me teeme kõik, et süüdlane leida."

„Teisisõnu pole teil aimugi, mis siin juhtus," kähvas naine vihaselt.

Hunter vaikis.

Olivia tõusis ja hakkas edasi-tagasi tammuma. „Ma ei mõista. Miks peaks keegi tahtma mu isa tappa? Tal oli vähk. Ta oli ... nagunii suremas." Talle tulid taas pisarad silma.

Hunter vaikis endiselt.

„Kuidas?"

Hunter vaatas talle otsa.

„Kuidas ta tapeti?"

„Peame ootama koroneri lahkamistulemusi, et surma põhjus kindlaks teha."

Olivia kortsutas kulmu. „Kuidas te siis teate, et ta tapeti? Kas ta lasti maha? Pussitati? Kägistati?"

„Ei."

Naine oli segaduses. „Kuidas te siis teate?"

Hunter tõusis ja läks tema juurde. „Me teame."

Naise pilk kandus taas trepile. „Ma tahan tema tuppa minna."

Hunter pani kergelt käe tema vasakule õlale. „Palun uskuge mind, preili Nicholson, et sinna tuppa minemine ei anna ühelegi teie küsimusele vastust. See ei leevenda ka teie valu."

„Miks? Tahan teada, mis temaga juhtus. Mille te ütlemata jätate?"

Hunter kõhkles hetke, aga teadis, et naisel on õigus teada.

„Tema keha on moonutatud."

„Issand jumal!" Mõlemad käed kerkisid suu peale.

„Tean, et teie ja teie õde käisite eile õhtul siin. Te sõite koos isaga õhtust, eks?"

Olivia vappus nii tugevasti, et suutis hädavaevu noogutada.

„Palun," sõnas Hunter. „Laske sel jääda viimaseks mälestuseks oma isast."

Olivia hakkas meeleheitlikult nuuksuma.

Seitse

Hunter ja Garcia jõudsid oma tööruumidesse West 1st Streeti politseimaja viiendal korrusel pärastlõunaks. Siin asus LAPD uus peakorter, kuhu koliti peaaegu 60 aastat vanast Parker Centeri majast.

Pärast juhtunust kuulmist katkestas ka kapten Barbara Blake oma vaba päeva ja ootas uurijaid terve rea küsimustega.

„Kas see on tõsi, mida ma kuulsin?" küsis ta enda järel ust sulgedes. „Keegi tükeldas ohvri?"

Hunter noogutas ja Garcia ulatas ülemusele pataka fotosid.

Barbara Blake oli olnud röövide ja mõrvarühma kapten viimased kolm aastat. Blake'i valis välja eelmine kapten William Bolter isiklikult, toonane Los Angelese linnapea määras ta ametisse ja naine omandas peagi asjaliku raudse rusikaga kapteni maine. Blake oli huvitav naine – stiilne, atraktiivne, pikkade mustade juuste ja külmade tumedate silmadega, mis suutsid enamiku inimesi pelgalt pilguga värisema panna. Teda polnud kerge heidutada, ta ei lasknud mitte kellelgi endale ettekirjutusi teha ja ta oli valmis juhtumite lahendamise nimel

astuma varvastele mõjuvõimsatele poliitikutele ja valitsus-
ametnikele.

Kapten Blake lappas fotosid, nägu muutus iga järgmisega
murelikumaks. Kui ta viimase fotoni jõudis, pidas ta vahet ja
hoidis hinge kinni.

„Jumala nimel, mis asi see on?"

„Ee ... mingisugune skulptuur," vastas Garcia.

„Tehtud ... ohvri kehaosadest?"

„Jah."

Mitu sekundit valitses ruumis vaikus.

„Kas see peaks midagi tähendama?" küsis kapten Blake siis.

„Jah, see tähendab midagi," vastas Hunter. „Me lihtsalt ei
tea veel, mida."

„Kuidas te saate olla kindel, et see midagi tähendab?"

„Sest kui tahetakse inimest tappa, minnakse tema juurde
ja lastakse talle kuul kerre. Keegi ei hakka riskima sellise
asjaga, mis võtab kaua aega, kui kõigel sellel poleks mingit
tähendust. Ja tavaliselt jätab kurjategija midagi nii olulist maha
suhtlemiseks."

„Meiega?"

Hunter kehitas õlgu. „Kellegagi. Peame esmalt välja nupu-
tama, mida see tähendab, ja siis saame teada."

Kapten Blake keskendus taas fotodele. „Nii et see polnud
siis suvaline tegu. Mõrtsukas ei pannud seda sadistliku inspi-
ratsiooni ajel kohapeal kokku?"

Hunter raputas pead. „Väga ebatõenäoline. Ütleksin, et
mõrtsukas teadis täpselt, mida ta Derek Nicholsoni kehaosadega
teeb, enne kui ta tema tappis. Ta teadis täpselt, milliseid keha-
osasid vaja läheb. Ja ta teadis väga hästi, milline tema õudusteos
välja näeb, kui ta selle valmis saab."

„No tore." Blake vaikis. „Ja mida *see* tähendab?" Kapten
näitas neile fotot verisest lausest seinal.

Garcia jutustas talle kogu loo ära. Kui ta lõpetas, ei leidnud kapten Blake sõnu, mis oli tema puhul ebatavaline.

„Mille kuradiga meil siin tegu on, Robert?" küsis ta viimaks, ulatades fotod Garciale tagasi.

„Ma ei tea veel, kapten." Hunter naaldus vastu oma lauda. „Derek Nicholson töötas California osariigi prokurörina kakskümmend kuus aastat. Ta saatis palju inimesi trellide taha."

„Arvad, et see võib olla kättemaks? Kelle kuradi ta trellide taha saatis, Luciferi ja Texase mootorsaemõrvade jõugu?"

„Ma ei tea, aga sealt peamegi alustama." Hunter vaatas Garcia poole. „Meil on vaja nimekirja kõigist, kelle Nicholson trellide taha saatis – mõrtsukad, mõrvakatsete korraldajad, vägistajad, kes iganes. Võtame ennekõike tähelepanu alla vabadusse pääsenud, tingimisi vabastatud või kautsjoni vastu vabanenud isikud ..." Ta pidas hetke aru, „... viieteistkümne aasta jooksul ... ja ka vastavalt kuriteo tõsidusele. Esmajärjekorras kõik, kelle ta mingisuguse sadistliku mõrva ees trellide taha saatis."

„Panen uurijad tööle," sõnas Garcia, „aga pühapäev on. Me ei saa midagi enne, kui ehk alles homme õhtul."

„Pole midagi. Peame ka võrdlema saadud nimesid nende lähisugulaste, jõugukaaslaste või muu säärasega – kes iganes, kes võiks teise inimese nimel Derek Nicholsonile kätte maksta. See võis olla ka kaudne kättemaks. Võib-olla on see isik, kelle Nicholson trellide taha saatis, endiselt vangis ... võib-olla suri vanglas ja keegi teine ihkab kättemaksu."

Garcia noogutas.

Hunter võttis fotod ja laotas need lauale laiali. Pilk jäi pidama skulptuuri fotol.

„Kuidas kurjategija selle kokku pani?" küsis kapten Hunteri juurde minnes.

„Kasutas tükkide paigas hoidmiseks traati."

„Traati?"

„Jah."

Blake kummardus ja uuris fotot uuesti. Järsku tabas teda kõhedusvärin. „Ja kuidas me selle tähenduse välja selgitame? Mida rohkem ma seda vaatan, seda väärastunum ja arusaamatum see tundub."

„Kriminalistid teevad meile selle täpse koopia. Võib-olla kasutame paari kunstiasjatundja abi, vaatame, mida nemad arvavad."

Kapten Blake oli politseis töötamise ajal näinud igasuguseid kujuteldamatuid õudusi, aga mitte midagi sellist. „Kas te olete kunagi midagi sellist näinud või sellisest kuriteost kuulnud?" küsis ta.

„Tean üht juhtumit, kui mõrtsukas maalis ohvri verega," vastas Garcia, „aga see on midagi täiesti teistsugust."

„Mina pole millestki sellisest kuulnud ega midagi sellist näinud," lausus Hunter.

„Kas ohver võis olla suvaline?" küsis kapten Blake, lehitsedes Garcia tehtud märkmeid. „Mulle tundub, et mõrtsuka jaoks on tähtis teo sadistlikkus ja selle groteskse asja tegemine, mitte ohver ise. Ta võis valida Nicholsoni, kuna tegemist oli lihtsa sihtmärgiga." Ta keeras Garcia märkmikus lehte. „Derek Nicholsonil oli viimase staadiumi kasvaja. Ta oli nõrk ja põhimõtteliselt voodihaige. Täiesti kaitsetu. Ta ei oleks suutnud appi karjuda ka siis, kui mõrtsukas oleks talle ruupori andnud. Ja ta oli üksi kodus."

„Kaptenil on õigus," nõustus Garcia pead küljelt küljele kallutades.

„Ma ei usu seda," ütles Hunter ning läks laua juurest avatud akna alla. „Derek Nicholson oli küll lihtne sihtmärk, aga Los Angelese suguses linnas on lihtsaid sihtmärke palju – hulkurid, kodutud, narkomaanid, prostituudid ... Kui ohvril mõrtsuka jaoks tähtsust pole, miks siis riskida LA prokuröri majja sissemurdmisega ja kulutada oma tegevuse peale mitu tundi? Ja ta' polnud ka *täiesti* üksi. Koduhooldusõde elas ju garaaži kohal külaliskorteris, mäletate? Ja nagu me teame ..." Hunter kopsis fotot, millel oli seinale kirjutatud sõnum, „... sattus too mõrtsukale peale. Õnneks ei pannud ta tuld põlema." Hunter pöördus teiste poole. „Uskuge mind, kapten, mõrtsukas tahtis just seda ohvrit. Ta soovis Derek Nicholsoni surma. Ja ta tahtis, et Nicholson enne surma piinleks."

Kaheksa

Venice Beachil võrkpalli mängimise või Lakersi mängu vaatamise asemel veetis Hunter ülejäänud päeva keskendunult kuriteopaiga fotosid uurides ning üks küsimus kerkis ikka ja jälle esile.

Mida see skulptuur ometi tähendab?

Ta otsustas minna tagasi Derek Nicholsoni majja.

Surnukeha ja sünge skulptuur olid surnukuuri viidud. Maha oli jäänud nukker elutu maja täis leina, kurbust ja hirmu. Derek Nicholsoni viimased elutunnid olid tema toas laiali pritsitud ja see viitas ainult ühele – kohutavale valule.

Hunter vaatas mõrtsuka poolt seinale jäetud sõnumit ja tundis, kuidas tühimik sisemuses laieneb. Mõrtsukas võttis Derek Nicholsoni elu ja hävitas seda tehes veel kolm – Nicholsoni mõlema tütre ja noore medõe oma.

Kriminalistid olid leidnud majast vähemalt neljad erinevad sõrmejäljed, aga nende analüüsimiseks kulub päev või paar. Nad olid ülemise korruse toast saanud ka mitu juuksekarva ja kiude. Mitu tundi tagaaia ja Derek Nicholsoni toa välisseina külge kinnitatud sõrestiku uurimist ei olnud andnud mingeid

31

tõendeid. Sissemurdmisest polnud märkigi. Aknad ei olnud lõhutud, aknariivid polnud katki, uksed ja lukud oli puutumata, aga samas ei mäletanud nädalavahetuse hooldusõde Melinda Wallis, kas ta oli tagaukse lukku keeranud. Kaks alumise korruse akent olid ööseks lahti jäänud ja härra Nicholsoni tuppa viiv rõduuks oli paokil.

Hunter oli üritanud Melinda Wallisega vestelda, aga Garcial oli õigus, noor naine oli psühholoogiliselt endasse tõmbunud. Tema aju üritas toime tulla Derek Nicholsoni surnukeha avastamisega verd täis toas, aga ennekõike üritas aju teda kaitsta teadmise eest, et ta oli olnud surmast vaid paari sammu kaugusel.

Hunter uuris ülemise korruse tuba, otsides vihjeid, mida ehk esimesel korral ei näinud. Ta ei leidnud midagi, mida kriminalistid polnud juba leidnud, ent vaatepildi metsikus oli enam kui häiriv. Nagu oleks mõrtsukas meelega toa verd täis pritsinud.

Sõnum seinal polnud esialgse plaani osa, vaid viimase hetke ülbe trotslik tegu. Kogu see tuba oli nagu mõrtsuka viha ja mõttetuse vaateaken ning see häiris Hunterit.

Hunter naasis koju alles õhtul. Ta sulges enda järel ukse ja toetas väsinud keha selle vastu. Pilk libises üle pimeda ja üksildase elutoa ning ta üritas välja mõelda, kas täna õhtul on mõistlik koju jääda.

Hunter elas üksinda, abikaasat ega kallimat ei olnud. Ta polnud abielus olnud ja tema suhted ei kestnud kunagi kaua. Tema tööga kaasnev pinge ja pühendumine olid enamike naiste jaoks mõistmiseks liig. Hunter oli meelsasti üksi. Üksi elamine ei häirinud teda, aga olles suure osa päevast veetnud surma ja veriste seinte keskel, ei tahtnud ta oma väikese korteri üksindust.

Los Angelese ööelu on üks maailma elavamaid ja põnevamaid, valida on kõige luksuslikumate ja moekamate ööklubide vahel, kus käivad A-klassi staarid, kuni teemabaaride ja räpaste

32

näruste põrandaaluste urgasteni, kus armastavad käia kõiksugu väärakad. LA-s leidus igale tujule vastav koht. Hunter läks Jay's Rock Bari, mis oli tema kodust kahe tänavavahe kaugusel asuv urgas. See oli üks tema lemmikbaare, kus oli suurepärane Šoti viskide valik, rokkmuusikat mängiv muusikamasin ja sõbralik energiline personal.

Ta istus baarileti taha ja tellis topeltkoguse 12-aastast GlenDronachit kahe jääkuubikuga. Ühelinnase Šoti viski oli tema suurim kirg ja ehkki ta oli mõned korrad sellega liiale läinud, oskas ta selle maitset ja kvaliteeti nautida ka ilma nina täis võtmata.

Hunter võttis lonksu viskit ning lasi mõnusal metspähkli ja tamme maitsekooslusel suus paisuda. Baaris oli piisavalt kliente ja pärast tänast oli tal hea meel olla naervate ja lõbutsevate inimeste keskel.

Hunterile lähimas lauas istus neli naist, kes arutasid kõige halvemate külgelöömislausete üle.

„Ma olin ühel õhtul Santa Monicas baaris," jutustas heledate lühikeste juustega naine, „kui üks kiilaspäine tüüp tuli minu juurde ja ütles ..." Naine imiteeris baritoni: „„Kullake, ma pole Fred Flintstone, aga võin su voodit raputada küll!""

Kaks sekundit jahmunud vaikust ja siis pahvatasid naised naerma.

„See on tõeliselt nõme," ütles neljast kõige noorema välimusega naine. „Aga mul on midagi veel hullemat. Olin eelmisel nädalavahetusel Sunset Boulevardil ning üks mees tuli keset päeva ja keset tänavat minu juurde ja ütles: „Kullake, su nimi peab olema Gillette, sest sa oled parim, mida mehel on võimalik saada.""

Naised naersid taas.

„Olgu-olgu," lausus pikkade juustega brünett, „see on tõesti võidumees. Ma pole midagi nii labast elu sees kuulnud."

33

Hunter nõustus ja muigas endamisi. See oli esimene kord, kui ta sel päeval naeratas.

„Veel?" küsis noor puertoricolasest baarmen Emilio ja nookas Hunteri tühja klaasi poole.

Hunteri tähelepanu kandus neljalt naiselt Emiliole ja siis oma klaasile. Ta oli väsinud, aga teadis, et kui ta praegu koju läheb, ei jää ta magama. Ta magas nagunii vähe. Unetus ei lasknud sel juhtuda.

„Nojah, miks mitte."

Emilio valas talle veel topeltkoguse ja pistis ka ühe jääkuubiku klaasi. Hunter vaatas, kuidas see pruuni vedelikku kukkudes pragunes. Baari otsas istuv kulunud hallis ülikonnas mees köhis karedalt nagu suitsetaja ning Hunteri mõtted kandusid taas Derek Nicholsoni ja juhtumi peale. Miks tappa inimene, kes on nagunii kopsuvähki suremas? Keegi, kes peab niigi piinarikast surma surema? Üks, maksimaalselt kaks kuud ja vähk oleks ta hauda viinud. Aga mõrtsukas ei saanud lasta ... ei tahtnud lasta sel juhtuda. Ta tahtis olla see, kes annab saatusliku hoobi. See, kes vaatab Nicholsonile silma, kui viimane sureb. See, kes mängib jumalat.

Hunter võttis lonksu viskit ja sulges silmad. Tal oli selle juhtumi osas halb tunne. Väga halb tunne.

Üheksa

Los Angelese suguses linnas ei ole vägivaldsed kuriteod midagi ebatavalist. Tõtt-öelda on need pigem normaalsus. Seega pole ka üllatav, et keskmisel LA koroneril on aastaringselt sama palju tööd kui EMO arstil. Töö kuhjub nagu lumi ja kõik peab käima graafikujärgselt. Isegi tagant kiirustades kulus terve päev, enne kui doktor Hove sai Derek Nicholsoni lahkama hakata.

Hunter oli saanud magada vaid neli tundi. Silmad kipitasid hommikul ja kuklas tuikav peavalu oli unepuuduse korral tavapärane. Kogemus ütles talle, et ta ei saa sellest mitte mingi valemiga lahti. See oli olnud tema elu osa juba rohkem kui kolmkümmend aastat.

Hunter valmistus tööle sõitma, kui doktor Hove helistas ja teatas, et on viimaks Derek Nicholsoni lahkamise lõpetanud. Kell pool kaheksa hommikul läbis Hunter üksteist kilomeetrit kodust LA maakonna koroneri hoone juurde North Mission Roadil täpselt seitsmeteistkümne minutiga. Garcia oli kohale jõudnud minut enne teda ja ootas parklas. Paarimees oli näo puhtaks raseerinud ja juuksed olid duši all käimisest veel märjad, ent paistes silmaalused ei jätnud temast värsket muljet.

„Pean ütlema, et ma ei oota seda sugugi," sõnas Garcia, tervitades autost välja astuvat Hunterit.

Hunter vaatas teda küsivalt. „Kas sa oled kunagi midagi oodanud, kui sellesse majja sisened?"

Garcia põrnitses kunagisest haiglast surnukuuriks ümber ehitatud hoonet. Arhitektuuriliselt oli see muljetavaldav. Fassaad oli stiilselt punastest tellistest ja helehallidest sillustest. Peaukse juurde viiv lai trepp muutis veelgi elegantsemaks ehitise, mida võinuks kergesti pidada traditsiooniliseks Euroopa ülikooliks. Ilus pealispind, mille varjus oli nii palju surma.

„Seda küll," tunnistas Garcia.

Doktor Hove ootas neid maja paremal küljel personaliukse juures. Tema siidised mustad juuksed olid kinnitatud kuklale konservatiivseks krunniks. Ta ei kandnud meiki ja silmavalged olid kergelt punakad, mis näitas, et ka tema polnud normaalselt magada saanud.

Nad tervitasid üksteist kerge peanoogutusega ning Hunter ja Garcia läksid tema kannul vaikides pikka heledasse koridori.

Sellisel kellaajal polnud siin kedagi teist, mis koos valgete seinte ja ülipuhaste linoleumkattega põrandatega muutis selle paiga veelgi kurjakuulutavamaks.

Koridori lõpus läksid nad trepist alla keldrisse ja jõudsid lühikesse hämarasse koridori.

„Kasutasin meie spetsiaalset lahkamisruumi," selgitas doktor viimase parempoolse ukse juures seisatades.

Seda ruumi kasutati tavaliselt ainult nende surnukehade lahkamiseks, mis mingil põhjusel võisid olla avalikkusele ohtlikud – nakatunud äärmiselt ohtliku viirusega, puutunud kokku radioaktiivsete materjalide ja/või kohtadega või keemiarelvaga jne. Ruumil oli oma andmebaas ja külmkamber. Selle raske uks käis lukus kuuekohalise elektroonilise koodiga. Ruumi kasutati vahel ka suurt avalikkuse tähelepanu pälvivate mõrvajuhtumite puhul – turvameede, et kaitsta tundlikku informatsiooni ajakirjanduse ja teiste soovimatute isikute kätte sattumast. Hunter oli siin korduvalt käinud.

Doktor Hove toksis seinal oleval metallist klaviatuuril koodi ja raske uks avanes.

Nad astusid suurde talviselt külma ruumi. Seda valgustas kaks rida fluorestsentslampe, mis ulatusid laes ühest otsast teise. Keset ruumi oli kaks teraslauda, üks põranda külge kinnitatud, teine ratastel. Sinine hüdrauliline tõsteseade seisis seina ääres, kus oli mitu väikese kandilise läikiva uksega külmkambrit. Mõlemad lahkamislauad olid kaetud valge linaga.

Doktor Hove tõmbas kätte uued kummikindad ja läks uksest kaugema laua juurde.

„Nii, ma näitan teile, mida teada sain."

Garcia niheles ärevana koha peal ja Hunter võttis maski. Ta ei kartnud nakkust, aga vihkas lahkamisruumide eripärast

lõhna – nagu oleks midagi roiskuvat kange desinfitseerimis-
vahendiga puhtaks küürida üritatud. Läpatanud hais, mis oli
justkui hauatagusest maailmast elavaid kummitama tulnud.

„Ametlik surma põhjus on südame seiskumine …" alustas
doktor Hove, tõmbas valge lina eest ja tõi nähtavale Derek
Nicholsoni käteta torso, „… mille põhjustas verekaotus ja
arvatavasti meeletu valu. Aga ta pidas tükk aega vastu."

„Mis mõttes?" uuris Garcia.

„Naha ja lihaste kahjustused osutavad sellele, et tal lõigati
küljest sõrmed ja varbad, keel ja vähemalt üks käsi, enne kui
süda seiskus."

Garcia tõmbas sügavalt hinge ja tõrjus ebameeldiva värina,
mis tema kukalt tabas.

„Meil oli õigus oletades, et amputeerimiseks kasutati
saelaadset vahendit," jätkas doktor. „Kindlasti midagi väga
teravat ja sakilise servaga, aga tera sakid ei olnud nii kitsad
kui võinuks arvata. Ja nende omavaheline vahe oli kindlasti
tavapärasest suurem, kui võrrelda seda haiglates kasutatavate
amputeerimisvahenditega."

„Näiteks puusepa käsisaag?" pakkus Garcia.

„Ei usu." Doktor raputas pead. „Lõikehaavad on liiga sarna-
sed. Natuke on ka raiumise jälgi, aga peamiselt siis, kui vahend
tabas luud, mis ei ole üllatav, kuna ohver polnud suure tõenäosu-
sega mitte mingisugust tuimestust saanud. Toksikoloogiaanalüüs
näitab, kas ohvri veres oli mingeid uimastavaid aineid, aga selleks
kulub päev või paar, ent ilma anesteesiata oli valu talumatu.
Isegi kinni hoidmise korral oleks ohver karjunud ja lakkamatult
väänelnud, mis oleks amputeerimise palju keerulisemaks teinud."

Garcia ahmis läbi hammaste külma õhku,

„Ohvri elus hoidmine poleks pidanud ju oluline olema.
Kurjategija võinuks tal käed ja jalad küljest lõigata mis tahes
moel."

„Aga ta ei teinud seda," sõnas Hunter.

„Ei teinud," kinnitas doktor Hove. „Mõrtsukas tahtis, et ohver elaks võimalikult kaua. Tahtis, et ta piinleks. Lõiked olid hästi ja õigesti tehtud."

„Meditsiinialased teadmised?" küsis Hunter.

„Ehkki tänapäeval võib igaüks internetist paar tundi asja uurides omandada detailsed juhised ja joonised, kuidas amputeerimist sooritada, ütleksin ma, et mõrtsukal on vähemasti algelised teadmised meditsiinilistest protseduuridest ja anatoomiast." Siis pöördus doktor teise lahkamislaua poole. „Ta teadis paganama hästi, mida teeb. Vaadake seda."

Kümme

Miski doktor Hove'i hoiakus ja hääletoonis tegi mõlemad uurijad murelikuks. Nad läksid tema kannul teise lahkamislaua juurde.

„Olen kindel, et kõik, mis selles toas toimus, oli väga hoolikalt planeeritud." Ta tõmbas valge lina laua pealt maha. Mõrtsuka jäetud verine skulptuur oli osadeks võetud. Derek Nicholsoni kehaosad olid nüüd külmale metallplaadile sätitud. Kõik olid kuivanud verest puhtaks pestud. „Ära muretse," ütles naine Hunteri murelikku pilku nähes. „Labor tegi piisavalt fotosid ja mõõtis, et sinu soovitud koopia valmistada. Saad selle paari päeva pärast."

Hunter ja Garcia põrnitsesid kehaosi.

„Kas sa said skulptuurist mingit sotti, doktor?" küsis Garcia.

„Mitte mingisugust. Ja ma pidin selle ise lahti võtma." Hove köhatas. „Võtsin sõrmeküünte alt proovid. Karvu ega nahakilde polnud. Ainult mustus ja väljaheited."

„Väljaheited?" Garcia krimpsutas nägu.

„Tema enda omad," selgitas doktor Hove. „Meeletu valu korral, mida anesteesiata amputeerimine kindlasti põhjustab, kaotab inimene kontrolli põie ja soolestiku üle. Ja see ongi kummaline."

„Mis asi?" küsis Garcia.

„Ta oli puhas," vastas Hunter. „Kui me kuriteopaika jõudsime, oleks pidanud voodilina olema uriinist ja väljaheidetest läbi imbunud. Ei olnud."

„Haiguse ja liikumisvõimetuse tõttu polnud tualetis käimine enam lihtne ülesanne," jätkas doktor Hove, „ja hooldusõed aitasid teda, aga kui neid polnud, kasutas ta täiskasvanute mähkmeid."

„Jah, me nägime pakki ühes sahtlis," sõnas Garcia.

„Kriminalistid leidsid kaks määrdunud mähet kilekotis alumise korruse prügikastist."

Garcia ajas silmad suureks. „Mõrtsukas tegi ta puhtaks?"

„Mitte just seda, aga keegi viskas määrdunud mähkme ära."

Kõik vaikisid mitu sekundit ja doktor Hove jätkas. „Põhjus, miks ma usun, et mõrtsukal on meditsiinialaseid teadmisi, on see, mille ma leidsin." Ta osutas ühe äralõigatud käe ülemisele osale, kus oli lõige tehtud. „Nägin neid alles siis, kui olin vere kätelt ja jalgadelt maha pesnud."

Hunter ja Garcia astusid lähemale. Kummilaadsel nahal oli näha nõrk musta vildika joon. See moodustas käe ümber pooliku ringi umbes lõikekohas.

„Keeruliste meditsiiniliste protseduuride korral nagu amputeerimine, kui lõikekoht peab olema väga täpne, ei ole sugugi ebatavaline, et arst või kes iganes opi sooritab, tähistab õige koha ära."

„Aga seda teeks ju ka inimene, kes leidis informatsiooni raamatust või internetist, nagu sa ise ütlesid, doktor," vaidles Garcia.

„Tõsi," nõustus naine, „aga vaadake seda." Ta läks tagasi esimese lahkamislaua ja Derek Nicholsoni torso juurde. Hunter ja Garcia järgnesid talle. „Amputeerimise käigus on äärmiselt tähtis suuremad veresooned, nagu käte- ja reiearterid, korralikult sulgeda, muidu jookseb patsient kiiresti verest tühjaks."

„Neid ei suletud," tähendas Hunter lähemale kummardudes, et paremini näha. „Ma kontrollisin kuriteopaigas. Õmblusi ega sõlme polnud."

„Sest mõrtsukas ei kasutanud verejooksu peatamiseks niiti, mida teeks enamik arste. Parema käe arter oli klambriga suletud. Jäljed on mikroskoobi all hästi näha. Ta kasutas meditsiinilisi tange."

Hunter ajas end sirgu. „Ainult paremal käel?"

Doktor Hove kohendas oma kirurgimütsi. „Jah. Ja põhjus on arvatavasti selles, et ohvri süda ütles üles, enne kui mõrtsukas veel midagi amputeerida jõudis. Asi on selles, Robert, et mõrtsukas pikendas ohvri elu ja kannatusi võimalikult kaua. Ent selleks, et seda ilma meditsiinipersonali abita teha, pidi ta lõikama kiiresti ja puhtalt ning verejooksu võimalikult palju ohjeldama," lõpetas doktor Hove.

„Ja sa oled kindel, et ta ei kasutanud sellised lahkamissaage, mida kasutatakse siin, surnukuuris?" ei andnud Garcia alla.

„Jah," vastas naine, võttes selja tagant töölaualt sae. „Kaasaskantavatel lahkamissaagidel kasutatakse väikeseid ümmargusi terasid, millel on väga tihedad sakid." Ta näitas neile tööriista. „Mida tihedamad sakid, seda täpsem on lõige ja seda lihtsam on koolnukangestuste korral lõigata läbi tugevamaid kohti nagu luud ja lihased."

Uurijad silmitsesid korraks saagi ja selle tera.

„Aga lahkamissae tera ei ole piisavalt lai. Amputeerimiseks on vaja sellist, mis on laiem kui kogu kehaosa. Ümmargused terad jätavad ka väga erilise lõikejälje, mis on tavapärasest siledam."

„Ja seda siin pole," pakkus Hunter.

„Ei. Siin on hõõrdumismuster. Kaks väga teravat tera, kõrvuti, liiguvad edasi-tagasi vastassuunas, tekitades saagimisliigutuse."

Hunter ulatas lahkamissae Hove'ile tagasi. „Nagu ... elektriline kööginuga?"

„Ära jama," sekkus Garcia.

„Just seda mõrtsukas minu arvates kasutaski," vastas doktor Hove. „Suurt, võimast, elektrilist kööginuga."

„Kas need lõikavad luust läbi?" uuris Garcia.

„Kõige võimsamad lõikavad külmunud veisekondi läbi, eriti kui terad on uued," vastas doktor.

„Kas me teame, kas ohvril oli see kodus?" küsis Garcia.

„Kui mõrtsukas seda ikka kasutas," lausus Hunter. „Nuga ei ole pärit ohvri köögist. Mõrtsukas võttis selle kaasa."

„Kust sa tead?"

„Sest kui tal poleks amputeerimisvahendit kaasas olnud, tähendaks see, et amputeerimised olid ette planeerimata ja mõrtsukas sisenes majja selleks ette valmistumata."

„Seda see mõrtsukas kindlasti ei olnud," nentis doktor Hove. „Ja muide, oma skulptuuri tükkide koos hoidmiseks ei kasutanud mõrtsukas ainult metallist traati, vaid ka ülikiiret sideainet, nagu kiirliim."

„Kiirliimi?" Garcia turtsatas peaaegu naerma.

Doktor noogutas. „See sobib selleks tööks suurepäraselt – lihtne kasutada, kuivab sekunditega, kleepub kergesti nahale ja seob äärmiselt tugevasti. Aga mind häirib, et see tundub täiesti mõttetu tapmisena."

„Kas tapmine pole alati mõttetu?" küsis Hunter.

„Jah, aga pean silmas seda, et antud ohvri tapmine ei saavutanud suurt midagi." Naine läks läänepoolsel seinal oleva tabeli juurde, kus oli kirjas ohvri aju, südame, kopsude, maksa, neerude ja põrna kaal. Kapil selle kõrval oli kilekott ohvri elunditega. Ta võttis selle kätte ja tõstis üles. „Vähk oli kopsud hävitanud. Ta oleks elanud veel ehk nädala, maksimaalselt kaks. Ja selline kopsukahjustus tähendab valu, tugevat valu. Ta oli nagunii suremas ja piinles kujuteldamatult. Milleks ta veel selliselt tappa?"

Kõik vaikisid.

Keegi ei osanud sellele küsimusele vastata.

Üksteist

Los Angelese maakonna ringkonnaprokurör Dwayne Bradley oli karm mees, kes ei kannatanud seaduserikkujaid silmaotsaski. Kuuekümne ühe aastasena oli ta olnud prokurör kolmkümmend aastat ja Los Angelese ringkonnaprokurör alates tema valimisest sellesse ametisse 2000. aastal. Kui ta ametisse vannutati, ütles ta oma alluvatele, et nad ei pelgaks kurjategijaid jahtides õiglust alati ja iga hinna eest taga nõuda. Dwayne Bradley elas selle reegli järgi.

Bradley oli lühike ja jässakas, alles oli veel vaid nii palju valgeid juukseid, et need meelekohti kataksid. Tema pontsakad põsed tõmbusid erkroosaks ja võdisesid ägedasti, kui ta millegi üle argumenteeris. Ta oli äärmiselt kergesti ärrituv ja kui kätega vehkimine oleks võistlusala, siis oleks Dwayne Bradley selles maailmameister. Lühidalt öeldes nägi ta välja nagu erutatud maffiaboss, kes on otsustanud ausaks inimeseks hakata.

Sel hommikul sõitis ta oma kontori asemel West Temple Streetil politsei peamajja ja suundus kapten Blake'i kabinetti. Ta oli seal olnud viis minutit, kui Hunter uksele koputas.

„Sisse," hõikas kapten oma laua tagant.

Hunter astus kabinetti ja sulges enda järel ukse. „Te tahtsite mind näha?"

„Mina tahtsin teid näha," ütles Bradley ruumi nurgast.

Kui Hunter ka oli ringkonnaprokuröri kohalolekust üllatunud, ei näidanud ta seda välja. „Ringkonnaprokurör Bradley," tervitas Hunter teist meest viisaka peanoogutusega, ent kätt ei andnud.

„Uurija." Bradley vastas samaga.

Hunter silmitses paar sekundit kapten Blake'i ja siis uuesti ringkonnaprokuröri.

„Noh, ma ei tulnud siia teie ega enda aega tühja loba peale raiskama," sõnas Bradley asja kallale asudes. „Meil kõigil on palju tööd ja ma saan sellest aru." Ta tegi rõhutatult pausi – harjumusest. „Derek Nicholson. Teid määrati tema mõrvajuurdluse juhtivaks uurijaks. Juurdlus, mida ma isiklikult hakkan jälgima."

Bradley kallutas pea kapten Blake'i laual oleva toimiku suunas. „Lugesin teie esialgset raportit, uurija. Nägin ka kuriteopaiga fotosid." Bradley hakkas edasi-tagasi tammuma. „Prokurörina töötatud kolmekümne aasta jooksul pole ma mitte midagi sellist veel näinud ja uskuge mind, olen näinud igasuguseid haigeid asju. See polnud mõrv. See oli ennenägematu metsikus. Argpükslik poolemeelne tegu jätise poolt, keda inimeseks pidada ei saa. Ja mina tahan sellele raisale surmanuhtlust. Kurat võtaks, ma toon selle sitakoti jaoks giljotiini tagasi. Ja istun naeratavana kõrval, kui tema pea põrandale kukub." Bradley põsed hakkasid õhetama. „Ja mis kuradi vääraka asja ta maha jättis?"

Vaikus.

„Kuriteopaiga fotod näitavad totaalset kaost, mis vastab äärmuslikule vihapurskele. Teie raportis on kirjas, et see oli etteplaneeritud ja läbimõeldud tegu. Tahate öelda, et mõrtsukas kavatses enesekontrolli kaotada?"

„Ei kaotanud," vastas Hunter.

Bradley kortsutas kulmu. „Mida ei kaotanud?"

„Enesekontrolli."

Bradley ootas, aga Hunter ei öelnud rohkem midagi. „Kas teil on kõnetakistus? Kas te suudate moodustada täislauseid?" „Jah."

„Mis jah?" Bradley vaatas kapten Blake'i poole, nagu küsiks, kas ta tõepoolest määrab sellise inimese juurdlust juhtima.

„Jah, ma suudan täislauseid moodustada."

„Palun, laiendage siis. Moodustage neid nii palju kui soovite ja laiendage oma äsjast väidet."

„Millist?"

„On see mingi nali või, kurat võtaks?" Ringkonnaprokuröri suunurkadesse hakkas kogunema sülge. „Seda, millega te vihjasite, et mõrtsukas ei kaotanud enesekontrolli."

Hunter kehitas õlgu. „Kurjategija kasutas ohvri tükeldamiseks ebatavalist tööriista, tõenäoliselt elektrilist kööginuga. Enne seda tähistas ta ohvri kätel ja jalgadel vildikaga lõikekohad. Vähemalt ühe amputatsioonikoha juures kasutas mõrtsukas meditsiinilisi tange, et arterid sulgeda ja verejooks peatada, pikendades ohvri elu mitme minuti võrra. Oma skulptuuri loomiseks oli tal vaja mitut traadijuppi ja kiirliimi. Ja mitte kusagil mujal majas polnud piiskagi verd, ainult magamistoas." Hunter jättis vihje õhku rippuma.

Ringkonnaprokurör Bradley vaatas teda ikka veel segaduses näoilmel.

„Kurjategijal olid kõik vajalikud töövahendid kaasas," selgitas kapten Blake. „Ta sisenes majja, valmis tegema kõike seda, mida tegi. Ja kuna kuriteopaik oli üleni verd täis, pidi kurjategija lõpetades olema samuti üleni verine. Kuna mujal majas üleüldse verd ei olnud, vahetas ta tõenäoliselt enne magamistoast väljumist riideid. Pani arvatavasti verised riided kilekotti." Blake lükkas juuksed kõrva taha. „Ehkki kuriteopaik tundub

44

kaootiline, ei ole selles mõrtsukas midagi kaootilist, Dwayne. See kõik oli viimse pisiasjani paika pandud."

Bradley tõmbas sügavalt hinge ja käega üle suu. „Derek oli minu sõber ja kolleeg." Tema hääletoon oli hetkega muutunud. Nüüd rääkis ta, nagu esineks avakõnega vandemeeste ees. „Olime tuttavad rohkem kui kakskümmend aastat. Käisin korduvalt tema kodus õhtusöögil ja dringil ning tema minu kodus. Tundsin tema naist. Tunnen tema tütreid. Mina olen see, kes läheb nendega ametlikuks tuvastamiseks surnukuuri kaasa." Lõualihas tõmbles. „Ja nad ei tea oma isa mõrva kõiki sadistlikke üksikasju. Nad ei tea skulptuurist. Ja ma ei ole kindel, kas peaksidki teadma. See hävitaks nad sisemiselt." Tema pilk vilas ringi ja peatus siis Hunteril. „Derek oli suurepärane prokurör ja pühendunud pereisa. Me kõik olime kurvad, kui selline erakordne inimene sai mõned kuud tagasi surmaga lõppeva kopsuvähi diagnoosi, aga see ..." Ta vaatas korraks toimiku ja kapten Blake'i laual olevate fotode poole. „Seda on raske uskuda."

Kui ringkonnaprokurör Bradley ootas, et keegi midagi lisaks, pidi ta pettuma.

„Barbara ütles, et esimese asjana kontrollite te kõiki kurjategijaid, kelle Derek aastate jooksul trellide taha saatis," jätkas ta napi pausi järel.

„Midagi sellist," kinnitas Hunter.

„Mina alustaksin just sellest, nii et võib-olla teie aju ei olegi hernetera suurune." Bradley avas pintsakunööbid, võttis sisetaskust kaardi ja ulatas selle Hunterile. „See on minu parim taustauuringute tegija."

Hunter luges nime kaardil – Alice Beaumont, Los Angelese maakonna prokuratuuri juurdlusbüroo.

„Ta on inimeste elus tuhnimises geniaalne. Arvutigeenius. Tal on ligipääs kõikidele teie arhiividele ja mujalegi. Alice saab aidata teid kõigega, mida teil on vaja seoses Dereki juhtumiga."

45

Hunter pistis kaardi tagitaskusse.

„Loodetavasti pole te selline, keda heidutab endast targema naisterahvaga koos töötamine." Ringkonnaprokurör Bradley muigas.

Hunter naeratas.

„Nii, kõige enam teeb mulle muret see," jätkas Bradley taas ülimalt tõsisel häältoonil, „et Derek saatis aastate jooksul trellide taha igasugust kõntsa. Paljud neist sitakottidest olid teie tabatud." Bradley vaatas Hunterilt kapten Blake'i poole. „Või mõne teise sinu osakonna uurija, Barbara. Protsess on lihtne. Teie tabate nad. Meie valmistame kohtuasja ette. Anname nad kohtu alla. Kohtunik juhib istungit ja kaheteistkümnest vandemehest koosnev vandekohus teeb otsuse. Saate aru, kuhu ma sihin?"

Kapten Blake vaikis.

Hunter noogutas. „Kui Derek Nicholsoni mõrv oli kättemaks, on ta vaid üks lüli pikas ahelas."

„Just nimelt." Ringkonnaprokuröri läikivale pealaele hakkasid tekkima higipiisad. „Kui see oli kättemaks Derekile mõne kunagise juhtumi eest, siis soovitan teil see raibe kiiremas korras kinni võtta. Sest vastasel juhul ... on oodata rohkem laipu."

Kaksteist

Päike säras sinises pilvitus taevas ja hõbedases metallivärvi Honda Civicus, mis oli äsja pööranud läände suunduvale 105. kiirteele, puhus konditsioneer salongi külma õhku. Sõidu peale poleks pidanud kuluma rohkem kui 25 minutit, ent Hunter ja Garcia olid istunud 35 minutit ummikutes ja nad olid sihtkohast veel vähemalt 20 minuti kaugusel.

Derek Nicholsoni tööpäevade hooldusõde Amy Dawson elas ühekorruselises neljatoalises majas koos abikaasa, kahe teismelise tütre ja väikese lärmaka koera Screameriga*. Maja asus vaikses tänavas kauplusterivi taga Los Angelese edelaosas Lennoxis.

Amy oli palgatud Nicholsoni hooldajaks paar päeva pärast diagnoosi saamist.

Kui Garcia viimaks Amy kodutänavasse keeras, näitas armatuurlaua näit väljas 31 soojakraadi. Ta parkis auto teisele poole tänavat ja mõlemad uurijad astusid niiskese lämbesse õhku, päike nägu kõrvetamas.

Maja tundus vana. Vihm ja päike olid värvi pleegitanud, mis pragunes aknalaudade ja välisukse ümbruses. Krunti piirav võrkaed oli roostes ja kohati lonti vajunud. Väike eesaed oleks kindlasti hoolitsevat kätt vajanud.

Hunter koputas kolm korda ja kohe hakkas kusagil majas koer haukuma. Mitte valjusti ja vihaselt, mis murdvarga eemale peletaks, vaid peenike tüütu klähvimine, mis igaühel pea mõne minutiga valutama ajaks. Ja Hunteri pea juba valutas.

„Ole vait, Screamer," hüüdis naisehääl majas. Koer jäi vastu tahtmist vait. Ukse avas mustanahaline ümara näo, kergelt viltuste silmade ja rastapatsidega naine. Ta oli umbes 165 cm pikk ja õhuke sukleit oli priske keha peal pingul. Amy oli 52-aastane, aga tema lahke nägu tundus kuuluvat inimesele, kes on elanud kauem ja näinud üksjagu kannatusi.

„Proua Dawson?" ütles Hunter.

„Jah?" Naine kissitas lugemisprillide taga silmi. „Oh, teie olete vist see politseinik, kes enne helistas?" Tema hääl oli kähe, ent naiselik.

„Mina olen uurija Hunter ja see on uurija Garcia."

---

* *Screamer* – ingl k karjuja, röökija.

Amy vaatas nende töötõendeid, naeratas viisakalt ja avas ukse laiemalt. „Palun tulge edasi."

Kui nad sisenesid, hakkas Screamer laua all uuesti haukuma. „Ma ei hakka seda kordama, Screamer. Ole vait ja mine tuppa." Amy osutas uksele elutoa kaugemas seinas ja tilluke koer kadus sealt väiksesse koridori. Köögist kandus majja äsja ahjust võetud koogi lõhna. „Palun tundke end koduselt." Naine viitas väikese ja pimeda elutoa poole. Hunter ja Garcia istusid mündirohelisele tepitud diivanile ning Amy nende vastu tugitooli.

„Kas soovite jääteed?" pakkus ta. „Väljas on päris soe."

„Suurima heameelega," vastas Hunter. „Tänan väga."

Amy läks kööki ja tuli hetk hiljem tagasi kandikuga, millel oli alumiiniumkann ja kolm klaasi.

„Ma ei suuda uskuda, et keegi härra Nicholsoni tappis," ütles ta jooki valades. Tema hääl oli kurb.

„Meil on juhtunu pärast väga kahju, proua Dawson."

„Palun öelge mulle Amy." Naine naeratas uurijatele nõrgalt.

Hunter naeratas samuti. „Tänan, et leidsite aega meiega vestlemiseks, Amy."

Naine vahtis oma jääteeklaasi. „Kes tahaks tappa surma-haiget vähipatsienti? See on arusaamatu." Ta vaatas Hunterile otsa. „Mulle öeldi, et see polnud murdvargus."

„Ei olnud," vastas mees.

„Ta oli nii tore ja lahke inimene, kes nüüd on paremas paigas." Amy vaatas üles. „Puhaku rahus."

Hunter ei olnud üllatunud, et Amy ei tundunud endast väljas olevat. Talle polnud kuriteo koledaid üksikasju räägitud. Hunter oli ka tema tausta kontrollinud. Amy oli olnud medõde 27 aastat, 18 neist pühendanud lõppstaadiumis kasvajaga patsien-tide aitamisele. Ta tegi oma tööd nii hästi nagu oskas, aga kõik tema patsiendid surid lõpuks. Ta oli surmaga harjunud ja oli ammu õppinud oma emotsioone talitsema.

„Te olite härra Nicholsoni hooldusõde tööpäevadel, eks ole?"

„Jah, esmaspäevast reedeni."

„Kas te kasutasite sama tuba kui Melinda Wallis, nädala-vahetuse õde?"

Amy raputas pead. „Ei, ei. Mel kasutas garaaži peal olevat külaliskorterit. Mina kasutasin majas olevat külalistuba. Kaks tuba härra Nicholsoni omast eemal."

„Meile öeldi, et härra Nicholsoni tütred käisid teda iga päev vaatamas."

„Jah, vähemalt paar tundi. Vahel hommikul, vahel päeval, vahel õhtul."

„Kas härra Nicholsonil käis viimasel ajal veel külalisi?"

„Viimasel ajal mitte."

„Aga varem?" käis Garcia peale.

Amy tundus korraks mõtlik. „Kui ma sinna tööle läksin, siis küll. Mäletan kahte külalist oma esimestel töönädalatel. Ent kui tõsisemad sümptomid end ilmutama hakkasid, siis enam külalisi ei käinud. Ennekõike sellepärast, et härra Nicholson ise ei tahtnud kedagi näha. Ta ei tahtnud ka, et keegi teda sellisena näeks. Ta oli väga uhke."

„Kas te oskate nende külaliste kohta midagi rohkem öelda?" küsis Garcia. „Kas teate, kes nad olid?"

„Ei, aga meenutasid juriste, väga kenad ülikonnad ja puha. Arvatavasti kolleegid."

„Kas te mäletate, millest nad rääkisid?"

Amy vaatas Garciat kerge nördimusega. „Ma ei olnud sel ajal toas ja ma ei kuula teiste inimeste jutuajamisi pealt."

„Palun vabandust, ma ei pidanud üldse seda silmas." Garcia tõmbas kähku tagasi. „Mõtlesin lihtsalt seda, kas härra Nicholson mainis midagi."

Amy naeratas Garciale kergelt, võttes vabanduse vastu.

„Tegelikult on nii, et isegi kui vähihaigel käivad külalised, ei

49

rääagita suurt midagi. Olenemata sellest, kui jutukad inimesed on, kaotavad nad selle oskuse, nähes, mida haigus on nende sõbra või sugulasega teinud. Tavaliselt inimesed lihtsalt seisavad, enamasti vaikides, püüdes jätta tugevat muljet. Kui tead, et inimene on suremas, on raske sõnu leida."

Hunter vaikis, aga teadis täpselt, mida Amy Dawson silmas peab. Ta oli kõigest seitsmeaastane, kui tema emal diagnoositi multiformne glioblastoom, kõige agressiivsem primaarse ajuvähi vorm. Selleks ajaks, kui arstid selle avastasid, oli kasvaja juba liiga kaugele arenenud. Mõne nädalaga sai naeratavast elurõõmsast emast tundmatu luust ja nahast inimene. Hunter ei unustanud iialgi vaatepilti, kui isa seisis ema voodi kõrval, pisarad silmis, suutmata sõnagi lausuda. Polnudki midagi öelda.

„Kas te mäletate nende nimesid?" uuris Garcia.

Amy mõtles tükk aega hoolega. „Mu mälu ei ole enam väga hea, aga mäletan, et mõtlesin esimese mehe kohta, et ta on vist väga tähtis isik. Ta tuli väga suure Mercedesega, millel oli juht ja puha."

„Kas te oskate teda kirjeldada?"

Amy kallutas pead küljelt küljele. „Vanem, jässakas, paksude põskedega. Ta polnud ka väga pikk, aga väga hästi riietatud. Talle meeldis kätega vehkida."

„Ringkonnaprokurör Bradley?" pakkus Garcia, vaadates Hunteri poole, kes noogutas, nagu öeldes, „arvatavasti."

„Jah," vastas Amy kergelt naeratades. „See oli vist tema nimi jah, Bradley."

„Aga teine külaline, kas te temast mäletate midagi?"

Amy sobras mälus. „Saledam ja pikem." Ta vaatas Hunteri poole. „Ütleksin, et umbes teie kasvu, võib-olla ka sama vana. Ta oli päris kena. Ilusad tumepruunid silmad."

Garcia kirjutas. „Kas te mäletate tema kohta veel midagi?"

„Tal oli vist mingi lühike nimi. Ben, Dan või ehk Tom."

Amy kõhkles ja tõmbas hinge. „Jah, midagi sellist, aga ma ei ole kindel."

„Amy," ütles Hunter, kummardus ettepoole ja pani oma tühja jääteeklaasi nende vahele diivanilauale. „Olen kindel, et teie ja härra Nicholson vestlesite päris palju, sest te veetsite tema seltsis hulga aega."

„Alguses vahel küll," nentis Amy. „Aga ajapikku oli tal raskem hingata. Rääkimine oli pingutus. Vestlesime väga vähe."

Hunter noogutas. „Kas ta ütles teile midagi, millest võiks meile abi olla? Midagi oma elust? Mõnest oma juhtumist? Kellestki konkreetsest?"

Amy kortsutas kulmu ja raputas pead. „Ma olin vaid tema hooldaja. Miks ta peaks mulle südant puistama?"

„Te veetsite ta viimastel elunädalatel temaga koos rohkem aega kui keegi teine, isegi tema tütred. Kas mitte midagi ei meenu?"

Hunter mõistis inimeste loomuomast soovi teistega rääkida. Rääkimisel on psühholoogiline hinge puhastav mõju ja see vajadus suureneb oluliselt, kui inimene on oma surmas kindel. Kuna Amy veetis nii palju aega oma patsiendi seltsis ja oli Derek Nicholsoni hooldaja, võis ta tunduda vanima ja parima sõbrana. Keegi, kellega Derek sai rääkida. Kellele südant puistata.

Amy vaatas korraks mujale, keskendudes aknale Hunterist paremal. „Ta ütles korra midagi, mis tekitas minus imestust."

„Mida siis?"

Naise pilk püsis aknal. „Ta ütles, et elu on imelik. Vahet pole, kui palju head sa teed või kui paljusid aitad. Eksimused on need, mis sind surmani painama jäävad."

Hunter ja Garcia vaikisid.

„Ütlesin talle, et kõik eksivad. Ta naeratas ja vastas, et teab seda. Ja siis ütles ta midagi jumalaga rahu sõlmimise ja kellelegi tõe rääkimise kohta."

„Mis tõe?" küsis Garcia, nihkudes diivanil ettepoole. „Ta ei öelnud. Ma ei küsinud. See polnud minu asi. Aga see oli kindlasti asi, mis teda piinas. Ta tahtis südametunnistust kergendada, enne kui on hilja."

Kolmteist

Hunter oli leppinud selleks pärastlõunaks kokku kohtumise härra Nicholsoni mõlema tütrega. Vanem, Olivia, kellega ta oli mõrvapaigas kohtunud, palus tal tulla oma koju Westwoodis. Tema õde Alison pidi ka sinna tulema.

Hunter ja Garcia jõudsid kohale 16.35. Kahekordne maja oli Westwoodi kohta tagasihoidlik, ent siiski suurem ja kallima moega kui enamik Los Angelese elanikke endale iial lubada saaks. Nad läksid madalatest punastest kividest astmetest üles ja mööda lühikest teerada läbi hooldatud eesaia, kus suvelilled juba õitsesid. Kahekohalise garaaži ees seisis kaks autot, punane 3. seeria BMW ja uhiuue moega must Ford Edge.

Hunter andis kella. Nad ootasid peaaegu minuti, kuni Olivia ukse avas. Tal oli seljas must varrukateta põlvedeni ulatuv kleit ja jalas mustad kingad. Juuksed olid kinnitatud korralikult konservatiivseks hobusesabaks. Nägu kattis tugev meik, aga sellegipoolest olid möödunud unetu nutuse öö jäljed selgelt näha.

Hunterit ja Garciat nähes tulid naisele taas pisarad silma, aga ta hoidis neid suure pingutusega tagasi.

„Tänan, et olite nõus meiega nii kiiresti kokku saama, preili Nicholson."

„Ma ütlesin ju," vastas naine vapralt naeratades. „Öelge mulle Olivia. Palun tulge edasi."

Nad läksid Olivia kannul maitsekalt ja elegantselt sisustatud vestibüüli. Vaasid, lilled ja mööbel moodustasid mugava vastuvõtuala. Olivia juhatas nad esimesse tuppa paremal – tema kabinet. See oli avar, lõunaseinas oli kogu pikkuses maast laeni raamaturiiul. See ruum oli sisustatud sama elegantselt nagu vestibüül, ent vastandina naeratust näole toovale sinisele taevale ja päikesele õues oli siinne õhustik tõsine. Tuba oli hämar ja lämbe, millele aitasid kaasa suletud aknad ja ette tõmmatud kardinad. Ainus valgusallikas oli põrandalamp ühes toanurgas.

Muljetavaldava kirjutuslaua kõrval seisis ligi kolmekümneaastane naine. Ka tema oli riietatud musta. Kui uurijad sisse astusid, pöördus ta nende poole.

Allison Nicholson oli rabava välimusega, ehkki kõhn. Tal olid õlgadele langevad sirged mustad juuksed ja väga tumedad hingestatud silmad, milles oli tunduvalt rohkem elukogemust kui selles vanuses olema pidanuks. Ka tema silmad olid nutmisest punased.

„See on minu õde Allison," tutvustas Olivia.

Allison vaatas Hunterit ja siis Garciat, aga ei liigutanud. Ei pakkunud kätt.

„Need on uurijad Hunter ja Garcia, Ally," ütles Olivia õele lähemale minnes.

„Tunneme teile südamest kaasa," alustas Hunter. „Teame, kui raske see teie mõlema jaoks on ja oleme tänulikud, et meid vastu võtsite. Me ei kuluta palju teie aega." Ta võttis taskust oma musta märkmiku. „Kas tohime mõned küsimused esitada?"

Õdede vaikimine ärgitas Hunterit jätkama.

„Te mõlemad käisite eelmisel laupäeval oma isa vaatamas, eks ole?"

„Jah," vastas Olivia.

„Kas te mäletate, mis kell te sinna jõudsite ja mis kell ära läksite?"

„Mina jõudsin enne Allyt," ütles Olivia. „Mul oli pärastlõunal tegemist. Me avame uue poe."

Hunter teadis, et Oliviale kuulub Healthy Eats, tervisliku toidu kauplustekett, millel oli Los Angelese kesklinnas mitu poodi. Allison oli käinud isa jälgedes. Ta oli prokurör.

„Jõudsin sinna poole viie või viie paiku," jätkas Olivia. „Ally …"

„Mina jõudsin veerand kuue paiku," lisas Allison.

Hunter ootas.

„Istusime isa juures, nagu ikka, lobisesime või vähemalt üritasime," selgitas Allison. „Nädalavahetustel teeb Levy tavaliselt süüa." Ta nookas õe poole. „Mina aitan vahel." Ta raputas pead. „Ma pole köögis kuigi osav."

„Kas te laupäeval tegite süüa?" küsis Hunter Olivialt.

„Jah. Ja sõime kõik koos."

„Aga Melinda Wallis, teie isa hooldusõde?" küsis Garcia.

„Mel sõi alati meiega koos. Ta on armas inimene, väga hoolitsev."

„Mis kell te ära läksite?"

„Levy läks paar minutit enne mind," vastas Allison. „Mina lahkusin üheksa paiku."

Olivia noogutas.

„Kas kumbki teist mäletab kedagi tänaval isa maja läheduses? Kedagi või midagi, mis tähelepanu äratas?"

„Mina ei mäleta, et oleksin midagi näinud," vastas Allison esimesena.

„Mina ka mitte," lisas Olivia.

„Me rääkisime täna Amy Dawsoniga. Ta mainis, et teie isal käis kolm ja pool kuud tagasi kaks külalist. Kas teie isa rääkis sellest? Kas te teate, kes need olid?"

Olivia ja Allison vahetasid pilke.

„Ma tean, et ringkonnaprokurör Bradley külastas isa, kui ta haigeks jäi," sõnas Allison.

„Jah, seda me arvasime," nentis Garcia. „Aga keegi käis veel." Ta vaatas oma märkmikku. „Sale, umbes 180 cm pikk, teie isa vanune, pruunid juuksed. Kas tuleb tuttav ette?"

Olivia raputas pead.

„Pooled prokurörid vastavad sellele kirjeldusele," tähendas Allison.

„Teie isa ei maininud, et keegi käis mõned nädalad tagasi tema juures?"

„Mulle küll mitte," vastas Allison.

„Mulle ka mitte," lisas Olivia omalt poolt. „Ja see on kummaline, sest isa ütles, et ringkonnaprokurör Bradley käis."

Hunter pistis märkmiku taskusse tagasi. „Proua Dawson ütles ka, et teie isa soovis kellegagi rahu sõlmida, rääkida kellelegi millegi kohta tõtt."

Naised kortsutasid kulmu.

„Kas te teate sellest midagi?"

„Mis tõtt?" küsis Allison.

Garcia kehitas õlgu. „Seda me välja uurida tahamegi."

„Mingi oma juhtumi kohta?"

„Me ei tea. Rohkem meil infot ei ole."

Mitu sekundit valitses vaikus.

„Ma ei mäleta, et isa oleks maininud kellegagi rahu sõlmimist," lausus Olivia. „Kas Amy on kindel, et ta just seda ütles?"

Hunter ja Garcia noogutasid.

Olivia vaatas Allisoni poole.

„Isa ei öelnud ka mulle midagi."

Hunter tahtis neile esitada veel ühe küsimuse, aga pidi sõnu väga hoolega valima. Ta üritas jätta neutraalse mulje. „Kas teie isale meeldis kaasaegne kunst?"

Õdede näoilme järgi oli selge, et see oli täiesti ootamatu küsimus.

„Näiteks skulptuurid," lisas Hunter.

Hämmeldunud ilmed süvenesid.

„Ei," vastas Olivia ja vaatas siis Allisoni poole. Siis vastasid nad kooris: „Emale meeldis."

Neliteist

Kui Hunteri küsimus oli üllatanud Allisoni ja Oliviat, siis nende vastus mõjus samamoodi uurijale.

„Miks te küsite?" uuris Olivia, kissitades veidi silmi.

Hunter vaatas talle otsa. Ta pidi midagi usutavat välja mõtlema. Härra Nicholsoni tütred ei teadnud midagi skulptuurist, mille mõrtsukas maha jättis, ja selle teadmise tekitatud psühholoogiline trauma jääks neid elu lõpuni piinama.

„Leidsime teie isa toast midagi," vastas ta asjalikult. „Arvame, et see võib olla mingi skulptuuri osa."

„Minu isa toas?"

Hunter noogutas. „See võidi jätta sinna meelega."

Need sõnad imesid toast hapniku välja. Naised tõmbusid pingule.

„Mõrtsukas?" küsis Allison.

„Jah."

Oliviale tulid taas pisarad silma.

„Mis see on?" jätkas Allison. „Kas me võiksime seda näha?"

„See on kriminalistide käes. Nad analüüsivad seda," vastas Hunter rahulikult ja kindlalt. „Aga te ütlesite, et teie emale meeldisid skulptuurid. Kaasaegse kunsti skulptuurid?" Ta suunas kähku jutuajamise talle vajalikule teemale.

„Jah," vastas Olivia, pühkides põselt pisara. „Võib vist nii öelda küll. Ema armastas keraamikat. Tal tekkis see hobi vanemas eas." Ta viitas keskmise suurusega vaasile diivanilaual, milles olid kollased ja valged lilled. „See on tema tehtud ja vestibüülis olevad samuti."

Mõlemad uurijad noogutasid.

„Aga emale meeldis ka skulptuure teha." Seda ütles Allison. Ta pöördus ja osutas raamaturiiulis olevale kujule. See oli umbes 25 cm kõrge ja kujutas kahte androgüünse välimusega inimest. Esimene seisis jalad harkis. Käed olid sirutatud ette ja alla. Teine inimene, mis oli sama suur kui esimene, seisis eespool, aga oli justkui tagurpidi kukkumas. Selle jäik keha oli 45-kraadise nurga all. Käed olid samuti ette välja sirutatud, hoides esimese kätest kinni.

„Kas me tohime seda lähemalt vaadata?" küsis Hunter.

„Aga palun."

Hunter võttis skulptuuri kätte ja silmitses seda hetke. See oli savist, puidust alusel.

„Usaldus," sosistas ta.

„Mis asja?" Garcia vaatas Hunteri poole.

„Usaldus," kordas Hunter. „Kui sa kukud, püüan ma su kinni."

Olivia ja Allison vaatasid teda üllatunult. „Just nimelt," kinnitas Allison. „Ema tegi mulle samasuguse. Isal on ka. See tähendab, et me võime alati üksteist usaldada. Et oleme üksteisele alati kõiges toeks."

„See on väga ilus skulptuur." Hunter pani selle riiulisse tagasi.

„See isa toast leitud skulptuur," sõnas Olivia. „Millest see tehtud oli?"

„Mingisugune metallisulam," valetas Hunter. „Võimalik, et suures osas pronksist."

Garcia hammustas huulde.

„Nii et see polnud ema tehtud. Tema kasutas ainult savi."

„Kas ta tegi palju skulptuure?"

„Mõned vaasid. Skulptuure minu arvates ainult kuus." Olivia vaatas kinnitust otsides Allisoni poole. Õde noogutas. „Nagu Ally ütles, on tal kodus samasugune nagu minul. Ülejäänud neli on isa kabinetis."

Viisteist

Hunter ei näinud mõtet rohkem Olivia ja Allisoni leina häirida, aga nende selgitus äratas temas huvi ja ta tahtis enne õhtut Derek Nicholsoni kodust läbi käia, et vaadata kabinetis, millised tema kadunud abikaasa Lindsay Nicholsoni neli skulptuuri seal on.

„Su suudad muljetavaldavalt tuima nägu teha," sõnas Garcia, kui nad tema autos istusid. „Õhuke metallitükk, mille mõrtsukas maha jättis ja mis võib olla mingi skulptuuri osa? Leidlik. *Mina* hakkasin seda ka uskuma, aga mis siis oleks saanud, kui nende ema oleks ka metallskulptuure teinud?"

„See oli vähetõenäoline," vastas Hunter turvavööd kinnitades.

„Kust sa tead?"

„Enamik skulptoreid, ennekõike amatöörid, eelistavad sama materjali. Midagi, millega end mugavalt tunnevad. Need, kes materjale vahetavad, lähevad ka harva milleltki nii pehmelt kui savi üle millelegi nii kõvale nagu metall. Selleks on vaja teistsuguseid võtteid."

Garcia vaatas paarimeest ja tegi üllatunud nägu. „Ma ei pidanud sind kunstifänniks."

„Ei olegi. Lihtsalt loen palju."

Hunter oli käinud Derek Nicholsoni kabinetis ainult korraks. See oli see tuba, kus Melinda Wallis istus, kui Hunter eile hommikul mõrvapaika jõudis. Kui ta õhtul uuesti sinna läheb, keskendub ta ülemise korruse toale.

Sõit Olivia kodust Westwoodis Cheviot Hillsi võttis vaid kümme minutit. Nad avasid ukseluku ja astusid majja, mis Hunteri veendumuse kohaselt oli kunagi olnud õnneliku pere kodu. Nüüd oli see maja igaveseks jõhkrast mõrvast määritud. Kõik nende seinte vahel olnud õnnelikud mälestused olid ühe mõeldamatult julma teoga hävitatud.

Majas oli soe ja umbne ning ebameeldivate lõhnade selgelt tuntav segu. Garcia hõõrus nina, köhatas paar korda ja lasi paarimehel ees minna.

Hunter avas pika puittahveldisega seintega toa ukse, mille kahes seinas olid raamaturiiulid. See meenutas kohtuniku kabinetti, suur kirjutuslaud, mugavad tugitoolid ja vanade nahk-köites raamatute kopitanud lõhn. Nad märkasid kohe Olivia mainitud nelja skulptuuri. Kaks olid raamaturiiulitel, üks Derek Nicholsoni laual ja üks väikesel laual helepruuni nahast tugitooli kõrval. Ehkki need olid ebatavalised, ei sarnanenud need isegi mitte natukene mõrtsuka jäetud groteskse teosega.

„No vähemasti teame, et mõrtsukas ei üritanud neid jäljen-dada," nentis Garcia, pannes skulptuuri, mis tal käes oli, tagasi väikesele lauale. „Jumal ise teab, *mida* ta üritas teha või matkida."

Hunter oli vaadanud kõiki skulptuure ja uuris nüüd riiulites olevaid raamatuid. Peaaegu kõik olid seotud kriminaalõigusega, aga mõned üksikud olid ka keraamika ja savikunsti kohta. Kaks raamatut olid kaasaegse raidkunsti teemal. Hunter võttis ühe välja ja lappas esimesi lehti.

„Arvad, et tema mõrv võib olla seotud sellega, mida ta hooldusõele ütles?" küsis Garcia. „Et ta tahtis kellegagi rahu teha ja millegi kohta tõtt rääkida?"

„Ei tea, aga meil kõigil on saladusi, osad neist tähtsamad kui teised. Üks Derek Nicholsoni saladusi oli tema jaoks väga tähtis ... see häiris teda nii palju, et ta ei tahtnud maisest elust lahkuda ilma olukorda klaarimata, sellega „rahu tegemata"." Hunter tegi sõrmedega õhus jutumärke.

„Ja see peab ju midagi tähendama, eks?" küsis Garcia.

„See peab midagi tähendama," nõustus Hunter. „Aga me ei tea, kas ta tegi seda või mitte. Rahu."

„Hooldusõe sõnul rääkis ta „rahu tegemisest" esimesel ja teisel nädalal. Pärast seda rääkis ta vist ainult kahe muu inimesega peale nädalavahetuse hooldusõe ja tütarde."

Hunter noogutas. „Ringkonnaprokurör Bradley ja salapärane 180-sentimeetrine pruunisilmne külaline." Ta pani raamatu riiulisse tagasi ja võttis teise raidkunsti-alase raamatu. „Võib-olla teab ringkonnaprokurör, kellega tegu. Püüan temaga homme rääkida."

„Tööpäevadel siin olnud õde kasutas ülemise korruse tuba," tähendas Garcia. „Aga Melinda elas garaaži kohal külaliskorteris. See pole ju juhus, et mõrtsukas valis tapatööks nädalavahetuse, ega?"

„Ei." Hunter vaatas ilma põhjuseta lakke ja seejärel seinu. „Mõrtsukas tundis selle majapidamise harjumusi. Ta teadis, millal inimesed tulid ja läksid. Teadis, et Derek Nicholsoni tütred külastasid teda iga päev paar tundi ja läksid siis minema. Ta teadis, millal Nicholson on üksi ja millal on parim aeg tegutseda. Ta võis isegi teada, et valvet ei lülitatud tavaliselt tööle või et Derek Nicholsonile ei meeldinud konditsioneer ja rõduuks tema toas on sellisel aastaajal arvatavasti lahti."

„See tähendab, et mõrtsukas jälgis maja," lausus Garcia. „Ja mitte ainult ühe päeva."

Hunter liigutas pead, nagu kaaluks Garcia sõnu.

„Sa arvad, et see on midagi enamat, eks ole?" küsis Garcia. Hunter noogutas. „Arvan, et mõrtsukas oli siin varem käinud. Arvan, et ta tundis seda perekonda."

Kuusteist

„Kas te siis teate, milles on probleem?" küsis Andrew Nashorn mehaanikult, kes küürutas tema keskmise suurusega purjejahi mootori avause kohal.

Nashorn oli 51-aastane, helepruunide juuste, laia rinna ja jämedate käsivartega ning kõndis uhkeldavalt, mis andis kõigile mõista, et ta oskab endiselt rusikavõitluses ennast kaitsta. Arm vasaku kulmu kohal ja viltune nina olid kunagise poksijakarjääri pärand.

Nashorn ootas kogu aasta ametlikku suve algust. Los Angeleses ja suures osas Lõuna-Californiast on suvi muidugi peaaegu pidevalt, aga neid esimesi ametlikke nädalaid pidasid paadiomanikud purjetamiseks parimateks. Tuul oli leebem ja puhus peaaegu alati. Ookean oli sel perioodil rahulikum. Vesi oli selgem ja pilved kadusid paariks nädalaks justkui kuhugi mujale.

Nashorn pani oma kahenädalase puhkuse alati kirja iga aasta alguses. Periood oli alati üks – suve esimesed nädalad. Ta oli teinud nii viimased kakskümmend aastat. Ja viimased kakskümmend aastat oli tema puhkus olnud täpselt samasugune, kui ta pakkis kaasa mõned riided, toitu, kalapüügivarustuse ja kadus 14 päevaks Vaiksele ookeanile.

Nashorn ei söönud kala, see ei maitsenud talle. Kalapüük oli tema jaoks hobi ja see lõõgastas. Ta viskas saagi alati tagasi vette kohe, kui oli konksu otsast ära võtnud. Ta kasutas ainult suuremaid konkse, mis ei lõhkunud kala suud nii palju.

Ehkki Nashornil oli palju sõpru, purjetas ta alati üksinda. Ta oli olnud korra abielus, rohkem kui kakskümmend aastat tagasi. Abikaasa Jane oli ühel päeval nende kodu köögis infarkti saanud, kui Nashorn oli tööl. See käis nii kähku, et naine ei jõudnud isegi telefoni juurde. Nad olid olnud abielus kolm aastat. Nashorn isegi ei teadnud, et abikaasal on süda haige. Jane'i surm muserdas teda täielikult. Nashorni jaoks oli Jane olnud see ainus ja õige. Ta oli nende esimesest kohtumisest peale teadnud, et tahab temaga koos vanaks saada või vähemalt seda lootnud.

Esimesed kaks aastat pärast naise surma olid olnud piinavad. Nashorn oli rohkem kui korra mõelnud enesetapule, et taas Jane'iga koos olla. Tal oli selleks puhuks isegi spetsiaalne õõnsa otsaga kuul välja valitud – aga seda päeva ei tulnudki. Vähehaaval sai ta mustast masendusest jagu, aga ta ei abiellunud uuesti ja mõtles naise peale iga päev.

Ametlikult oli suvi alanud eile ja Nashorn oli kavatsenud täna merele minna, aga kui ta oma avamerejahi 29-hobujõulist dieselmootorit käivitada üritas, oli mootor mõned korrad turtsunud, kolisenud ja siis vait jäänud. Ta üritas veel, aga mootor keeldus käivitumast. Osad meremehed oleksid ka töötava mootorita merele läinud – tegemist oli ju siiski purjekaga –, aga see oleks olnud vastutustundetu ja seda Nashorn kindlasti ei olnud.

Tal vedas. Ta kavatses helistada oma tavapärasele mehaanikule Warren Donnellyle, kui üks teine mehaanik, kes oli äsja kõrvaloleva alusega lõpetanud, kuulis tema purjejahi mootorit sureva koera kombel läkastamas ja küsis, kas Nashorn vajab abi. See aitas kokku hoida vähemalt paar tundi, võib-olla rohkemgi.

Mehaanik oli väikest mootorit umbes viis minutit uurinud.

„Noh," ütles Nashorn uuesti, „kui tõsine asi on? Kas selle saab täna korda teha?"

Mehaanik tõstis sõnagi lausumata näpu püsti, paludes veel üht minutit.

Nashorn läks lähemale, püüdes kiigata üle mehaaniku õla.

„Õlipumbas on mõra," ütles mehaanik viimaks väga rahuliku häälega. „Õli on päeva, võib-olla ka kaks välja tilkunud. Osa sellest on kütuse sissepritsesüsteemi pihustisse tilkunud ja selle ummistanud."

Nashorn vaatas mehaanikut ilmetu pilguga. Ta teadis mootoritest väga vähe. „Kas te saate selle korda teha?"

„Õlipumpa ei saa, mõra on liiga suur. Uut on vaja."

„Oh, ärge ajage."

Mehaanik naeratas. „See on õnneks üks kõige levinumaid õlipumpasid. Need ei mõrane kergesti, aga seda juhtub. Mul vist on üks üleliigne kaasas."

„Oh, see oleks vinge." Nashorn naeratas nõrgalt. „Kas te saaksite vaadata?"

„Pole probleemi." Mehaanik tuli mootori avause juurest ära ja vaatas suurde tööriistakasti trepi juures. „Teil veab. Mul on see olemas. See pole päris uus, aga heas seisukorras ja sellega saab mootori korda."

Nashorn naeratas nüüd laialt.

„Aga enne pumba vahetamist pean laiali pritsinud õli ära koristama ja kütuse sissepritsesüsteemi pihusti ära puhastama. Selle peale ei tohiks kuluda rohkem kui 10–15 minutit."

Nashorn vaatas kella. „See oleks suurepärane. Saaksin enne päikeseloojangut teele asuda."

Mehaanik läks tagasi mootori juurde ja hakkas plekilist kaltsu kasutades maha tilkunud õli koristama.

„Kas te purjetate kaugele?"

Nashorn läks külmiku juurde ja võttis sealt kaks õllepudelit.

„Ei tea veel. Ma ei planeeri midagi ette. Lähen sinna, kuhu tuul viib. Õlut?"

„Tänan, ei. Jõin nädalavahetusel liiga palju."

Nashorn keeras ühel pudelil korgi pealt, võttis lonksu ja pani teise pudeli külmikusse tagasi. „See on minu ainus puhkus aasta jooksul. Kaks nädalat kõigest eemal." „Ja te kibelete teele asuma, jah? Tean täpselt, mis tunne see on. Mul pole olnud puhkust …" Mehaanik pidas korraks vahet ja naeris siis nukralt. „Oo, ma isegi ei mäleta, millal viimati puhkusel käisin."

„Vaadake, mina nii ei suudaks. Läheksin hulluks. Pean saama kaks nädalat eemal olla."

„Oh, raisk!" hüüatas mehaanik tagasi nõksatades. Mootorist pritsis vedelikku põrandale.

„Mis juhtus?" Nashorn astus lähemale, nägu murelik.

„Üks surve all olnud kütuse sissepritsevoolik tuli lahti."

„See ei kõla julgustavalt."

Mehaanik vaatas kiiresti ringi, nagu otsiks midagi. „Mul on vaja klambrit, et see tagasi panna. Kas te saaksite seda voolikut hoida, kuni ma võtan näpitsklambri?"

„Ikka." Nashorn pani õllepudeli käest ja hoidis voolikut nii nagu mehaanik näitas.

„Ärge lahti laske. Tulen kohe tagasi."

Nashorn hoidis sõrme tumeda peenikese kummivooliku peal, keskendudes hoolega. Ta kuulis mehaanikut selja taga tööriistakastis sobramas. „See ei lükka ju mootori korda tegemist edasi, ega?"

Vastust ei tulnud.

„Tahaksin tõesti enne õhtut teele asuda."

Vaikus. Kolin oli lakanud.

„Halloo …?" Nashorn keeras ennast kohmakalt, et üle õla vaadata.

Samal hetkel virutas mehaanik metallist mutrivõtmega, nagu oleks see pesapallikurikas. Nashorni jaoks liikus aeg nüüd nagu aegluubis. Mutrivõti tabas tema nägu kõheda raksatuse saatel. Lõualuu mõranes ühest, kahest, kolmest kohast. Nahk hakkas lõualuu alumisel poolel lõhenema kuni lõuaotsani, tuues nähtavale liha ja luu. Verd pritsis kõrgele igas suunas. Nashorni kolm hammast purunesid ja lendasid hooga vastu seina. Mõranenud lõualuust tungis lahtitulnud kild igemesse suust välja lennanud esimese purihamba all ja luu ots riivas hambast jäänud paljastatud närvi. Valu oli pimestav. Löök oli nii tugev ja täpne, et Nashorni keha paiskus tagurpidi, selg põrkas vastu mootorit ja pea vastu puittahvlit selle kohal.

Nashorni nägemine hägustus kohe. Verd voolas suhu ja nirises kurku, takistades hingamisteid ja pani ta õhku ahmima. Ta üritas kõnelda, aga ainsana kostis hale kurisev heli. Enne teadvuse kadumist nägi ta mehaanikut enda kohal seismas, mutrivõti käes.

„Sina ..." ütles mehaanik julma muige saatel. „Sinuga tegelen ma kiirustamata."

Seitseteist

Hunter jõudis tööle 8.33 hommikul, paar minutit pärast Garciat.

„Kuramus, kas nad pommitasid sind ka?" küsis paarimees.

„Sa pead silmas väljas olevaid reportereid?"

Garcia noogutas. „Kas nad on seal laagri püsti pannud või? Astusin autost välja ja kolm tükki hakkas mulle kohe küsimusi hõikuma."

„Ohver oli prokurör, kes tükeldati oma kodus surivoodil kolm päeva tagasi. Selliseid asju näeb ainult telesarjades, Carlos. Nad oleksid valmis üksteist tapma, et olla esimene, kes mõne juhtumit uuriva inimese käest midagi kuuleks. See asi läheb ainult hullemaks."

„Jah, ma tean." Garcia kallas Hunterile ja endale nurgas olevast masinast suure kruusitäie kohvi. „Kas sa nendest leidsid midagi?" küsis ta, ulatas paarimehele kruusi ja nookas raamatute poole Hunteri kaenla all.

Hunter oli viinud Derek Nicholsoni kabinetist koju kaasa kõik kaasaegse kunsti- ja raidkunstialased raamatud.

„Mitte midagi." Hunter pani raamatud lauale ja võttis kruusi. „Aitäh. Tuhnisin pool ööd ka netis, lugedes kõigi Los Angelese skulptorite kohta, keda leidsin. Seal polnud mitte midagi kasulikku. Ma ei usu, et mõrtsukas üritab juba olemasolevat teost jäljendada."

Garcia läks oma laua juurde. „Mina ka mitte."

„Käin täna ringkonnaprokurör Bradley juurest läbi," jätkas Hunter. „Tahan küsida, kas ta teab, millega Nicholson võis tahta rahu teha ja kas tal on aimu, kes võis olla teine Nicholsoni külastanud mees."

„Kas helistada poleks lihtsam?"

Hunter tegi nägu, mis ütles „võib-olla," aga talle ei meeldinud telefonis küsimusi esitada olenemata sellest, kellele ta neid esitas. Vahetud kohtumised võimaldasid näha teise inimese liigutusi, reaktsioone ja näoilmeid ning mõrvauurija jaoks oli see hindamatu väärtusega.

Hunteri lauatelefon helises. Ta vaatas kella, enne kui toru võttis.

„Uurija Hunter."

„Robert, sain just laborist esimesed vastused," ütles doktor Hove. Tema hääl tundus raskepärasem kui tavaliselt.

Hunter lülitas arvuti sisse. „Ma kuulan, doktor."

„Kõigepealt ütlen, et labor tegi sinu palutud koopiaga suurepärast tööd."

„On see valmis?"

„Jah. Nad töötasid öö otsa. See on teel sinu poole."

„Väga hea."

„Nii," jätkas doktor Hove. „Kriminalistid leidsid kuriteo-paigast ja mujalt majast – köögist, vannitoast, trepikäsipuult – viied erinevad sõrmejäljed … Sa tead, kuidas see käib. Nagu arvata oli, ei andnud see midagi kasulikku. Sõrmejäljed kuulusid kahele hooldusõele, ohvri tütardele ja ohvrile endale."

Hunter vaikis. Ta ei olnudki selles osas midagi lootnud.

„Samadest kohtadest leitud juuksekarvad kuulusid samuti neile viiele," ütles doktor Hove. „Vaevalt neile on mõtet DNA-analüüsi teha. Osade leitud kiudude analüüs pole veel valmis. Seni on leitud puuvilla, polüestrit, akrüüli … kõige tavalisemad igapäevariiete kiud. Neist pole sulle abi."

Hunter toetas küünarnuki lauale. „Kas toksikoloogia vastu-seid on juba?"

„Jah, pidin nendega peale käima. Laboris on tööd palju." Naine pidas korraks vahet. „Ja siinkohal läheb asi huvitavaks. Lausa julmaks."

Hunter viipas kergelt Garciale, andes talle märku oma telefonist jutuajamist kuulata.

„Mida see analüüs ütles, doktor?" küsis Hunter.

„Nii, me teame, et ohvri kannatuste pikendamiseks sulges kurjategija amputeeritud parema käe arteri meditsiiniliste tangi-dega, et ohver verest tühjaks ei jookseks. Miski hämmastas mind sellegipoolest algusest peale."

Hunter tõmbas tooli laua alt välja ja istus. „Ohvri kehv tervislik seisund." Ta ei öelnud seda kui küsimust.

„Just. Ohvril oli kopsuvähi viimane staadium. Tema keha oli sama põdur kui 90-aastasel. Tema vastupanu valule, jaksa-mine olid murdosa sellest, mis pidanuks olema. Sellises seisundis inimene pidanuks surema sõrmest ilma jäädes šoki tagajärjel.

Tema jäi ilma viiest sõrmest, kümnest varbast, keelest ja käest, enne kui suri."

Hunter ja Garcia vahetasid mureliku pilgu.

„Nagu arvata oligi," jätkas doktor, „ei olnud ta rahustite mõju all, aga ta oli kurguni ravimeid täis topitud. Toksikoloogia analüüs avastas veres mitme ravimi kõrge sisalduse, aga seda oli ohvri tervisliku seisundi tõttu oodata. Osad neist ravimitest olid aga väga valed."

„Nagu näiteks?"

„Leidsime suures koguses propafenooni, felodipiini ja karvedilooli."

Garcia vaatas Hunterit ja raputas siis pead. „Pea hoogu, doktor. Võta keemia sõnavaraga rahulikumalt. Keemia polnud koolis mu tugevaim aine ja koolist on mitu head aastat möödas. Mis need on?"

„Propafenoon on naatriumi liikumist blokeeriv aine. See aeglustab naatriumiioonide kandumist südamelihasesse. Felodipiin on kaltsiumi liikumist blokeeriv aine ja seda kasutatakse tihti kõrge vererõhu alandamiseks. Karvedilool on beetablokaator. See blokeerib norepinefriini ja epinefriini sidumist beeta-adrenoretseptoritega. Nende kolme aine kooslus takistab kindlasti ka adrenaliini tootmist organismis."

Garcia laup oli nii kipras, et meenutas kuivatatud ploomi. „Kas sa kuulsid, kui ma ütlesin, et keemia polnud koolis mu tugevaim aine, doktor? Bioloogia ka mitte. Teeskle, et ma olen seitsmeaastane poiss ja räägi seda kõike uuesti."

„Lühidalt öeldes on see väga kange ravimikokteil, mis aeglustaks iga inimese südame tööd, reguleeriks vererõhku ja takistaks adrenaliini tootmist neerupealistes. Nagu te teate, vallandub adrenaliin, kui inimene tunnetab hädaohtu. See on hirmu- ja valuhormoon. See tõstab pulssi ja laiendab hingamisteid, nii et inimene on valmis võitlema või põgenema."

Garcia oli ikka segaduses.

„Nii et mõrtsukas aeglustas ohvri vere liikumist," sõnas Hunter, „ja tõmbas alla adrenaliini tootmise."

„Just nimelt," kinnitas doktor Hove. „Kui keha tunnetab hädaohtu või tunneb valu, nagu näiteks siis, kui sõrm, varvas või keel ära lõigatakse, vallandub adrenaliin ja pulss kiireneb, pumbates rohkem verd vigastatud piirkonda, ajju ja lihastesse. Need ravimid ei lase sel juhtuda. Need hoiavad pulsi rahulikus olekus, võib-olla isegi aeglasemas. Sel moel liigub ohvri kehas väiksem kogus verd. Ta veritseks palju vähem kui peaks. Aga nendel ravimitel ei ole tuimestavat mõju."

„Mis tähendab, et ta tundis kogu valu," taipas Garcia nüüd.

„Ent püsis elus kauem."

„Õige," kinnitas doktor. „Kui ohver on tugevasti vigastatud, ent eluliselt tähtsad organid on terved, võib inimene surra kahel moel. Verest tühjaks joosta või on süda nii üle koormatud, et ütleb üles. See mõrtsukas võttis oma ravimikooslusega mõlemad probleemid luubi alla. Ta ei tahtnud, et ohver sureks liiga kiiresti. Ja kindlasti tahtis ta, et ohver tunneks nii palju valu kui ta välja kannatab. Ilma opitiimita pidi mõrtsukas tegutsema palju kiiremini, et amputeerimised sooritada ja verejooksu ohjeldada, enne kui ohver verest tühjaks jookseb. Noh, see ravimikokteil aitas teda päris palju." Doktor Hove vaikis, mõeldes oma sõnade mõjule. „Arvan, et see kinnitab meie kahtlusi, et mõrtsukas tunneb meditsiini, Robert. Ja ma ütleksin, et ta tunneb seda hästi."

Kaheksateist

Hunter ja Garcia panid toru korraga hargile. Hunter põimis sõrmed vaheliti, toetas küünarnukid tooli käetugedele ja naaldus seljatoele.

„No nii," ütles ta paarimehele. „Tean, et see on vähetõenäoline, aga kuna kõik kolm toksikoloogia analüüsiga avastatud ravimit on saadaval ainult retseptiga, kontrollime kõiki apteeke ja farmatseute, kas keegi on kõiki kolme korraga müünud. Selles mõttes, et sama retseptiga ja samale inimesele. Kes teab, äkki veab."

Garcia luges juba doktor Hove'ilt saadud meili, pannes kolme ravimi nimetused kirja.

„Kuidas Nicholsoni poolt trellide taha saadetud kurjategijate nimekiri edeneb?" küsis Hunter.

„Seda pole veel, aga tiim tegeleb sellega."

„Ütle neile, et see on prioriteet. Kontrolligu, kas nimekirjas on selliseid, kes on varem töötanud meditsiinialal, haiglas, hooldekodus või isegi spordiklubis."

Garcia kulm tõmbles.

„Spordiklubide juhendajad ja personaaltreenerid peavad oskama anda esmaabi," selgitas Hunter. „Kui mõni neist inimestest oskab kas või plaastrit õigesti peale panna, tahan ma seda teada."

Uksele koputati.

„Sisse," hõikas Hunter laua tagant.

Uks avanes ja sisse astus väikest kasvu tumedas kostüümis väga ilus naine. Tal olid pikad sirged blondeeritud juuksed ja tumepruunid silmad. Paremas käes oli tal must nahast portfell. Ta oli advokaat või töötas mõne advokaadi juures.

„Uurija Hunter?" küsis naine Hunterile otsa vaadates.

„Jah, kuidas saan aidata?" Hunter tõusis.

Naine tuli edasi ja ulatas käe.

„Mina olen Alice Beaumont. Töötan Los Angelese prokuratuuris, ringkonnaprokurör Bradley enda alluvuses. Ta ütles, et teil võib Derek Nicholsoni juhtumis minu abi vaja minna." Ta surus Hunteri kätt tugevasti ja enesekindlalt.

Garcia kortsutas kulmu.

Hunter silmitses hetke enda ees seisvat naist. Naise silmad oli intelligentsed – täis ülikooli- ja elutarkust. Hunter pani tähele, et naine oli osavasti ja märkamatult pilgu üle ruumi libistanud. Kõige nägemiseks kulus vähem kui kaks sekundit. Temas oli midagi ebamääraselt tuttavat.

„Ringkonnaprokurör Bradley andis mulle teie visiitkaardi," sõnas Hunter. „Aga võib-olla sain ma temast valesti aru. Mulle tundus, et ta ütles, et helistaksin teile, *kui* me teie abi vajame."

„Uskuge mind, uurija, te vajate mu abi." Naise hä0äletoon oli sama enesekindel kui tema hoiak. Ta pöördus Garcia poole.

„Teie olete arvatavasti uurija Carlos Garcia."

„Legend ise," naljatas Garcia tema kätt surudes.

Alice ei naeratanud, vaid läks Hunteri laua juurde, pani portfelli lauale, avas kaane ja võttis portfellist mitu kokkuklammerdatud paberilehte.

„Siin on kirjas kõik need kurjategijad, kelle Derek Nicholson aastate jooksul trellide taha saatis või aitas saata." Naine ulatas selle Hunterile. „Selles on väga ebameeldivaid tegelasi. See on koostatud vastavalt kuriteo tõsidusele – ultravägivaldsed ja sadistlikud on eespool. Samuti on eespool isikud, kes on hiljuti vabaks saanud, tingimisi või kautsjoni vastu vabastatud." Alice vaatas Garcia poole. „Ma juba kontrollisin. Mitte kedagi vägivaldsetest kurjategijatest, kelle ta trellide taha saatis, ei ole vabastatud – ei tingimisi ega muul moel. Mitte keegi pole ka põgenenud. Nende toimikud, kes sooritasid lihtsamaid kuritegusid ja istusid oma karistuse ära või lasti mingil

71

põhjusel vabadusse, ei jäta sellist muljet, et need inimesed võiksid sääraseks kuriteoks võimelised olla."

„Teid üllataks, milleks inimesed võimelised on," ütles Garcia Hunteri poole minnes, et nimekirja lugeda. „Eriti need, kes ei näe sedamoodi välja."

„Te olete neid toimikuid lugenud?" küsis Hunter.

„Olulisemaid küll."

„Kes need tähtsuse järjekorda pani, teie?"

Alice ei vastanud.

Hunter vaatas talle veel hetke otsa ja lehitses siis pabereid. Nimekirjas oli üle 900 nime. „Te ütlesite, et selles nimekirjas olevad vägivaldsed kurjategijad ei ole viimasel ajal vabadusse saanud. Millisest perioodist jutt käib?"

„Möödunud aasta."

„Peame minema kaugemale," vastas Hunter.

„See pole probleem. Kui palju kaugemale?"

„Alustuseks viis aastat, võib-olla isegi kümme."

„Andke mulle kiire internetiühendusega arvuti ja paar minutit ning saate need."

„Pean ka teadma, mille eest kõik need isikud süüdi mõisteti."

„See on nende nime ja vanuse juures kirjas," vastas Alice nimekirja poole noogates, kerge ärritus hääles.

Hunter ei pööranud pilku tema näolt. „Siin on kirjas „mõrv", „mõrv raskendatud asjaoludel", „relvastatud rööv" jne. Peame täpselt teadma, mida nad tegid ja kuidas. Milliseid relvi kasutati? Kas kuriteopaik oli verine? Kas kurjategija oli vägivaldne, kuna kaotas enesevalitsuse või kuna see meeldis talle? Me vajame konkreetseid kirjeldusi."

„Ka see pole probleem. Andke mulle ainult arvuti."

„Peame ka nimekirjas olevaid nimesid võrdlema pereliikmete, sugulaste või jõuguliikmetega, kes on vabaduses ja kes oleksid piisavalt napakad, et vangi nimel kätte maksta."

„Pole probleemi."

Hunter vaatas nimekirja, siis Garciat ja siis taas Alice'it.

„Te olete väga enesekindel. Arvate, et olete nii osav?"

Naine naeratas korraks. „Veel osavam," vastas ta kõhklematult. „Andke mulle arvuti ja ma hakkan kohe tööle." Alice osutas nimekirjale Hunteri käes. „Aga esialgu on see meile alguspunktiks."

Natuke aega valitses vaikus.

„Meile …?" küsis Garcia siis.

„Ringkonnaprokurör Bradley tahab, et ma aitaksin teid nii palju kui võimalik. Seega oleme me ju nagu üks tiim, eks?" Alice vaatas taas Hunteri poole.

„Preili Beaumont," ütles Hunter nimekirja oma lauale pannes. „Me oleme röövide ja mõrvaüksuse erirühm. See pole mingi puhkuseklubi. Me teame, et ringkonnaprokurör Bradley tahab kiireid tulemusi, ja meie ise samuti. Oleme teie abi eest tänulikud ja teil on õigus, see nimekiri annab meile suurepärase lähtepunkti, aga mul pole volitusi ilma oma kapteni loata mitte kedagi tiimi kaasata. Pealegi ei ole ta ülemäära huvitatud sellest, et tsiviilisikud sekkuksid üksuse juurdlustesse."

Alice naeratas ja läks tahvli juurde, millele olid kinnitatud kõik kuriteopaiga fotod. Ta liikus sensuaalselt. Aeglaselt ja sundimatult, nagu teaks, et meestele meeldib seda vaadata.

„Ärge olge nii tagasihoidlik, uurija. Teil *on* volitused kaasata oma tiimi keda tahes," vastas ta rahulikul häälel. „Ma kontrollisin. Siin otsustate teie ja kõik kuulavad. Ent ringkonnaprokurör Bradley rääkis politseiülem Martin Collinsiga, kes omakorda rääkis teie „mitte ülemäära huvitatud" kapteniga. Teie kaptenil polnud eriti valikut. Ja kahjuks pole ka teil. Ringkonnaprokurör Bradley saab alati oma tahtmise."

Hunter oli piisavalt kogenud teadmaks, et vastuvaidlemine ei muudaks mitte midagi. Ta vihkas seda, kui inimesed tema juurdlusse sekkusid, ütlesid talle, mida ta peaks või ei peaks tegema, millest tulenes ka tema maine alati kõike mitte päris protokollikohaselt teha, ent LAPD-s oli käsuahel ja Hunter oli selle alumises otsas. Vahel pidi ta teatud asjadega leppima ja see tundus kohe kindlasti olevat üks selline kord. Ta vaikis.

Alice libistas pilgu üle fotode. „Issand jumal," sosistas ta nõrgalt ja keeras kähku selja.

Hunter vaatas teda ainiti.

„Ma tundsin Derekit hästi," jätkas naine leebemal häälel. „Aitasin teda kümnete juhtumitega. Olin abiks paljude selles nimekirjas olevate isikute trellide taha saatmisel. Ta oli hea inimene, kes polnud talle osaks saanud saatust ära teeninud. Tahan aidata ja ma tean, et suudan seda, sest olen oma töös parim. Palun andke mulle võimalus aidata tabada see raibe, kes Derekile nii tegi."

Üheksateist

Enne, kui Hunter midagi öelda jõudis, koputati taas uksele.

„Küll siin voorib täna hommikul palju rahvast," naljatas Garcia ja hõikas siis, „sisse."

„Vabandust, söör," vastas mehehääl ukse tagant. „Mul on ainult kaks kätt."

Kõik ruumis viibijad kortsutasid kulmu. Garcia läks ukse juurde ja avas selle.

Ukse taga seisis noor politseinik, vaevu teismeeast väljas, seljas äsja pakendist välja võetud politsei vormiriietus. Tal oli süles suur pakk, mis oli kaetud musta kilega, mida hoidis koos teip.

„Kriminalistid saatsid selle teile, uurija."

„Olgu, aitäh. Võtan ise üle," ütles Garcia ja sirutas käed välja. Pakk oli palju kergem kui tundus. Alt oli see lame ja lihtne kinni hoida. „Panen tahvli juurde?" küsis ta Hunterilt, kui oli lasknud uksel enda järel kinni vajuda.

„Jah, see sobib." Hunter tegi väikesel laual ruumi ja lükkas selle fototahvlile lähemale. Garcia pani paki ettevaatlikult lauale.

„Mis see on?" küsis Alice, minnes teisele poole.

„Selle elusuuruses koopia," vastas Garcia, osutades tahvlil olevale fotole.

Hunter nägi, et naine hoidis korraks hinge kinni. „Kas te olete kunagi mõrvaüksuse tiimiga nii tihedat koostööd teinud?"

„Ei," vastas Alice kindlalt. Ilma häbita.

Hunter võttis taskunoa taskust välja ja avas selle. „Nagu ma juba korra mainisin, pole see puhkuseklubi." Ta lõikas teibi osavalt katki. „Võite jääda, kui tahate, aga see pole mingi piknik."

„Ma vihkan piknikke." Alice jäi endale kindlaks.

Hunter ja Garcia võtsid musta kile maha ja lasid sel põrandale kukkuda. Tükk aega oli ainsaks heliks ruumis ventilaatori tiirlemine Garcia laual. Doktor Hove'il oli õigus – kriminalistid olid teinud morbiidse teose koopiaga suurepärast tööd, ehkki aega oli olnud vähe. Koopia oli valgest kipsist, kergel puidust alusel, värvimata, aga Garcia kuklakarvad kerkisid sellegipoolest ja Alice'il võttis see hinge kinni.

Hunteril oli raske sellelt pilku kiskuda. Originaali mälupildid vilksatasid läbi pea nagu tulevärk, lahvatades iga paari sekundi järel. Sellega koos tõi alateadvus meelde samad tunded, mida ta koges kaks päeva tagasi, kui esimest korda kuriteopaika saabus. Ta tundis ninas selle toa kirbet lõhna. Nägi vaimusilmas seintel ja põrandal verd, seda, kuidas veri inimese kehaosadest tehtud skulptuurilt alla nirises. Korraks nägi ta isegi kaugemale seinale verega kirjutatud sõnu „HEA, ET SA TULD PÕLEMA EI PANNUD".

„Kas ma tohin võtta klaasi vett?" küsis Alice viimaks vaikust katkestades. Tema sõnad lõhkusid justkui mingi rühmatransi. Hunter ja Garcia pilgutasid peaaegu samaaegselt silmi.

„Loomulikult," vastas Hunter, pannes käed rinnal risti. Tema pilk püsis endiselt koopial. Ta läks teisele poole, et seda teise nurga alt vaadelda.

Garcia taganes paar sammu, nagu üritaks laiemat pilti näha. Mitte midagi ei olnud. See ei sarnanenud millegagi, mida nad seni näinud olid. See ei vallandanud mingeid mälestusi.

„See on küll maailma kõige groteksem asi," ütles siis Alice, kui oli joonud ära terve klaasitäie vett, nagu tahaks sisemuses tulekahju kustutada. „Ja selle järgi, kuidas teie kaks seda vaatate, pole ka teil aimu, mida see tähendab, eks ole?"

„Me alles alustasime sellega," vastas Hunter.

Naine kallas vett juurde. „Tean kedagi, kes oskab ehk aidata."

Kakskümmend

Silver Lake on künklik piirkond Hollywoodist idas ja Los Angelese kesklinnast loodes. Seal elab erineva etnilise ja sotsiaal-majandusliku taustaga inimesi, aga ennekõike tuntakse seda hipsterite ja loomeinimeste eklektilise koosluse poolest, samuti on seal üsnagi arvukas LGBT kogukond. Sealkandis on ka mõned Põhja-Ameerika kõige kuulsamad moodsa arhitektuuri näited ning just sinna Hunter ja Alice sõitsidki.

Alice'il oli punane Corvette ja ta sõitis nagu mõni rullnokk, kes üritab midagi tõestada – vahetas suunatuld näitamata ridu, lõikas teistele ette ja andis gaasi, nagu üritaks tsunami eest pääseda iga kord, kui valgusfooris süttis kollane tuli. Hunter istus tema kõrval. Turvavöö oli kindlalt kinni.

„Preili Beaumont, kui sõidame veel kiiremini, võime ajas tagasi kanduda," ütles ta, kui naine pööras West Sunset Boulevardile.

Alice naeratas. „Kas ma hirmutan teid?"

„Teie juhtimisviis hirmutaks ka Michael Schumacherit." Jälle naeratus. „Teate, mis. Kui te mind enam preili Beaumontiks ei kutsu, vaid ütlete mulle Alice, võtan hoo maha."

„Oleme kokku leppinud, Alice. Võta nüüd palun jalg gaasipedaalilt, enne kui satume 1842. aastasse."

Nad jõudsid Silver Lake'i vähem kui veerand tunniga.

„Ärge ehmuge," ütles Alice, kui oli Jalmari kunstigalerii ees peatunud. „Miguel on üsna ekstsentriline."

Hunter võttis tagaistmelt kriminalistide tehtud skulptuuri-koopia ja järgnes naisele.

Miguel Jalmar oli kunstikollektsionäär, galeriiomanik ja kaasaegse raidkunsti asjatundja. Ta oli lapsest saadik kunsti armastanud ja hakanud seda koguma juba teismelisena.

„Alice, kullake," ütles Miguel kimedal häälel, pani raamatu käest ja hüppas püsti kohe, kui Alice ja Hunter sisse astusid.

Miguel oli neljakümnendates eluaastates, pikk, sale ja sirgete süsimustade juustega, mis ulatusid rinnale. Laitmatus D&G ülikonnas mehel oli stiilne kolmepäevane habe ja teda ümbritses kalli parfüümi lõhn. Ta embas Alice'it nagu oleks leidnud kaua kadunud olnud õe ja andis talle mõlemale põsele musi.

„Aitäh, et meid nii kiiresti vastu võtsid, Miguel," ütles Alice, tõmbudes tema embusest eemale. „Oleme väga tänulikud."

„Kullake, sa tead, et sinu heaks teen mida iganes." Kimedus oli häälest kadunud, ent naiselikkus mitte. Miguel vaatas Hunteri poole ja kergitas uudishimulikult kulme. „Ja kes see on? Ja mis peamine, kus sa teda varjanud oled?"

„See on Robert Hunter. Minu sõber."

Hunter naeratas ja noogutas Miguelile.

„Robert Hunter ...? See on väga tugev maskuliinne nimi. Mulle meeldib. Ja jumala eest, vaadake neid laiu õlgu ja biitsepseid. Sa teed kindlasti trenni nagu kulturist."

Nii et seda siis Alice „ekstsentrilise" all silmas pidaski, mõtles Hunter.

„Oh," Migueli pilk kandus Hunteri süles olevale pakile, „kas see on see teos, mida te tahtsite mulle näidata?"

„Seesama."

„Noh, tulge siis minu kabinetti."

Migueli kabinet oli erinevate ajastute segu. Kaasaegne kunst ja antiikesemed segunesid omavahel ning see poleks pidanud kuidagi sobima, aga sobis. Kõikjal oli erineva kuju ja suurusega skulptuure. Seintel olid maskid, maas sebramustrilised vaibad, mustal nahkdiivanil tiigrimustriline pleed ja leopardimustrilised padjad.

„Paneme selle siia," ütles Miguel diivanilauale osutades. Ta võttis eest ära kaks skulptuuri. Hunter pani paki käest ja võttis musta kile pealt.

„Oh sa mu meie!" Miguel otsis pintsaku sisetaskust prillid.

„Oo. See on ..." Ta peatus ja vaatas küsivalt Hunterit. „Kas sina tegid selle, kullake?"

„Ei, mitte mina."

„Olgu pealegi, sel juhul on see lausa groteskne." Miguel käis selle ümber, silmitsedes koopiat iga nurga alt. Ta seisatas ja grimassitas nägu. „Kas need esindavad inimese kehaosi?"

Alice noogutas. „Vist küll."

„Ma pole mitte kunagi midagi nii väärastunut ja jõledat näinud. Aga üks on kindel ... See on väga loominguline. Pean kunstnikku selles osas tunnustama. See on üks selliseid pööraseid „mis-kurat-see-on" teoseid, mis võiks Londonis

78

võita Turneri auhinna. Kurat ise teab, mida need kohtunikud otsivad."

„Kas te olete kunagi midagi sellist näinud?" küsis Hunter.

„Ainult õudusunenägudes, mu kallis." Miguel oli kükitanud ja pea viltu kallutanud. Ta uuris üht jalga koopia servas. „Kes see kunstnik on?"

„Ei tea, kas teda just kunstnikuks pidada saaks," vastas Alice ja kahetses seda kohe.

Miguel vaatas tema poole.

„Me ei tea," segas Hunter vahele, „aga tahaksin välja selgitada."

„Kas sa oled kollektsionäär?"

„Võib ka nii öelda," vastas Hunter asjalikul häältoonil. „Ma siiski alles alustan."

„Võib-olla peaksime ühel õhtul kokku saama ning rääkima kunstist ja ... muudest asjadest." Miguel naeratas. „See meeldiks mulle väga. Annaksin sulle meelsasti soovitusi."

„See on väga huvitav teos," ütles Hunter, et jutuga edasi minna. „Mida kunstnik sinu kogemuse järgi sellega öelda tahab, Miguel?"

Miguel keskendus taas koopiale. „Noh, ma olen kahevahel. Arvan, et see pole selle kunstniku esimene töö, kes iganes ta on."

„Miks nii?"

„See, kuidas see on kokku pandud, sellega seotud hullumeelne kujutlusvõime ja loovus jätavad ... inimese mulje, kel on skulptuuridega palju kogemusi. Keegi, keda ei huvita teiste arvamus, kes ei pelga oma teoseid näidata, keda iganes see võib solvata. Aga teisalt on see kipsskulptuur, mis lausa kriiskab amatöörlikkust. Mitte keegi ei kasuta enam kipsi. Kui ta seda müüa tahab, peaks ta sellele värve lisama. Võib-olla veripunast, et see teemaga seostuks." Miguel ajas end püsti, taganes paar sammu ja pani käed puusa. „Aga ta on julge trotslik kunstnik, kes ei karda traditsioone rikkuda. Ja see meeldib mulle. Ta tahab meile sellega ilmselgelt midagi öelda."

„Mis sa arvad, mida?" küsis Alice.

Miguel pani prillid taskusse tagasi. „See, kuidas kunstnik on inimkehaga mänginud, seda omal moel uuesti kokku pannud – ta esitab loomisele väljakutse." Ta kehitas õlgu. „Kurat, see on nii julge, et ta võib enda meelest isegi loojale endale väljakutse esitada."

Alice tundis, et mööda selga kulgeb kõhedusvärin. „Miguel, kas sa tahad öelda, et see kunstnik peab end jumalaks?"

Miguel noogutas. Tema pilk püsis kummalisel teosel. „Just seda ma öelda tahangi, kullake. Ma olen jumal ja võin teha, mida tahan."

Kakskümmend üks

Politseimajja tagasi sõites käis Hunter läbi Los Angelese ring-konnaprokuröri kontorist West Temple Streetil. Tal vedas – ringkonnaprokurör Bradley oli tulnud äsja tagasi kolmetunniselt koosolekult juristide tiimiga.

Bradley kabinet oli väikese korteri mõõtu. Kahte seina ääristasid pikad laitmatud raamaturiiulid. Ülejäänud kahel seinal olid diplomid, autasud, sertifikaadid ja raamitud fotod tähtsatest asjadest, mida ringkonnaprokurör oli teinud – surus kätt poliitikute ja kuulsustega, poseeris advokaatidega advokatuuri koosolekutel, seisis kõnede ajal poodiumi taga jne.

Hunteri juhatas kabinetti ringkonnaprokuröri assistent, väga noor ja kena brünett elegantses liibuvas mustas kostüümis. Bradley istus muljetavaldava mahagonlaua taga, võttes paberist välja võileiba, millest saanuks söönuks kolm inimest.

„Uurija," ütles Bradley, andes Hunterile märku istuda ühele kolmest luksuslikust nahktugitoolist tema laua ees. „Kas tohib, et ma söön, kuni me vestleme? Ma pole täna lõunat söönud."

„Mind see ei häiri." Hunter raputas pead ja istus vasak-poolsesse tugitooli.

Bradley hammustas tohutu suutäie võileiba. Ümbrispaberile tilkus majoneesi, ketšupit ja sinepit.

„Ta on kena, eks?" Bradley kõneles mäludes.

„Kuidas palun?"

„Alice," selgitas Bradley. „See tüdruk, kelle ma teile saatsin. Ta on seksikas tips, eks ole? Ja igavesti terane. Tänapäeval on sellist kooslust keeruline leida, aga ärge hakake midagi ette kujutama. Ta on teie jaoks täiesti kättesaamatu."

Hunter vaikis ja vaatas, kuidas ringkonnaprokurör pühkis suunurgast salvrätiga sinepitörtsu.

„Niisiis," jätkas Bradley, „mis teil mulle öelda on, uurija? Ja palun moodustage täislaused."

„Ma püüan. Mul on teile mõned küsimused."

Ringkonnaprokurör vaatas Hunterile otsa. Ta ei oodanud kindlasti sellist vastust.

„Me üritame teatud asjades selgust saada."

„Olgu, küsige aga, uurija." Bradley võttis järgmise suutäie võileiba ja mälus lahtise suuga.

„Mulle öeldi, et te käisite paar kuud tagasi härra Nicholsoni juures kodus, pärast seda, kui tal vähk diagnoositi."

„Jah. Sõitsin pärast tööpäeva tema juurde. Tahtsin talle öelda, et kui ta midagi vajab, võib minuga arvestada. Ta oli töötanud selles ametis kakskümmend aastat. See oli vähim, mida ma teha saanuks."

„Kas te mäletate, millal see oli?"

Bradley avas karastusjoogipudeli ja jõi pool suurte sõõmudega ära. „Saan kiiresti välja uurida." Ta vaatas Hunterit skeptiliselt.

„Kas te võiksite palun seda teha?"

Bradley sirutas käe lauatelefoni sisekõne nupu poole. „Grace, ma käisin mõned nädalad tagasi Derek Nicholsoni juures. Kas sul on minu päevaplaani sissekanne olemas? Kas saaksid vaadata ja öelda, mis kuupäeval see oli?"

„Ikka, ringkonnaprokurör Bradley." Tekkis üürike paus, mille ajal kostis klaviatuuri klõbinat. „Te käisite härra Nicholsoni juures 7. märtsil. Pärast tööpäeva lõppu."

„Aitäh, Grace." Bradley noogutas Hunterile.

Hunter pani selle märkmikku kirja. „Umbkaudu samal ajal käis härra Nicholsoni juures kodus veel keegi. Kas te teate sellest midagi? Kas see võis olla keegi teie töötajatest, keegi, kellega ta oli heades suhetes?"

Ringkonnaprokurör Bradley turtsatas naerma. „Uurija, minu alluvuses töötab rohkem kui kolmsada heas füüsilises vormis prokuröri ja umbes sama palju kontoris."

„Umbes 180 cm pikk, härra Nicholsoniga üheealine, pruunid juuksed ... kui see oli keegi teie alluvatest, oleks ta seda ju teile maininud."

„Mitte keegi pole mulle öelnud, et külastas Derekit, aga ma võin küsida ja välja uurida." Bradley võttis pastaka ja kirjutas midagi paberilehele. „Derek oli kena ja viisakas inimene, uurija. Kõik said temaga hästi läbi. Kohtunikud armastasid teda. Ja tal oli sõpru ka väljaspool tööd."

„Saan aru, aga kui see teine külaline oli keegi teie töötajatest, tahaksin talle küsimusi esitada."

Bradley silmitses Hunterit pikalt ja naeris siis põlglikult. „Kas te tahate öelda, et keegi prokuratuurist võib olla kahtlusalune, uurija?"

„Ilma informatsioonita on kõik kahtlusalused," vastas Hunter. „See on uurijate käsiraamatus kirjas. Me kogume infot ja kõrvaldame selle abil inimesi kahtlusaluste nimekirjast. Tavaliselt see nii käibki."

„Ärge targutage, pagan võtaks. Selline jura võib teie juhmidele sõpradele mõjuda, aga mitte mulle. Mina juhin seda neetud juurdlust, nii et käituge aupaklikult, sest kui ei, on teie järgmiseks töökohaks koerteüksuse koertega sital käimine, kuulete?"

„Väga selgelt, aga tahaksin siiski teada saada, kas see teine isik, kes härra Nicholsoni külastas, on keegi teie prokuratuurist."

„Olgu," ütles Bradley järjekordse pausi järel. „Ma uurin ja annan teada. On see kõik, uurija?" Ta vaatas käekella.

„Üks asi veel. Kas härra Nicholson mainis kunagi teile kellegagi rahu tegemist? Kellelegi millegi kohta tõe rääkimist?"

Bradley lõualihas tõmbles ja ta katkestas korraks mälumise.

„Kellegagi rahu tegema? Mis mõttes?"

Hunter jutustas ringkonnaprokurörile, mida Amy Dawson oli talle rääkinud.

„Ja te arvate, et Derek võis silmas pidas sama inimest, kes teda paar kuud tagasi külastas?"

„See on võimalik."

Bradley pühkis puhta pabersalvrätiga suud ja käsi, naaldus oma nahast pöördtooli seljatoele ja silmitses Hunterit hetke.

„Derek ei maininud mulle midagi. Ei kellegagi rahu tegemise ega kellelegi tõe rääkimise kohta."

„Kas teil on aimu, mida ta võis silmas pidada?"

Bradley vaatas seinakella ja siis uuesti Hunterit. „Me elame väärastunud maailmas, uurija. Teie ennekõike võite seda kinnitada. Meie, prokurörid, üritame ühiskonnas korda säilitada, püüdes trellide taha saata isikud, kes ei ole sobivad selles elama. Meie käsutuses on asitõendid, mille me saame uurijatelt nagu teie, kriminalistidelt, laborantidelt, meie enda uurijatelt, tunnistajatelt jne. Aga me oleme inimesed ja seega teeme vigu.

Häda on selles, et neil vigadel on meie töö iseloomu tõttu tihti dramaatilised tagajärjed."

Hunter niheles oma kohal. „Te peate silmas seda, et süütu inimene saadetakse trellide taha või süüdlane pääseb vabadusse."

„See pole kunagi niisama lihtne, uurija."

„Ja kas härra Nicholson tegi mõne sellise „vea"?"

„Ma ei saa sellele vastata."

Hunter naaldus ettepoole. „Ei saa või ei taha?"

Bradley ilme muutus kalgimaks. „Ma ei saa, sest ei tea vastust."

Hunter silmitses Bradley tuima nägu.

„Aga ma võin öelda, et kui inimene on piisavalt kaua prokurörina töötanud, on ta vähemalt korra sellises olukorras olnud. Ma ei suuda kokku lugeda neid kordi, kui mul on olnud tegemist täiesti kindlalt süüdi oleva isikuga, aga mingi pisiasja tõttu, mõne labori debiiliku pärast või kuna mõni algaja politseinik soperdas ära vahistamise või kuriteopaiga, rikkudes asitõendid, pääses see sitajunn vabaks."

Hunter oli olnud selles olukorras korduvalt, aga ta teadis, et ka vastupidine on tõsi. Süütud satuvad vahel trellide taha või hullem veel, saavad surmanuhtluse kuriteo eest, mida nad ei sooritanud.

„Me kõik oleme selles olukorras olnud, uurija. Ja Derek Nicholson polnud selles osas erand."

Kakskümmend kaks

Hunter istus ülejäänud päeva jaoskonnas. Küsimused tiirlesid peas ringi, aga ta ei suutnud unustada Miguel Jalmari sõnu. *Kas see oligi nii,* mõtles ta. Kas mõrtsukas üritas neile skulptuuriga seda öelda? Kas ta võib olla nii ennasttäis, nii haige, et peab end jumalaks? Arvab, et võib teha mida iganes, ilma et teda saaks takistada?

Hunter teadis, et vastus sellele küsimusele on kõlav „jah."

Seda juhtus sagedamini kui enamik kriminaalpsühholooge tunnistada tahtnuks. Seda kutsuti ka „mõrvarlikuks jumala kompleksiks." Enamasti vallandab selle hetk, kui mõrtsukas saab aru, et tal on mingi võime, mida enamasti omistatakse ainult jumalale – võim otsustada elu ja surma üle. Võim saada ülimaks surma valitsejaks. Ja see võim võib muutuda tuhat korda sõltuvusttekitavamaks kui mistahes uimasti. See kergitab nende korduvaid hoope saanud ego kujuteldamatusse kõrgusesse. Ja sel hetkel võrdsustab see nad jumalaga. Kui nad on kord selle konksu otsa sattunud, on vägagi tõenäoline, et nad tahavad seda tunnet uuesti kogeda.

Skulptuur oli taas fototahvli kõrval ja Hunter ei suutnud sellelt pilku kiskuda kauemaks kui minutiks korraga. See hakkas talle ajudele.

Alice istus nurgas, töötades sülearvutis. Tema ülesandeks oli jagada Derek Nicholsoni poolt trellide taha saadetud kurjategijate nimekiri kategooriateks. Pärast ringkonnaprokurör Bradleyga kohtumist palus Hunter naisel koostada veel ühe nimekirja – kõik need juhtumid, mille Derek Nicholson pidanuks võitma, ent kaotas mingi pisiasja, vahistanud politseiniku või asitõendite kogumisega seotud vea tõttu. Ta tahtis teada, kes need ohvrid on, kas nad süüdistavad Nicholsoni kohtus kaotamises ja kas nad oleksid võimelised kätte maksma.

Garcia oli kogu päeva kontrollinud apteeke ja farmatseute. Seni polnud ta avastanud kedagi, kes müüks kõiki kolme retseptiravimit, mida mõrtsukas kasutas Derek Nicholsoni südame töö aeglustamiseks. Ent Garcia avastas, et neid ravimeid on ebaseaduslikult internetist osta sama lihtne kui kommi.

Hunter vaatas käekella. Oli juba hilja. Ta tõusis ja läks umbes sajandat korda skulptuuri juurde. „Carlos, kas sul on su digikaamera siin?"

„Mhmhh." Garcia avas ülemise sahtli ja võttis sealt üliõhukese mobiiltelefoni mõõtu kaamera. „Mis siis?"

„Ma ei tea. Tahan seda erinevate nurkade alt pildistada." Hunter nookas skulptuuri poole. „Vaadata, mida avastan."

„Sa pole päris kindel selles, mida too asjatundja ütles?"

„Tal võib õigus olla. Võib-olla on mõrtsukas peast põrunud ja peab end jumalaks. Tema, mitte jumal, otsustas ju Derek Nicholsoni eluküünla kustutada. Ja seda on üsna keeruline mõista. Ent mul on siiski tunne, et midagi on kusagil kahe silma vahele jäänud. Häda on selles, et mida rohkem ma seda asjandust vaatan, seda arusaamatum see tundub. Võib-olla on kaamerasilmast abi."

„Tasub proovida," nentis Garcia tahvli poole minnes.

„Nii, alustame siit." Hunter viitas kohale skulptuuri ees. „Tee kolm pilti – üks püsti seistes ülevalt alla, üks samalt kõrguselt ja üks kükitades, nagu alt üles vaadates. Siis astu samm vasakule ja korda sama. Teeme selle korra läbi."

„Hästi." Garcia hakkas pildistama ja fotoaparaadi välk sähvis ruumis iga paari sekundi järel.

Alice võpatas oma laua taga natuke liiga tugevasti.

Hunter pani seda tähele. „On sul kõik korras?"

Alice ei vastanud.

„Alice, on sul kõik korras?" kordas Hunter.

„Jah, täiesti. Lihtsalt fotoaparaadi välk häirib mind natuke."

Hunter nägi, et rohkem kui natuke. Naine oli endast väljas, aga Hunter ei küsinud midagi.

Garcia oli teinud umbes seitseteist fotot, kui Hunter märkas midagi, mis tal hinge kinni võttis ja värisema ajas.

„Seis," hüüdis ta kätt üles tõstes.

Alice vaatas sülearvuti ekraanilt tema poole.

Garcia katkestas pildistamise.

„Ära liiguta," ütles Hunter. „Tee samast kohast veel üks pilt, aga ära liiguta end tolligi."

„Mis asja ...? Miks ...?"

„Tee seda, Carlos. Usalda mind."

„Olgu." Garcia tegi veel ühe foto.

Hunteri süda jättis löögi vahele, kui adrenaliin verre paiskus. „Ei ole võimalik," sosistas ta.

Alice tõusis ja tuli nende juurde.

„Veel üks, Carlos."

Garcia suunas kaamera skulptuurile ja pildistas.

„Jumal halasta!"

„Mis toimub, Robert?"

Hunter pidas vahet ja vaatas oma paarimeest. „Ma sain vist aru, mida mõrtsukas selle skulptuuriga meile öelda tahab."

Kakskümmend kolm

Andrew Nashorni silmalaud liikusid aegluubis, kui ta kogu allesolevat jõudu rakendades neid avanema sundis. Valgus kõrvetas silmi nagu valgustusgranaadi plahvatus, ehkki ruumis põlesid vaid küünlad. Ta ei näinud mingeid arusaadavaid vorme, kõik oli üks suur udukogu.

Suu oli kõrbekuiv. Nashorn köhis ja valu, mis lõuast kiirgas, pitsitas nagu kruustangidega, täites pea niisuguse survega, et ta kartis, et see plahvatab. Tal oli nii tugev vedelikupuudus, et huuled olid lõhenenud, ja näärmed ei suutnud õieti enam sülge toota. Ta üritas neid tööle sundida, surudes näärmed keele all kokku, pressides keeleotsa vastu suulage, nagu kunagi lapsena. Ta polnud unustanud, kuidas seda teha, ja sai tasuks paar limast piiska. Kui need kurku jõudsid, oli tal tunne, nagu neelaks alla suutäie klaasikilde. Nashorn köhis uuesti, seekord meeleheitlikult kuivalt, ning valu kurgus ja lõuas täitis kogu kolba nagu tulekera. Silmalaud võbelesid ja ta arvas, et minestab, aga miski sügaval sisimas ütles, et kui ta seda teeb, ei näe ta enam kunagi midagi.

Ta võitles valuga kogu tahtejõuga ja kuidagimoodi õnnestus tal teadvusekaotust tõrjuda.

Issand, kuidas ta tahtis vett juua. Ta polnud iialgi end nii nõrga ja jõuetuna tundnud.

Nashornil polnud aimugi, kui kaua ta oli ärkvel olnud, aga viimaks hakkas nägemine selginema. Ta nägi väikese plastlaua piirjooni, kahte tooli ja väikest L-tähe kujulist pinki nurgas seina küljes. Kaks vana ja lamedaks litsutud patja olid seljatoeks.

„Ee …?" oli ainus heli, mida Nashorn murtud lõualuu tõttu kuuldavale suutis tuua. Ta tundis seda kohta hästi. Ta oli oma purjejahi kajutis.

Nashorn üritas liigutada, aga ei suutnud. Käed ei reageerinud, jalad ka mitte. Mitte miski ei toiminud. Ta ei tundnud oma keha üldse.

Meeleheitlik paanika hakkas sisemuses hoogu koguma. Ta sundis end keskenduma, üritades kusagil midagi tunda – sõrmedes, kätes, õlgades, varvastes, labajalgades, säärtes, torsos. Mitte midagi.

Ainus, mida ta tundis, oli iiveldamaajav peavalu, mis järas tükkhaaval aju.

Nashorn lasi löödult pea longu. Alles siis nägi ta, et on alasti, istub puidust toolil. Käed rippusid lõdvalt külgedel. Need polnud kinni seotud. Jalad ka vist mitte, aga ta ei näinud labajalgu, sest põlved olid veidi kõverdatud, nii et jalgade alumised osad olid tooli all peidus. Aga ta nägi enda õuduseks tooli all vereloiku.

Jalad olid justnagu selle sees. Ta üritas end ettepoole kallutada, et jalgu näha, aga ei suutnud. Ta ei liikunud sentimeetritki. Keha ei allunud ühelegi käsklusele.

Siis märkas Nashorn silmanurgast liikumist ja hoidis hinge kinni.

Hämarusest ilmus keegi, tuli ümber tooli ja peatus tema ees. Nashorni pilk liikus selle inimese näole. Silmad tõmbusid korraks küsivalt kissi. Tal kulus vaid hetk taipamaks, kes see on. Mehaanik, kes tuli tema purjejahi rikkis mootorit parandama.

„Kindlasti on väga veider tunne oma keha mitte tunda," ütles mehaanik, vaadates Nashornile silma sisse.

Nashorn hingas välja ja tõi tahtmatult kuuldavale hirmunud, ent nõrga oige, mis oli kurku kerkinud.

Mehaanik naeratas.

„Eeeeh, aaahhh." Nashorn üritas kõnelda, aga kuna ta ei saanud lõuga liigutada, tulid välja vaid arusaamatud häälitsused.

„Vabanda lõua pärast. Ma ei tahtnud seda puruks lüüa. Kavatsesin anda sulle hoobi kuklasse, aga sa pöördusid viimasel hetkel. See on paha lugu, sest sa ei saa nüüd rääkida ja ma tõesti tahtsin, et saaksid."

Kui hirmul oleks lõhn, siis Nashorn lehkas selle järele.

„Ma näitan sulle midagi. Tahan teada, mida sa sellest arvad, eks?"

Nashorn üritas taas neelatada. Ta kartis nii kohutavalt, et ei pannud valu tähelegi.

Mehaanik osutas räpasele kaltsule, mis oli visatud millegi peale väikesel baariletil Nashorni nägemisväljast veidi vasakul.

Tema pilk keskendus sellele.

„Oled valmis?" küsis mehaanik ja ootas mõned sekundid, et pinget kruvida. „Muidugi mitte. Mitte keegi pole kunagi selleks valmis."

Ta tõmbas ja räpane kalts kukkus maha.

Nashorn ahmis õhku ja silmad läksid õudusest suureks. Baariletil oli kaks üleni verist inimese jalga. Mehaanik vaikis, nautides hetke. „Kas tunned need ära?" Nashorni pilku kerkisid hirm ja pisarad.

„Ma aitan sind selles osas." Mehaanik võttis baarileti tagant välja 75 x 50 cm peegli, tõstis selle üles ja kallutas nii, et Nashorn nägi sel oma jalgade peegelpilti.

Ta sai viimaks aru, miks tema tooli all on nii palju verd.

Kakskümmend neli

Alice vaatas silmi kissitades skulptuuri koopiat. Tema näol oli segadus ja üllatus. Tal polnud aimugi, mida Hunter oli näinud. Garcia polnud ikka veel liigutanud. Tema küsiv pilk oli kandunud koopialt Hunterile ja siis oma digikaamera tagumisel küljel olevale ekraanile. Ta keris viimast kolme fotot edasitagasi, uurides kõiki hoolega. Ta ei näinud erinevusi.

„Nii, ma olen ametlikult segaduses," ütles ta. „Mida sa nägid, Robert?" Garcia vaatas Alice'i poole ja nägi ka naise näol üllatust. „Mida sa nägid, mida meie ei näinud?"

„Peate seda ise vaatama. Ma näitan." Hunter läks laua juurde ja võttis sealt LAPD varustuse hulka kuuluva taskulambi ning läks siis sinna, kus Garcia ikka veel seisis. Ta lülitas taskulambi tööle, hoidis seda vöö kõrgusel ja suunas valguskiire skulptuurile.

Garcia ja Alice pöördusid seda vaatama. Hämming süvenes.

„Hästi, ja …?" küsis Alice.

„Ärge vaadake skulptuuri," sõnas Hunter. „Vaadake seina selle taga. Selle varju."

Garcia ja Alice vaatasid korraga seina poole.

Hämming asendus üllatusega.

Alice'i suu vajus lahti.

„Ära jama," ütles Garcia.

Skulptuuri vari, mis tekkis, kui valgust teatud nurga alt näidata, moodustas kaks selgesti eristatavat kuju. Kaks selgesti eristatavat varjunukku.

„Koer ja lind?" sõnas Alice lähemale astudes. Ta pöördus ja vaatas uuesti koopiat. „Mida paganat?" Sellest kohast vaadelduna ei olnud kokku pandud kehaosad üldse koera ega ka linnu moodi. Polnud siis ime, et keegi polnud seda varem märganud. Hunter pani taskulambi enda taha raamaturiiulile, nii et valguskiir püsis samal kõrgusel ja nurga all. Varjud muutusid veidi, ent olid ikka olemas. Ta astus seinale lähemale, et paremini näha.

„Nii et mõrtsukas tükeldab ohvri, et teha varjunukke?" küsis Garcia. „Nüüd on asi veel segasem."

„Ta suhtleb, Carlos," vastas Hunter. „Neil kujunditel peab olema mingi tähendus."

„Nagu ... mõistatus mõistatuse sees? Kõigepealt skulptuur, nüüd varjunukud. Kes teab, mis järgmiseks. Ta andis meile piltmõistatuse?"

Hunter noogutas. „Ja ta tahab, et me selle kokku paneksime." Ta silmitses varje veel natuke aega. Siis ta pöördus ja vaatas kipsist koopiat, läks fototahvli juurde ja võttis sealt kaks kuriteopaigas originaalist tehtud fotot. Olles neid pikalt uurinud, pöördus ta uuesti seina poole. „Mis lind see teie arvates on?" küsis ta.

„Mis asja ... ? Ma ei tea. Äkki tuvi," vastas Alice.

Hunter raputas pead. „Tuvil pole sellist nokka. See on pikem ja ümaram. See on suurem lind."

„Ja sa arvad, et see on tahtlik?"

Hunter vaatas uuesti skulptuuri poole. „Mõrtsukas nägi kõvasti vaeva, et see asi valmis teha. Näete, kuidas sõrm on liigese kohalt ära lõigatud?" Ta viitas koopiale ja siis fotole. „Ja ta painutas seda just nii, et tekitada noka kuju? See polnud juhus." „Tuvi on arvatavasti kõige lihtsam varjunukk, mida teha," lisas Garcia omalt poolt. „Tõenäoliselt esimene, mille tegemise kõik selgeks õpivad. Isegi mina oskan seda teha." Ta pani põidlad kokku ja sirutas samal ajal tihedalt kokkusurutud sõrmi väljapoole, lehvitades neid nagu tiibu. „Näete? Robertil on õigus. See pole tuvi."

Alice silmitses natuke aega varjunukku. „Olgu, kui sul on noka osas õigus, siis ei saa see olla ka kotkas ega kull. Nende nokad on otsast kõverad nagu konks."

„Just," nõustus Hunter.

„See võib olla vares," lausus Garcia.

„Mina mõtlesin sama," nentis Hunter. „Vares, ronk või isegi hakk."

„Ja sa arvad, et linnu liik on kuidagi oluline?" küsis Alice.

„Jah."

„Äkki pole see siis ka koer," jätkas Alice. „See justkui uluks. Kuu peale?"

Koera moodi varjunuku pea oli ülespoole suunatud, suu paokil.

„Õigus. See võib olla koer, hunt, šaakal, koiott ... me ei tea veel. Aga need kaks kujutist on siin põhjusega ja me peame välja selgitama, mis see täpselt on, et nende tähendust mõista. Et mõista, mida mõrtsukas meile öelda tahab."

Kõik silmitsesid uuesti seinal olevaid varje.

„Sa kontrollisid Derek Nicholsoni tagaaeda, eks?" küsis Hunter Garcialt.

„Sa tead, et kontrollisin."

„Kas sa mäletad, et seal oleks olnud koerakuut?"

Garcia pööras pilgu korraks mujale, pigistades ninaselga. „Ei."

„Mina ka mitte," ütles Hunter ja vaatas käekella. Ta läks tagasi oma laua juurde ning hakkas märkmete ja paberilehtede seas sobrama. Tal kulus minut, leidmaks seda, mida otsis. Siis võttis ta oma mobiili ja valis paberilehele kirjutatud numbri.

„Halloo," vastas väsinud naisehääl.

„Preili Nicholson, uurija Hunter siin. Vabandage, kui ma teid tülitan, aga teen võimalikult kiiresti. Pean teile teie isa kohta ühe küsimuse esitama."

„Jah, muidugi," vastas Olivia veidi erksamana.

„Kas teie isal oli koer?"

„Kuidas palun …?"

„Kas teie isal oli koer?"

Tekkis kahesekundiline paus, kuni küsimus Oliviale kohale jõudis.

„Ee, ei … ei olnud."

„Kas tal kunagi oli koer? Võib-olla siis, kui te olite noorem või pärast ema surma?"

„Ei. Meil polnud koera. Emale meeldisid rohkem kassid."

„Aga lindu?" Hunter peaaegu kuulis Oliviat kulmu kortsutamas.

„Lindu …?"

„Jah, mis tahes liigist lindu."

„Ei, meil polnud ka lindu. Meie kodus ei olnud kunagi lemmikloomi. Mis siis?"

Hunter hõõrus sõrmeotsaga kulmude vahelt. „Lihtsalt kontrollin paari asja, preili Nicholson."

„Kui sellest abi on, siis mu isal oli kesklinnas kontoris akvaarium kaladega."

„Kaladega?"

„Mhmhh. Ta ütles, et nende ujumise vaatamine on psühholoogiliselt lõõgastav. See rahustas teda enne ja pärast tähtsat kohtuistungit ning ka selle ajal."

Hunter pidi sellega nõustuma. „Olgu, suur tänu teile abi eest, preili Nicholson. Kui sobib, võtan peagi uuesti ühendust."

„Loomulikult."

Hunter katkestas kõne.

„Mitte midagi?" küsis Garcia.

„Koeri, linde ega muid lemmikloomi polnud, ainult mõned kalad töö juures akvaariumis. Seos on mujal."

Sel hetkel avas kapten Blake nende tööruumi ukse. Ta ei koputanud. Mitte kunagi. Ülemusel oli selline tuli takus, et ta isegi ei märganud varjunukke seinal.

„Te ei usu seda, aga ta tegi seda veel."

Kõik kortsutasid kulmu.

Kapten nookas kipsist koopia poole. „Me leidsime veel ühe sellise."

Kakskümmend viis

Marina Del Rey asub Venice Beachist vaid kiviviske kaugusel, Ballona oja suudme lähedal. See on üks suurimaid inimese rajatud väikepaatide sadamaid Ameerika Ühendriikides, kus on 19 kaid. Sinna mahub kuni 5300 alust.

Isegi sellisel hilisel kellaajal kulus sireenide ja vilkuritega politseiautol politseimajast sadamasse jõudmiseks ummikutes kolmveerand tundi. Garcia oli roolis.

Nad pöörasid vasakule Tahiti Wayle ja neljandast tänavast paremale, et jõuda New World Cinema taga olevasse parklasse, kus mitu patrullautot takistas kõnniteed A-1000 kaile Marina sadamas. Politseilindi taha oli kogunenud suur rahvamass. Uudistebussid, reporterid ja fotograafid olid kõikjal. Lähemale pääsemiseks pidi Garcia sõitma aeglaselt ümber autode ja lülitama sireeni sisse, et jalakäijad eest ajada.

Kui nad politseilindi juures peatusid, tuli nende juurde vastutav politseinik.

„Kas te olete mõrvarühmast?" Mees oli ligi viiekümnene, umbes 172 sentimeetrit pikk, paljaks aetud pealae ja tihedate vuntsidega. Ta kõneles käheda häälega, nagu oleks külmetunud.

Hunter ja Garcia noogutasid ning näitasid talle oma töötõendeid. Mees vaatas neid ja pöördus siis kõnnitee poole. „Tulge kaasa. Kõnealune alus on vasakul viimane." Ta hakkas sinnapoole minema.

Hunter ja Garcia järgnesid talle.

Laternaid, mis pikka kõnniteed valgustasid, oli harva, nii et tee oli üsna pime.

„Mina olen inspektor Rogers lääneringkonnast. Minu paariline ja mina jõudsime esimesena kohale," selgitas politseinik. „Reageerisime hädaabikeskusesse tulnud kõnele. Keegi oli tükk aega kõvasti muusikat kuulanud, lastes täiel võimsusel *heavy metal*'it. Üks naabritest otsustas minna paluma, et muusika vaiksemaks pandaks. Naine koputas, keegi ei vastanud ja ta läks pardale. Tuled ei põlenud, aga kajutit valgustasid mõned küünlad. Nagu romantiliseks õhtusöögiks meeleolu luues, eks ole?" Rogers raputas pead. „Vaene naine, ta sattus oma elu kõige kohutavama õuduse keskele." Ta vaikis ja tõmbas käega üle vuntside. „Miks keegi teisele inimesele nii teeb? See on kõige haigem asi, mida ma eales näinud olen, ja ma olen elus näinud ikka väga jälke asju."

„Naine ...?" küsis Hunter.

„Kuidas palun?"

„Te ütlesite, et *naine* sattus oma elu kõige kohutavama õuduse keskele."

„Ah jaa. Nimi on Leanne Ashman, kakskümmend viis. See jaht seal kuulub tema kallimale." Rogers osutas suurele valge ja sinisega alusele. Aluse küljel oli nimi *Sonhador.* See oli kaks kohta viimasest paadist eemal.

„Kas tema kallimat pole siin?" uuris Hunter.

„Nüüd on. Ta on koos naisega oma jahil. Ärge muretsege, nende juures on üks politseinik."

„Kas te rääkisite naisega?"

„Jah, aga ainult üldpildi saamiseks. Parem on sellised asjad jätta teie, mõrvarühma uurijate hoolde."

„Ta oli oma kallima jahil üksinda?" küsis Garcia.

„Jah. Valmistas ette romantilist õhtusööki – küünlad, šampanja, mahe muusika, saate aru küll? Mees pidi hiljem tulema."

Nad jõudsid viimase aluse juurde. Politseilint takistas pääsu pardale viivale trapile. Läheduses oli veel kolm politseinikku. Hunter nägi nende nägudel ehedat viha.

„Kes muusika kinni pani?" küsis Hunter.

„Mis asja?"

„Ütlesite, et mängis vali *heavy metal* muusika. Nüüd seda pole. Kes selle kinni pani?"

„Mina," vastas Rogers. „Muusikakeskuse pult oli toolil kajuti ukse kõrval. Ja ärge muretsege, ma ei puutunud seda. Vajutasin nuppu taskulambiga."

„Tubli."

„Muide, see lugu kordus – kolmas pala CD-plaadil. Märkasin seda, enne kui kinni panin."

„Lugu kordus?"

„Jah, ikka ja jälle."

„Ja te olete kindel, et ainult üks lugu, mitte kogu plaat?"

„Ma ju ütlesin. Kolmas lugu." Rogers raputas taas pead. „Ma vihkan rokkmuusikat. Minu arvates on see vanakuradi enda muusika."

Garcia vaatas Hunteri poole ja kehitas kergelt õlgu. Ta teadis, et tema paarimehele meeldib rokk. Rogers kohendas nokkmütsi. „Keda me siia siis lubada tohime?"

Hunter ja Garcia kortsutasid kulmu.

„Kriminaliste muidugi, aga keda veel? Teisi uurijaid?" Hunter raputas veidi pead. „Ma ei saa aru."

„Noh, siin on varsti terve hulk vihaseid politseinikke." Mõlema uurija nägudel peegeldus endiselt hämmeldus.

„Ohver," selgitas Rogers. „Tema nimi on Andrew Nashorn. Ta oli üks meie seast. LAPD politseinik."

Kakskümmend kuus

Hunter ja Garcia tõmbasid kätte uued kummikindad ja jalanõude peale kilesussid. Mõlemad võtsid enne trapile astumist taskulambi kätte. Hunter seisatas pardale astudes ja vaatas tekil ringi. Ta ei näinud jalajälgi, verepiisku ega -pritsmeid, mitte mingeid rüseluse jälgi.

Garcia helistas juba jaoskonda, paludes Andrew Nashorni esialgsed andmed endale mobiilile saata. Detailsem kaust võib oodata.

Tüürpoordist, kus Hunter seisis, oli näha parklasse saabumas veel vilkuritega patrullautosid. Rogersil oli õigus, Ameerika Ühendriikides ei aja miski politseinikke rohkem närvi kui võmmitapja. LA erinevate jaoskondade vahel olid erinevused, isegi väike konkurents. Osad jaoskonnad ei saanud omavahel läbi ning osad nende uurijad ja politseinikud ei olnud ka kõiges sama meelt. Aga kõik politseinikud, kõik osakonnad ja jaoskonnad hoidsid kokku nagu kõige lähedasem perekond, kui tapeti mõni ametivend. Raev levis läbi kõikide Los Angelese politseijaoskondade nagu klatš Hollywoodis.

„Kui see on sama mõrtsukas," sõnas Garcia kõnet lõpetades, „läheb olukord ikka *väga* hulluks, Robert. Kõigepealt prokurör ja nüüd politseinik? See mõrtsukas on igatahes julge."

Garcial oli õigus ja Hunter teadis, et surve neile ja nende juurdlusele ning soov vastuseid saada kasvab peagi sajakordseks. Kui ta kajuti poole pöördus, kuulis ta väljast trapilt samme.

„Tulin nii kiiresti kui sain," ütles doktor Hove, näidates oma töötõendit kolmele politseinikule trapi otsas. Enne pardale tulemist pani ka tema kätte kummikindad ja jalga kilesussid. „Mis meil siin on? Kas tõesti sama kurjategija kätetöö?" Ta kinnitas oma lahtised kastanpruunid juuksed hobusesabasse ja torkas selle siis kotist võetud kirurgimütsi alla.

Kuriteopaigas oli alati eesõigus kriminalistidel, aga doktor Hove teadis, et Hunter tahab võimaluse korral ise sündmuspaika näha, enne kui seda kuidagi muudetakse.

„Me pole veel kajutisse läinud," ütles Hunter. „Oleme siin olnud vähem kui kaks minutit."

Doktor Hove seisatas ja vaatas tekil ringi nagu Hunter. Tal oli samuti taskulamp kaasas. „Olgu, lähme siis alla."

Väiksesse kajutisse läks viis kitsast puidust astet. Uks oli lahti ja kuus küünalt andsid nõrka valgust. Need olid peaaegu ära põlenud.

Mitte keegi ei astunud alla. Kõik kolm seisid viimasel kahel astmel.

Nad olid mitu sekundit vait, silmitsedes avanevat kohutavat vaatepilti. Nagu esimese kuriteopaiga puhul, nii oli ka siin keeruline aru saada, kust alustada. Kõik kohad olid verd täis. Suured vereloigud katsid põrandat ning seintel ja vähestel mööblitükkidel olid laialivalguvad plekid, aga seekord oli näha mitmeid jalajälgede sarnaseid jälgi.

Kõik tundsid ebameeldivat haput haisu korraga ja surusid nagu kokkulepitult käe nina peale.

„Armas jumal," sosistas Garcia. Ta vaatas silmi pilgutamata kajuti kaugemasse otsa. „Seekord võttis ta pea maha."

Kakskümmend seitse

Teiste pilgud kandusid samasse suunda.

Kööginurga kõrval kajuti tagumises seinas istus puidust toolil paljas mees. Ta oli peata, käteta ja verekorbaga kaetud. Põlved olid kergelt kõverdatud, nii et sääred jäid tooli alla. Jalalabad olid pahkluude kohalt ära lõigatud.

Hunter märkas pead esimesena. See oli madalal diivanilaual potitaime taga. Nashorni suu oli laiali lahti, nagu oleks viimane hirmukarjatus alles välja tulemas. Tema hägused silmad olid vajunud sügavamale pealuusse, mis tähendas, et ta oli olnud surnud kauem kui tund aega. Aga pilk oli veel alles. Eemalolev, hämmeldunud ja hirmunud. Inimese pilk, kes teab, et sureb piinarikast surma. Hunter järgnes pilgule. See oli suunatud sellele, mida nad kartsid. Ohvri kehaosadest loodud skulptuur. See oli nurgas pikal baariletil.

Garcial ja doktor Hove'il kulus paar sekundit aega, et seda näha.

„Oh raisk!" sosistas Garcia, suunates taskulambikiire skulptuurile.

„Ilmselt on vastus mu küsimusele jah, see on sama kurjategija," tähendas doktor Hove.

Hunter näitas taskulambiga valgust põrandale ja nad astusid ükshaaval astmetelt alla, vältides vereloike nii palju kui võimalik. Hunter tundis imelikku teravat lõhna. Ta teadis, et on seda varemgi tundnud, aga kuna kajutis oli nii palju erinevaid lõhnu, oli võimatu seda tuvastada.

„Kas tohib tule põlema panna, doktor?" küsis Garcia.

„Mhmhh." Naine noogutas.

Garcia vajutas lülitit.

Laelamp võbeles kaks korda, enne kui põlema jäi. See oli ainult natukene heledam kui küünlavalgus.

Doktor Hove kükitas ukse juures, keskendudes esimesele suurele vereloigule. Ta kastis nimetissõrme otsa verre ja hõõrus pöidlaga, et selle viskoossust kindlaks teha. Vere vänge metalne lõhn kõrvetas sõõrmeid, aga ta ei teinud teist nägugi. Siis ta tõusis ning läks ringiga tooli ja peata ning jäsemeteta keha juurde.

Hunter läks diivanilaua juurde, kuhu oli jäetud pea. Ohvri näol oli meeletu häiriv hirm, verised triibud katsid seda nagu sõjamaaling. Hunter kummardus ja uuris suud. Vastupidiselt esimesele ohvrile polnud Nashornil keelt ära lõigatud. See oli tagasi tõmbunud, puudutades peaaegu kurgumandleid, aga see oli alles. Näo vasak pool oli väga tõsiselt vigastatud. Lõual oli lahtine luumurd, verine poolesentimeetrine luukild turritas läbi naha.

„Koolnukangestus pole veel tekkima hakanud," sõnas doktor Hove. „Ütleksin, et ta on olnud surnud vähem kui kolm tundi."

„Sest mõrtsukas tahtis, et me leiaksime ta kiiresti," tähendas Hunter.

Doktor Hove vaatas teda küsivalt.

„Esimesena sündmuskohale jõudnud politseinik ütles, et muusikakeskuses mängis kõvasti rokkmuusika."

„Mõrtsukas jättis selle mängima?"

„Kes muu?" küsis Garcia vastu. „Ta tahtis purjekale tähelepanu tõmmata. Teadis, et keegi kaebab peagi, tuleb ütlema või midagi."

„Just." Hunter läks tagasi kajuti sissepääsu juurde. Nagu inspektor Rogers oli öelnud, oli ukse kõrval toolil väike must pult. „Inspektor ütles, et kolmas lugu kordus."

„Ainult kolmas?" Doktor Hove vaatas ringi ja nägi väikesel baariletil muusikakeskust.

„Nii ta ütles."

„Kuulame siis," sõnas naine.

Hunter valis kolmanda loo ja vajutas nuppu.

Kajutis hakkas mängima väga vali muusika. Kõigepealt basskitarr, siis trumm ja kohe ka süntesaator. Mõni takt hiljem lisandusid vokaal ja elektrikitarrid.

„Kuramus, kui kõvasti," ütles Garcia käsi kõrvadele surudes.

Doktor Hove grimassitas nägu.

Hunter pani heli vaiksemaks, aga lasi lool mängida.

„Ma tean seda lugu," ütles doktor Hove, kortsutas kulmu ja sobras mälus.

Hunter noogutas. „See on rokkbänd Faith No More. Tundub, et mõrtsukal on huumorimeelt."

„Miks nii?" küsis Garcia.

„See on üks nende tuntumaid lugusid," selgitas Hunter. „Üsna vana – 1980ndate lõpust vist. Selle nimi on „Falling to Pieces." Ja refräänis lauldaksegi, et keegi laguneb tükkideks ja palub end taas kokku panna. Metafoorilises mõttes muidugi."

Garcia ja doktor Hove vaatasid teineteisele otsa.

„Siit see tuleb," ütles Hunter. „Võite oma kõrvaga kuulata."

Garcia ja doktor Hove pöördusid vaistlikult muusikakeskuse poole ja kuulasid. Kui refrään lõppes, vajutas Hunter stopp-nuppu.

Korraks tekkis vaikus.

„Kust sa seda teadsid?" küsis doktor Hove. „Ja ära ütle, et sa loed palju."

Hunter kehitas õlgu. „Mulle meeldib rokkmuusika. Jumaldasin seda plaati."

„See tüüp peab olema nupust nikastanud," sõnas Garcia sammukese taganedes. „Kui haige peab inimene olema, et teha midagi sellist ..." Ta tõstis käed üles ja vaatas ringi ... „ja sellesse veel huumoriga suhtuda?"

Hunter ja doktor Hove olid vait.

Kakskümmend kaheksa

Pikka vaikust häirisid väljast kostvad sammud ja hääled. Hunter, Garcia ja doktor Hove pöörasid näod kajuti sissepääsu poole. Hetk hiljem ilmus uksele kaks kriminalisti, seljas kapuutsiga valge kaitseriietus ja käes metallist kohvrid.

„Kas te saaksite natuke oodata, Glen?" ütles doktor Hove, tõstes parema käe, enne kui kriminalistid kajutisse astusid.

Glen Egan ja Shawna Ross seisatasid trepi juures.

„Me tahame mõned asjad enne üle vaadata," jätkas doktor. „Võite alustada ülemisel tekil, kui tahate."

„Pole probleemi, doktor." Nad pöördusid ja läksid tagasi tekile.

„Nupust nikastanud või mitte," sõnas doktor Hove, „aga see mõrtsukas teab, mida teeb." Ta silmitses taas toolil istuvat moonutatud keha. „Seekord kasutas ta nõela ja niiti, et käte arterid kinni õmmelda ja verejooksu ohjeldada ning tundub, et ta tegi seda päris osavasti." Ta vaatas tooli alla. Nashorni jalad olid sidemeis pahkluude juures, kus labajalad olid ära lõigatud. „Ja mingil põhjusel sidus ta haavad kinni."

Hunter tuli lähemale, et paremini näha. „See on kummaline," ütles ta ja tundis järsku taas seda imelikku teravat lõhna.

„Jah, väga kummaline," möönis doktor.

Garcia võttis CD-plaadi muusikakeskusest välja ja pani selle kilest asitõendikotti. CD-plaadi karp oli riiulis koos teiste CD-plaatidega. Ta vaatas need kähku üle. Peamiselt olid need kaheksa-üheksakümnendate rokkbändide plaadid. Hunter läks viimaks uue skulptuuri juurde. See oli veelgi kurjakuulutavam ja õudsem kui esimene.

Seekord olid käed lõigatud ära õlgade alt ja veel korra pooleks küünarliigeste juurest, et saada neli eraldi osa. Käsivarred olid traadiga kokku seotud, randmete siseküljed vastamisi ja sätitud püsti. Käelabad olid kohmakalt väljapoole väänatud, peopesad ülespoole, nii et jäi mulje, nagu oleksid need valmis pesapalli püüdma. Pöidlad olid väänatud ebaloomulikku asendisse, luud ilmselgelt murtud. Ülejäänud sõrmed olid puudu. Need olid nukkide juurest maha lõigatud ning kahekaupa tugevasti traadi ja kiirliimiga kokku pandud, nii et moodustus neli eraldi osa. Ent mõrtsukas olid need teinud peaaegu täpselt ühesugused, lõiganud need kummalisteks kujudeks – ülevalt kohmakad ja ümarad, keskelt kaardus ja alt peenemad Need olid asetatud baariletile, kätest umbes 30 cm kaugusele. Kaks kuju olid püsti. Teised kaks olid pikali, teineteise peal.

„Millega siis seekord tegu?" küsis Garcia lähemale astudes. „Krokodill?"

Doktor Hove kergitas üllatunult kulme. „Seekord ...? Te saite aru, mida esimene skulptuur tähendab?"

„Me ei tea veel, mida see tähendab," selgitas Hunter.

„Aga me teame nüüd, mida skulptuur peaks tekitama," lisas Garcia.

„Tekitama ...?"

Garcia heitis pilgu Hunterile ja krimpsutas siis nägu. „Skulptuur tekitab seinale varjunukke."

„Kuidas palun?"

Garcia noogutas. „Jah, kuulsid õigesti, doktor," kinnitas ta. „Varjunukud. Päris osavasti tehtud kah. Esimesest kuriteopaigast leitud skulptuur tekitas seinale koera ja linnu varju." Ta vaikis. „Või midagi sellist." Doktor Hove näis ootavat, et üks uurijaist naerma puhkeks. Seda ei juhtunud. „Avastasime selle juhuslikult," sõnas Hunter. „Mõni minut enne kõnet tulla kohe sadamasse. Me pole veel seda põhjalikult analüüsida jõudnud." Ta selgitas doktor Hove'ile kiiresti, mis oli jaoskonnas juhtunud.

„Ja see on koera ja linnu moodi?"

„Jah."

Naise roheliste silmade pilk kandus skulptuurile baariletil.

„Ja te olete kindlad, et see pole juhuslikult nii?"

Uurijad raputasid pead.

„Varjud olid liiga selged, et see saaks olla juhuslik," vastas Hunter.

„Nii et nüüd peate välja nuputama, mida koer ja lind tähendavad?"

„Just," ütles Garcia. „Mõrtsukas mängib meiega peitust, doktor. Annab mõistatuse mõistatuse sees. Midagi, mis võib-olla ei tähenda mitte midagi. Ta võib praegugi meie üle naerda. Sunnib meid kohapeal tammuma, üritades aru saada, kas Scooby-Doo ja Tweety Bird tähendavad midagi. Samal ajal jätkab ta oma tükeldamistööd."

„Pidage." Doktor Hove tõstis käe. „Need varjud meenutavad multifilmitegelasi?"

„Ei meenuta," selgitas Garcia. „Vabandan oma kehva huumorimeele pärast."

Doktor vaatas Hunteri poole ja osutas skulptuurile. „Kui teil on õigus, peaks see asi meile andma järjekordse varjunuku."

„Tõenäoliselt."

Kui kajutis oleks olnud pinge mõõtmise seadeldis, oleks selle näit põhjas olnud.

„Uurime siis kohe ja praegu järele," ütles Hove, kelle uudishimu oli nii suur, et see oli peaaegu nähtav. Ta pani taskulambi tööle, läks lüliti juurde ja kustutas laetule. Ka Hunter ja Garcia lülitasid taskulambid tööle. Nad käisid mõned minutid ümber jõleda skulptuuri, näidates sellele iga nurga alt valgust ja silmitsesid seinale tekkivaid varje. Mitte midagi – ei loomi, esemeid ega sõnu.

Siis kandus Hunteri pilk Nashorni peale diivanilaual. Miski selle asendis köitis tema tähelepanu. See vaatas otse skulptuuri poole, aga madala diagonaalis nurga alt, ülespoole. „Ma katsetan üht asja." Hunter vahetas kohta ja suunas taskulambi kiire skulptuurile sama nurga alt, kust Nashorni pilk seda vaatas.

„Võib-olla näitab mõrtsukas meile, kuidas seda vaadata."

„Ohvri pea abil?" küsis doktor kahtlevalt.

„Kes teab? Ma ei välistaks selle koletise puhul midagi."

Nad kõik jäid silmitsema kummalisi varje seinal skulptuuri taga.

Doktor Hove'i keha kiheles, nagu oleks saanud elektrilööki, nii et kananahk tekkis ihule.

„Ah sa pagan."

Kakskümmend üheksa

Marina sadamas New World Cinema hoone taga parklas oli vähemalt kaksteist patrullautot. Uudishimulikke oli nüüd suur hulk ning viimase tunniga oli uudistebusside ja reporterite arv kahekordistunud.

„Vabandage," küsis kahekümnendates eluaastates naine mehaanikult, kes seisis rahvamassi tagumises osas, jälgides laisalt politseid ja meediatsirkust. „Kas te teate, mis seal juhtus?" Naine kõneles kesklääne aktsendiga. Võib-olla Missouri või Wisconsin. „Kas keegi varastas paadi?" Mehaanik naeris naise naiivsuse peale ja pöördus tema poole. „Vaevalt varastatud paadi pärast nii palju politseinikke ja telebusse kohale tuleks. Isegi mitte Los Angeleses."

Naise silmad läksid suuremaks. „Keegi tapeti?" Tema hääl kerkis erutatult.

Mehaanik hoidis hetke põnevust ja noogutas siis. „Jah. Kai lõpus viimases purjekas."

Naine ajas end kikivarvule, üritades purjekat näha. Ta ei näinud muud kui teiste uudishimulike kuklaid. „Kas nad tõid surnukeha juba välja?" küsis ta, tammudes küljelt küljele, et midagi näha.

„Vaevalt."

„Olete siin kaua olnud?"

Mehaanik noogutas. „Võib nii öelda küll."

„Jestas, huvitav, mis juhtus."

Mehaanik olid kord kusagilt lugenud, et surm paelub enamikke inimesi. Mida jõhkram ja verisem, seda rohkem nad tahtsid selle kohta teada ja näha. Osad teadlased seostasid seda ürgse agressiivse instinktiga – osadel oli see uinuv, aga paljudel vägagi aktiivne. Mõned psühholoogid uskusid, et see on seotud inimeste kinnismõttega mõista surma ja seda, mis saab pärast surma.

„Kuuldavasti oli pea maha raiutud," ütles mehaanik, pannes naise morbiidse uudishimu proovile.

„Ei ole võimalik." Naine muutus ärevamaks, ajas end kikivarvule ja käänas kaela nagu surikaat, üritades inimmassist mööda näha.

„Nii ma kuulsin," jätkas mehaanik. „Ja et kogu purjekas oli verd täis. Olevat üsna haige värk."

„Jeesus ja Maria," ütles naine, surudes käe suu peale.

„Jah, tere tulemast LA-sse."

Naise näol peegeldus paar sekundit vastikustunne, kuni pilk langes nende ees olevale politseinikule. Ta vetrus varvastel innukalt nagu laps, kellele öeldi äsja, et ta pääseb esimest korda elus Disneylandi. „Oh, seal on üks politseinik, küsime temalt."

„Ei, pole vaja. Minu töö siin on tehtud. Pean nagunii minema hakkama."

„Uskumatu, et teid see ei huvita."

„Ma ei usu, et mõni politseinik saaks mulle öelda midagi sellist, mida ma juba ei tea."

Naine kortsutas tema sõnade peale kulmu, aga oli liiga elevil, et neile eriti mõelda. „Noh, mina küsin. Ma tahan teada."

Mehaanik noogutas ja taganes rahvamassi sisse.

Naine trügis inimeste vahelt läbi ja läks politseiniku juurde.

Ei tema, politseinik ega keegi teine märganud mehaaniku püksisäärtel väikeseid verepiisku.

Kolmkümmend

Kell oli peaaegu üks öösel, kui Hunter viimaks koju jõudis. Ta kibeles duši alla. Purjejahi kajutis oli olnud nii palju verd, et kaitseülikonnast hoolimata oli tal tunne, et nahk, isegi hing olid sellest määritud.

Ta sulges silmad, toetas pea vastu valgeid seinaplaate ning lasi tugeval kuumal veejoal kaela ja õlgade pinges lihaseid masseerida, tõmmates aeglaselt käega läbi juuste. Sõrmeotsad riivasid inetut sügavat armi kuklal ja peatusid karedal kühmulisel nahal. Meeldetuletus, kui otsustav ja ohtlik kurjus võib olla. Kuigi ega Hunter meeldetuletusi vajanud. See juhtus küll paar aastat tagasi, ent kohtumine koletisega, keda ajakirjandus kutsus Krutsifiksimõrvariks, oli tal meeles sama selgelt kui mõne minuti tagused asjad. Valulik arm kuklal tuletas igavesti meelde, kui lähedal tema ja Garcia olid surmale olnud.

Häda oli selles, et olenemata sellest, mida ta tegi või kui kiiresti ja hoolega politseinikud oma tööd tegid, ei suutnud nad neid piisavalt kiiresti tabada. Kohe, kui üks maniakaalne mõrtsukas oli tabatud ja trellide taha saadetud, uitas tänavatel kaks, kolm või neli järgmist. Kaalukauss oli valele poole kaldu. Irooniline, et inglite linn meelitas ligi rohkem kurjust kui ükski teine linn USA-s.

Hunteril polnud aimugi, kaua ta seal seisis, aga selleks ajaks, kui ta selle mälestuse tõrjus ja vee kinni keeras, oli päevitunud ihu muutunud tumeroosaks ja sõrmeotste nahk krimpsus.

Ta kuivatas, mässis puhta valge rätiku enda ümber ja läks elutuppa. Baarikapp oli väike, aga seal oli muljetavaldav kollektsioon ühelinnase Šoti viskisid. Ta vajas midagi kanget, ent lohutavat ja mõnusat. Ta ei pidanud kaua otsima, tehes otsuse kohe, kui pilk langes 15-aastase ühevaadi Balvenie pudeli peale.

Hunter valas endale paraja koguse, lisas tilga vett ja vajus musta värvi kunstnahast diivanile. Ta üritas mitte juurdlusele mõelda, aga viimastel päevadel nähtul polnud kuhugi mujale minna. Kujutluspildid keerlesid ja kukerpallitasid mõtetes. Nad olid äsja saanud teada, mida esimene skulptuur kujutab, aga enne, kui nad jõudsid nende kujutiste tegelikku tähendusse süüvida, andis mõrtsukas neile järgmise skulptuuri ja järgmised kujutised, mis esmapilgul olid veel segasemad kui esimesed. Hunteril polnud aimugi, kust alustada.

Ta võttis pika sõõmu viskit ja keskendus selle tugevale maitsele. Suurem alkoholisisaldus andis viskile veidi rohkem särtsu, mõjutamata selle rikkalikku puuviljast maitset.

Mõni minut ja veel üks klaas viskit hiljem hakkas Hunter lõõgastuma, kui tema mobiil helises. Ta vaatas tahtmatult käekella. „Ärge jamage." Ta avas klapiga telefoni ja tõstis kõrva juurde. „Uurija Hunter."

„Robert, Alice siin."

Hunter kortsutas laupa. „Alice ...? Mis toimub?"

„Noh, ma mõtlesin, et võib-olla sa tahad dringile minna."

„Dringile ...? Kell on peaaegu kaks öösel."

„Ma tean."

„Sa siis arvatavasti ka tead, et Los Angeleses pannakse enam-vähem kõik baarid kell kaks kinni."

„Jah, ma tean seda ka."

„Kas siis dringile minemine sellisel kellaajal võimatu ei ole?"

Üürike paus.

„Võib-olla võiksid mind enda juurde kutsuda ja me võiksime sinu juures dringi teha?"

Hunter kortsutas kulmu. „Sa tahad minu juurde tulla ja dringi teha?"

„Noh, ma olen siinsamas. Oleksin kohal ... kahe minuti pärast või kiiremini."

Hunter vaatas mõtlikult elutoa akna poole. Tal polnud olnud aega seda kontrollida, aga ta oli kindel, et Alice Beaumont ei ela siinkandis. Kaks minutit tema kortermajast mis tahes suunas oli tühermaa või jõukude territoorium.

Ta kõhkles.

„Ma vist avastasin midagi, Robert," lisas Alice.

„Mida?"

„Arvan, et tean, mida need varjunukud tähendavad."

Kolmkümmend üks

Hunter pani jalga vanad teksad ja selga valge T-särgi, mille õhuke kangas oli tema laiadel õlgadel pingul ja liibus kehale nagu teine nahk. Elutoas vedelesid kõikjal ajalehed, ajakirjad ja raamatud. Ta mõtles, kas korrastada natuke, aga enne, kui ta jõudis alustada, koputati uksele. Hunter võttis oma Heckler & Koch USP .45 Tactical püstoli, kontrollis kaitseriivi ja torkas selle ukse poole minnes teksade värvli vahele.

Veel kolm koputust.

„Robert? Mina, Alice siin," hüüdis naine.

Hunter avas luku, võttis ukseketi eest ja avas ukse poolenisti. Alice Beaumont seisis tema ukse taga, must nahkportfell käes. Varasemat hobusesaba ei olnud enam ja lahtised heledad juuksed läikisid Hunteri koridori hämaras valguses. Kahtlemata ei olnud naine enam advokaadi moodi. Konservatiivse kostüümi asemel olid liibuvad sinised teksad, must puuvillane sügava dekolteega pluus ja kandilise kontsaga mustad pikad saapad. Meik oli endiselt kerge, aga pisut väljakutsuvam. Parfüüm oli lillelõhnaline ja ahvatlev.

Hunter silmitses teda vaikides.

„Kas tohin sisse tulla või räägime koridoris?"

„Jah, vabandust." Hunter astus paremale ja lasi naisel sisse tulla. Korteris oli hämar. Põles ainult Hunteri söögilaua lamp.

Alice vaatas väikeses toas ringi. Kõigest pilgu üle libistamine ei võtnud kaua aega.

„Kena … hubane," ütles ta. Tema hääles polnud sapisust.

„Natuke võiks koristada."

Hunter sulges enda järel ukse ja astus naisest mööda. „Kas sa ei peaks magama?"

Alice turtsatas naerma. „Pärast kõike täna juhtunut? Varjunukkude avastamist? Teie minema kiirustamist sama mõrtsuka võimaliku teise ohvri juurde?" Ta raputas pead. „Ma ei suutnud kuidagi mõtteid välja lülitada."

Hunter ei saanud sellele vastu vaielda. Pilk kandus naise näolt mujale.

Alice ootas, aga Hunter vaikis.

„Teie kaptenil oli õigus, eks? Ta tegi seda uuesti." Hunter noogutas.

„Uus skulptuur?" Hunter noogutas.

Alice hingas lõõgastavalt välja. „Mulle kuluks tõesti üks drink ära." Ta pani portfelli maha.

„Mul pole eriti laia valikut. Viski või õlu. Muud ei ole."

„Õlu sobib küll."

Hunter võttis külmikust õllepudeli, avas korgi ja ulatas pudeli naisele.

Alice vaatas korra pudelit ja siis uuesti Hunterit. „Kas ma saaksin klaasi?"

Hunter osutas kapile kraanikausi kohal. „Võta ise."

Alice avas kapi, nägi seal kahte kruusi, ühte kõrget Coca-Cola klaasi, nelja pitsi ja kuut viskiklaasi. Ta võttis kõrge klaasi.

Nad läksid tagasi elutuppa ja Hunter valas endale veel viskit.

„Sa ütlesid, et arvad teadvat, mida varjunukud tähendavad. Ma kuulan."

Alice võttis lonksu õlut. „Kui sina ja Carlos olite ära läinud, mõtlesin ma veel skulptuurile ja varjunukkudele. Sinu jutt tundus loogiline, et nende kujundite tähenduse mõistmine peab olema otseselt seotud sellega, missugust lindu ja koerlast need kujutavad."

Hunter noogutas ja pakkus naisele istet, viidates diivanile.

Alice istus ja võttis portfelli kätte.

Hunter tõmbas söögilaua alt välja männipuust tooli, keeras selle teistpidi ja istus kaksiratsi, seljatugi jalge vahel.

111

„Kuni te ära olite, asusin ma tööle," jätkas Alice. „Otsisin internetist erinevaid koerlasi ja keskmise suurusega „kopsakamaid" linde. Nagu sa soovitasid – vares, ronk, hakk ja teisi selliseid. Võrdlesin nende kujutisi ..." Ta vaikis ja parandas ennast: „Tegelikult nende *siluette* sellega, mis meil on."

„Ja mida sa leidsid?"

„Terve hulga asju." Alice avas portfelli ja võttis sealt paar paberilehte. „Eraldi oli igal loomal, keda ma kontrollisin, mitu metafoorilist tähendust. Mida rohkem ma uurisin, seda keerulisemaks läks. Kui hakkasin uurima erinevaid kultuure ja perioode, oli sümbolisme lausa meeletult."

Hunter kergitas küsivalt kulmu.

„Näiteks ..." Alice pani paberilehe nende vahele diivanilauale, „... mitme Ameerika põliselanike hõimu jaoks võivad koiotid ja hundid tähendada jumalust, halba olevust või vanakuradit ennast. See pole üldse juhus, et nii koomiksites kui tõsistes kunstiteostes sarnanevad deemonite joonistused – saatan, Peltsebul, Azazel või mis tahes saatanlik olevus – koerlastega."

Hunter võttis paberilehe ja libistas pilgu üle sel oleva informatsiooni.

„Egiptuse mütoloogias on Anubis šaakalipeaga jumal, keda seostatakse mumifitseerimise ja hauataguse eluga."

Hunter noogutas. „Vana kuningriigi püramiidide tekstides oli Anubis kõige tähtsam surnute jumal. Hiljem asendas teda Osiris."

Nüüd oli Alice'i kord teda küsivalt vaadata.

Hunter kehitas õlgu. „Ma loen palju."

Alice jätkas. „Mitmed maailma kultuurid usuvad, et ronk on pimeduse olend, nagu ka nahkhiir. See sümboliseerib salapära, segadust, viha, vihkamist, agressiooni või mida iganes, mida tavaliselt pimeda poolega seostatakse." Ta pani diivanilauale teise paberilehe.

Hunter võttis selle kätte.

„Tavaline tähendus, mis ronga või varesega seostatakse, on ..." Naine vaikis nagu kooliõpetaja, kes tahab õpilaste huvi köita, „... surm. Mõned kultuurid saatsid vaenlasele ronga või varese, andmaks mõista, et nad on surmale määratud. Vahel terve linnu, vahel ainult pea." Alice tõmbas sügavalt hinge. „Lõuna- ja Kesk-Ameerikas tehakse seda osades kohtades siiamaani." Ta viitas Hunteri käes oleval paberilehel olevatele lõikudele. Hunter noogutas ja võttis veel lonksu viskit. Ta luges vaikides lehekülje lõpuni.

„Enne kui ma jätkan, pean midagi küsima," ütles Alice.

„Lase tulla."

„Miks mõrtsukas üldse skulptuuri ja varjunukud lõi? Kui ta üritab suhelda, miks siis mitte seinale sõnumit kirjutada, nagu selle vaese medõe jaoks? Milleks nii palju vaeva näha, riskida, sest selle tegemine võtab ju aega, et meile vihjeid jätta?"

Hunter painutas pead aeglaselt vasakult paremale. Isegi pärast duši all käimist ja paari drinki tundus trapetslihas kange.

„Kui kurjategijad meelega vihjeid maha jätavad, on *tavaliselt* tegemist ühega kahest võimalikust põhjusest," vastas ta.

„Üks – õrritada ja ärritada politseinikke. Nad peavad end väga nutikaks. Usuvad, et neid pole võimalik tabada. Nende jaoks on see nagu mäng. Vihjed tõstavad panuseid, muudavad selle väljakutsuvamaks."

„Nad peavad end jumalaks?" küsis Alice, meenutades oma kunstieksperdist sõbra sõnu.

„Vahel küll."

Alice seedis neid sõnu hetke. „Mis on teine peamine põhjus?"

„Politseid segadusse ajada, nii-öelda jälgi segada. Vihjed pole millegagi seotud, aga *meie* seda ei tea ja kurjategijad teavad, et kui nad jätavad maha midagi pealtnäha olulist, peab politsei seda kontrollima. Selline on protokoll. Nende jäetud mis tahes mõttetu salapärase vihje uurimiseks raisatakse hinnalist aega."

„Ja mida salapärasem, seda rohkem politsei aega kaotab."

„Jah."

Alice silmitses Hunteri näoilmet. „Aga sa ei usu, et antud juhul nii on, ega ju?"

„Teise mõrva puhul mitte, aga võimalik, et mõrtsukas on sedavõrd suurushullustuses, et peab end võitmatuks ja arvab, et teda ei tabata. Peab end jumalaks."

„Aga sa pole kindel."

„Ei," vastas Hunter kõhklematult.

„Mida sa siis mõtled?"

Hunter vaatas oma klaasi ja siis uuesti Alice'it. „Arvan, et mõrtsukas jätab vihjeid maha, sest see on talle tähtis. Skulptuuril ja varjunukkudel on selles kõiges väga kindel ja oluline tähendus. Me ei tea veel, mis see on, aga ma tean, et see on nii. Midagi, mis on otseselt seotud mõrtsuka, ohvri, teo enda või selle kõigega. Skulptuuri ja varjunukke ei teinud ta niisama nalja pärast, et politseile tegevust pakkuda või meid eksitada. Neid ei loodud ainult selleks, et näidata meile, kui nutikas ta on. Need loodi, sest nendeta ei oleks see tegu täielik. Mõrtsuka jaoks mitte."

Alice niheles oma kohal. Miski selles tekitas tema tugeva ebamugavustunde.

„Mida sa siis veel teada said?"

Alice pani diivanilauale kolmanda ja ühtlasi viimase paberilehe. „Midagi väga huvitavat. Ja ma arvan, et see võib olla vastus, mida me otsime."

Hunter naaldus lähemale, libistades pilgu üle lehe.

„Mäletan, et Derekile meeldis mütoloogia. Ta luges pidevalt selle kohta. Ja tõi alatasa analoogiaid või tsiteeris mingit mütoloogilist lõiku, olgu siis tavavestluses või kohtus esinedes. Nii et ma proovisin huupi."

„Ja …?"

„Sain teada, et *koiotil* on *ronga* mütoloogilise kujutisega mitmeid sarnasusi," vastas Alice. „Kiirus, taibukus, vargselt tegutsemine … aga kui mõlemad kokku panna, tähendab see kõige sagedamini …" Ta viitas paberilehele.

Hunter luges sellelt.

„Koioti kujutis koos rongaga sümboliseerib vembumeest, valetajat, petist … olevust või isikut, kes petab."

Kolmkümmend kaks

Kaugemalt kostev politseisireen katkestas kõheda vaikuse, mis oli Hunteri elutoas maad võtnud. Alice üritas Hunteri näost midagi välja lugeda, aga ebaõnnestunult.

„Mõrtsukas väljendab ju ometi sellega oma suhtumist Derekisse," ütles Alice. „Ütleb sellega, et pidas Derekit valetajat, petturiks, reeturiks." Ta tõstis käe, enne kui Hunter jõudis vastata. „Tean, mida sa öelda kavatsed. Derek oli jurist ning paljud inimesed peavad juriste petturiteks ja valetajateks."

Hunter vaikis.

„Aga Derek Nicholson polnud mingi suvaline advokaat, kes tegeles isiku- või varakahjudega. Ta oli osariigi prokurör. Tal oli *ainult üks* klient – California osariik. Tema tööks oli vastutusele võtta kurjategijad, kelle olid vahistanud LAPD või California osariigi politseinikud. Ja tema töötasu ei sõltunud võitmisest või kaotamisest ega ka sellest, kui palju ta vastaspoolelt raha välja pigistas."

Hunter vaikis endiselt.

Alice hakkas elavnema. „Tahan öelda seda, et ma ei usu, et mõrtsukas viitab endale kui petturile. Ta peab viitama Derekile, aga mitte ainult sellepärast, et ta oli jurist. See peab olema midagi muud. Midagi, mida me veel avastanud ei ole."

„Kas sa leidsid midagi nende kurjategijate nimekirjast, keda Nicholson aastate jooksul trellide taha saatis?" küsis Hunter.

„Mingeid läbimurdeid ei ole," vastas Alice tõustes. „Mitte miski nende puhul, kes on vabadusse pääsenud või kelle sugulased on veel vangis, ei viita sellele, et nad oleksid millekski selliseks võimelised. Aga kui see on keegi neist, leian ma ta üles. Kas ma tohin veel ühe õlle võtta?" Alice osutas köögi suunas.

„Tunne end koduselt."

Alice avas Hunteri külmiku ja kortsutas kulmu, nähes, kui tühi see on. „Kuule, millest sa toitud? Proteiinijookidest, viskist ja ..." Ta vaatas köögis ringi, „... õhust?"

„Meistrite dieet," vastas Hunter. „Kuidas on nendega, keda Nicholson vangi ei saatnud? Need, kes pääsesid karistusest mingi pisiasja või mille iganes muu pärast? Või süüdistatute ohvrid? Need, kelle arvates prokurör ei teinud oma tööd. Kas keegi neist võib olla võimeline kättemaksuks? Kas keegi on otseselt süüdistanud Nicholsoni kohtuasja kaotamises?"

Alice valas teise õllepudeli klaasi tühjaks ja tuli tagasi elutuppa. „Pean tunnistama, et pole jõudnud seda veel kontrollida, aga usu mind, kui Dereki mõrva ja mõne tema kohtuasja vahel on seos, siis ma leian selle."

Hunter silmitses naist. Miski selles loomulikus enesekindlas väljendusviisis ütles talle, et see pole ülbus ja ärplemine, mis oli üllatav, kuna Alice töötas California kõige ülbemas ja kõige rohkem tähtsust täis korrakaitseüksuses – prokuratuuris. Ei, Alice'i enesekindlus ei olnud pelgalt tühjad sõnad. See oli see, mis oli – usk endasse ja sellesse, mida ta teha suudab.

„Teine ohver ..." jätkas Alice õlut juues. „Kas tema oli ka advokaat, prokurör?"

Hunter tõusis ja läks akna alla. „Hullem. Ta oli LAPD politseinik."

Alice'i silmad läksid üllatusest suureks, kui aju hakkas juba tagajärgi analüüsima. „Tema nimi oli Andrew Nashorn," lisas Hunter. „Kas ta oli uurija?"

„Oli kuni kaheksa aasta taguse ajani."

Alice peatus poole lonksu peal. „Mis juhtus?"

„Nashorn sai Inglewoodis kahtlusalust taga ajades kuuli kõhtu. Selle tulemusena üks kops kollabeerus, ta veetis kuu aega haiglas ja pool aastat haiguslehel. Pärast seda ei saanud ta enam välitööd teha. Otsustas jääda lõunaringkonna tugiüksusesse."

„Ja kaua ta uurijana töötas?"

Hunter nägi, et Alice taipas kohe. „Kümme aastat."

Alice'i näost peegeldus sama mõte, mis oli Hunteril tekkinud mitu tundi tagasi.

„Tema ja Derek võivad olla seotud mingi juhtumi kaudu," ütles naine. „Või isegi rohkem kui ühe. Kümme aastat on pikk aeg kurjategijate püüdmiseks."

Hunter oli sellega nõus.

„Derek oli prokurör kakskümmend kuus aastat." Alice'i aju töötas nüüd täiskiirusel. „Täiesti võimalik, et ta oli prokurör vähemalt ühe sellise kurjategija kohtuasjas, kelle ... mis ta nimi oligi?"

„Andrew Nashorn."

„Kelle Nashorn vahistas."

Hunter oli ka sellega nõus.

„See võib olla meie esimene tõsisem seos. Võib-olla koguni läbimurre. Ma võrdlen neid omavahel ja vaatan, mida leian."

Hunter vaatas käekella. „Jah, aga mitte kohe. Me mõlemad peame natuke magama."

Alice noogutas, aga ei liigutanud. Tema pilk püsis Hunteril.

„Sa ütlesid, et teine skulptuur oli ka."

Hunter vaikis.

„Kas teil oli aega seda kontrollida? Kas ka see tekitas seinale varjunuku?"

„Alice, kas sa kuulsid, mida ma ütlesin? Me peame natuke magama. Ja *sina* pead vähemalt mõneks tunniks end sellest välja lülitama."

„Tekitas, eks ole? Meil on nüüd veel midagi. Uus niidiots mõrtsukalt. Uus varjunukk. Mis see on?"

„Me ei tea veel," valetas Hunter.

„Ikka teate," vaidles Alice. „Miks sa ei taha seda mulle öelda?"

„Sest kui ma seda ütlen, lähed sa koju, istud arvuti taha ja otsid netist, kuni leiad midagi. Ja *me peame natuke magama*. See tähendab ka *sind*. Jäta see praegu sinnapaika. Anna oma ajule mõni tund puhkust või sa *põled läbi*."

Alice seisatas Hunteri elutoas oleva puhvetkapi ees, mille peal olid reas mõned pildiraamid. Ta võttis kõige tagumise – noor ja naeratav Hunter ülikooli lõpetamise rüüs. Isa seisis tema kõrval, näol ilme, mis ütles, et sel päeval polnud maailmas uhkemat isa. Alice naeratas ja pani raami tagasi kapile, pöördudes taas Hunteri poole. „Sa ei mäleta mind üldse, ega?"

Kolmkümmend kolm

Hunter ei teinud teist nägugi ega öelnud midagi. Ta vaatas ainiti Alice'it. Aju otsis mingit mälestust, aga tal polnud aimugi, kust seda leida.

Eile hommikul naist esimest korda nähes oli miski tundunud tuttav, aga Hunter ei saanud aru, mis. Kõik oli käinud nii kiiresti, et ta polnud jõudnud Alice'i tausta kontrollida. Ta üritas jääda nii rahulikuks kui võimalik.

„Kas ma peaksin sind mäletama?"

Alice lükkas juuksed ühele õlale.

„Ega vist." Ma pole kunagi olnud väga meeldejääv."

Kui ta ootas osavõtlikkust või haletsust, siis ei pakkunud Hunter talle kumbagi.

„Sa olid imelaps," jätkas naine. „Käisid Mirmani eriti andekate laste koolis. Kui ma õigesti mäletan, siis kasutati sinu kohta seal ütlust„tema IQ on meeletu". Isegi imelapse kohta."

Hunter naaldus vastu akent ja tundis püstolit tugevamini alaselja vastu pressimas.

Väga varasest lapsepõlvest oli olnud selge, et Hunter on teistsugune. Ta jõudis lahendusteni kiiremini kui teised ja kui keskmine õpilane peaks lõpetama põhikooli 14-aastasena, oli Hunter alg- ja põhikooli õppekava ära teinud 11. sünnipäevaks. Tema kooli direktor soovitas teda peagi Mirmani eriti andekate laste kooli Mulholland Drive'il.

„Aga isegi erikooli õppekava polnud sinu jaoks piisavalt raske. Sa lõpetasid neli gümnaasiumiastet kahe aastaga, eks?"

Hunterile hakkas Alice meenuma. „Sa käisid ka Mirmanis," ütles ta.

Alice noogutas. „Olin sinu klassis, kui sa sinna tulid."

Ta naeratas. „Aga sa ei jäänud kauaks. Tegid paari kuuga ära aasta õppekava ja sind viidi järgmisesse klassi. Sinu jaoks oli Mirmani õppekava nii lihtne, et sind ei osatud kuhugi saata. Sa läbisid neli aastat keskkooli kahega, eks?"

Hunter kehitas kergelt õlgu.

„Tean, sest mu isa oli seal õpetaja."

Hunter jälgis teda. Alice'i pilk muutus nukraks.

„Ta õpetas filosoofiat."

119

„Härra Gellar?" küsis Hunter. „Härra Anton Gellar?"
Järsku kerkis vaimusilma ette selge kujutluspilt tüdrukust –
väikest kasvu, pontsakas, tumedad juuksed, põsed tedre-
tähnilised ja läikivad breketid hammaste peal. Talle meenus,
et ta oli nelja-viieteistaastasena paar korda tüdrukuga vestelnud.
Tüdruk oli kohutavalt häbelik, aga väga terane ja armas.
„See oli tema," vastas Alice. „Härra Gellar oli mu isa. Sa
siis mäletad teda?"
„Ta oli väga hea õpetaja."
Alice vahtis maha. „Tean."
„Sa värvisid juuksed ära."
Alice naeris. „Olen rohkem kui viisteist aastat blondiin
olnud."
„Su tedretähnid on ka kadunud."
Alice vaatas Hunterit rahuloleva ilmega, nagu öeldes – *sa
mäletad mind!* „Ei, need on alles. Ainult päevituse ja oskusliku
meigi all peidus. Breketid on siiski igaveseks läinud ja ma võtsin
päris palju alla." Alice jõi lonksu õlut. „Isa oli su üle väga uhke.
Arvan, et sa olid tema parim õpilane – üleüldse."
Hunter ei öelnud midagi.
„Kuulsin, et said stipendiumiga Stanfordi ülikooli ja tegid ka
nende õppekava kiiremini läbi. Said 23-aastasena doktorikraadi
kuritegeliku käitumise analüüsi ja biopsühholoogia erialal."
Ikka vaikus.
„Vaat see on muljetavaldav isegi Mirmani õpilase kohta. Isa
ütles ikka, et sinust saab kunagi arvatavasti USA president või
mingisugune teadlane. Kindlasti tuntud isik." Alice tammus
jalalt jalale. „Aga sa vist eelistasid psühhopaatide tagaajamise
põnevust, jah?"
Vastust ei tulnud.
„Sa loobusid ka viiest kutsest FBI-sse tööle minna, aga
sinu doktoritööst sai kohustuslik kirjandus nende riiklikus

vägivaldsete kuritegude analüüsi keskuses." Alice pidas vahet ja vaatas taas Hunteri lõpufotot. „Kui ma Mirmani lõpetasin, läksin MIT-i."

Enamik inimesi oleks seda öelnud tohutu uhkusega. Massachusettsi tehnoloogiainstituut on USA ja võib-olla kogu maailma kõige prestiižsem ja tuntum teadustööga tegelev ülikool. Alice näis peaaegu piinlikkust tundvat.

„Mul on doktorikraad elektrotehnikas ja informaatikas."

„Sina eelistasid vist Los Angelese ringkonnaprokuröri spetsialisti töö põnevust, jah?" küsis Hunter.

Alice turtsatas naerma. „Kümnesse. Tegelikult sai mul kõrini riigi heaks süsteemidesse häkkimisest. Töötasin varem riigiameti heaks."

„Eriüksuses?"

Nüüd oli Alice vait. Hunter ei käinud peale.

„Ära peta ennast," ütles ta. „Sa töötad endiselt riigiametis."

„Ilmselt küll," möönis Alice. „Aga eesmärk on teistsugune."

„Õilsam?"

Naine kõhkles hetke. „Võib ka nii öelda."

„Aga sa häkid ju endiselt süsteemidesse," jätkas Hunter. Alice kallutas kergelt, ent võluvalt pead. „Vahel küll. Ja palun vabandust. Sellepärast ma sinust nii palju teangi. Ja sellest, mida sa pärast Mirmanist lahkumist tegid. Kui ring-konnaprokurör Bradley ütles, et ma töötan koos mõrvauurija Robert Hunteriga, meenusid mulle kõik need Mirmani mälestused. Pidin teada saama, millega sa vahepeal tegele-nud olid."

„Sa häkkisid FBI andmebaasi?" küsis Hunter. Ta teadis, et asjaolu, et ta oli keeldunud täpselt *viiest* kutsest FBI-sse tööle minna, polnud just avalik teave.

„Mitte kõik nende failid ei ole kõige turvalisemate kodee-ritud algoritmidega kaitstud," vastas Alice. „Tegelikult väga vähesed. Mingisse süsteemi sisse pääsemine pole kuigi keeruline, kui asja osata. Ja seal juba sees olles on vaid navigeerimise küsimus."

„Ja ma pakun, et sa oled päris hea navigaator."

Alice kehitas õlgu. „Me kõik oleme milleski head."

Hunter jõi viski lõpuni. „Kuidas su isal läheb?"

Naise silmad muutusid kurvaks. „Teda pole enam meie seas."

„Tunnen kaasa."

„See juhtus kümme aastat tagasi, aga aitäh." Alice'i pilk liikus järgmisele pildiraamile – Hunter väikese poisina, tõenäoliselt kümme-üksteist. Lühikesed püksid, peenikesed jalad, valge T-särk, ülikõhnad käsivarred ja sirged, liiga pikad juuksed. Selline, millisena ta Hunterit mäletas. „Sa olid selline nohiklik ja kõhn nagu kriipsujuku. Su hüüdnimi oli …"

„Hambaork," tõttas Hunter talle appi.

„Just. Taevake, sa oled nüüd suur nagu Hulk*." Alice'i pilk maandus tema rinnalihastel. „Mida sa rinnalt surud, tervet jõusaali või?"

Hunter vaikis.

„Tead," jätkas Alice kergelt pead liigutades, „mind ei üllata su otsus politseinikuks hakata."

„Miks mitte?"

Alice jõi pikkamööda õlut. „Sest sulle meeldis alati teisi kaitsta ja aidata."

Hunter tundus kahtlev.

„Minu parim sõber koolis oli Steve MacKay. Mäletad teda? Paksud prilliklaasid, heledad lokkis juuksed, veel kõhnem ja häbelikum kui sina. Koolis kutsuti teda Tatitilgaks."

Hunter noogutas. „Jah, ma mäletan teda."

---

* Incredible Hulk – Marveli tohutu jõuga lihaseline koomiksitegelane.

„Kas sa mäletad, et kaitsesid teda kord pärast kooli?"

Vastust ei tulnud.

„Steve läks jala koju, mis oli Mirmanist vaid paari tänava-vahe kaugusel. Kolm suuremat kaaki hakkasid teda kiusama. Tahtsid tema uued tennised ja taskuraha ära võtta. Sa ilmusid ei kusagilt, lõid ühte kaaki näkku ja käskisid Steve'il põgeneda." „Jah, ma mäletan," vastas Hunter üürikese vaikuse järel. Alice naeratas kohmetult. „Nad peksid su vaeseomaks. Mida sa mõtlesid – arvasid, et saad kolmest suuremast ja tugevamast poisist jagu?"

„See mõjus. Plaan oli nende tähelepanu väikeselt poisilt kõrvale juhtida, et ta pääseks põgenema."

„Ja siis?"

Hunter vaatas mujale. „Hästi, olen nõus. See polnud kuigi läbimõeldud plaan, aga see toimis ikkagi. Teadsin, et mina talun peksu. Ma ei teadnud, kas see teine poiss talub."

Alice'i naeratus oli nüüd hell. „Steve peitis end ühe auto taha ja nägi kõike pealt. Ta ütles, et sa ei olnud nõus pikali jääma. Nad tagusid sind nii, et sa kukkusid, aga sa tõusid ikka püsti. Nad virutasid su uuesti pikali, sa tõusid jälle, ise üleni verine. Steve ütles, et pärast neljandat või viiendat korda andsid suuremad poisid alla ja läksid minema."

„Mul oli hea meel, et läksid. Poleks vist enam kaua vastu pidanud." Hunter pööras pead ja näitas Alice'ile vasakut kõrva, keerates selle lesta ülemise osa allapoole. „See arm on tollest korrast. Nad rebisid mul peaaegu kõrva küljest."

Alice vaatas muhklikku armi Hunteri kõrva juures. „Sa käisid gümnaasiumi viimases klassis ja lasid end peksta poisi eest, keda vaevu tundsid. Sinust kaks klassi taga oleva poisi nimel. Ma ei tea kedagi teist, kes oleks sama teinud."

Hunter vaikis ja Alice ei saanud aru, kas mehel on piinlik või mitte.

„Tead," ütles ta viimaks. „Ehkki sa olid nohiklik, jube kõhetu ja riietusid nagu kunagine rokkmuusik kehval päeval, olid paljud Mirmani tüdrukud sinusse armunud."

„Kas sina ka?" Hunter puuris teda pilguga.

Alice hammustas huulde ja vaatas mujale. „Sul on vist õigus. Me mõlemad peame magama." Ta jõi õlle ühe pika sõõmuga lõpuni, võttis oma portfelli ja läks ukse juurde.

„Jaoskonnas näeme," ütles Hunter.

Alice vaid naeratas.

Kolmkümmend neli

Kapten Blake seisis Garcia kõrval, suu ammuli ja ainitine pilk seinal olevatel varjudel. Ta nägi neid esimest korda.

„See ei saa ometi tõsi olla," ütles ta pärast pikka vaikust.

Garcia ei vastanud.

„Tahad öelda, et mingi maniakk murdis sisse Los Angelese prokuröri koju, raius ta tükkideks ja moodustas tema keha-osadest mingi kuramuse taiese, et saaks tekitada seinale koera ja linnu varjunukud?"

„Need on koiott ja ronk," sõnas Hunter sisse astudes. Ta oli saanud magada veidi kauem kui neli tundi, mis oli tema puhul väga hästi.

„Mis asja?" Kapten Blake pöördus tema poole. „Mida kuradit sa ajad, Robert? Ja kas sel on mingit tähtsust, mis liigist nad on?"

„Kena hommikut teile ka, kapten."

Blake viitas skulptuuri koopiale ja seejärel seinal olevatele varjunukkudele. „Kas see on kellegi meelest kena hommik?"

„Koiott ja ronk?" küsis Garcia, vaadates silmi kissitades varjunukke.

124

Hunter võttis tagi seljast ja lülitas arvuti tööle.

„Kuidas sa seda teada said?" uuris Garcia.

„Mina ei saanudki. Alice sai."

Nagu märguande peale lükkas Alice Beaumont ukse lahti ja astus sisse. Tema juuksed olid korralikus hobusesabas nagu eelmisel päeval, aga seekord olid juures kalli moega disainer-päikeseprillid. Tal oli seljas laitmatult istuv helehall kostüüm, valge siidpluus ja kaelas peenike valgest kullast kaelakee. Kõik pilgud pöördusid tema poole.

Alice tõstis pea ja seisatas, tundes endal teiste pilke. „Tere ... hommikust ... kõigile. Kas ma tegin midagi valesti?"

„Ütlesin neile äsja, et sa said teada, et varjunukud on koiott ja ronk," vastas Hunter. „Võib-olla peaksid neile nende tähendust selgitama."

Alice pani portfelli oma improviseeritud laua kõrvale maha ning rääkis kapten Blake'ile ja Garciale kõigest, mida oli eelmisel õhtul teada saanud. Kui ta lõpetas, tekkis korraks mõtlik vaikus.

„See tundub loogiline," möönis Garcia viimaks.

Kapten Blake pani käed rinnale vaheliti, kaaludes alles kõike.

„Kui mõrtsukas pidas Derekit valetajaks," jätkas Alice, „siis minu arvates peab see sellise kättemaksu jaoks olema seotud mõne tema juhtumi ajal aset leidnud sündmustega. Keegi pidi väidetava vale tõttu vangi minema või sai selle tõttu lausa surmanuhtluse. Keegi, keda mõrtsukas peab süütuks. Või, nagu Robert pakkus, väidetav vale, mis tähendas, et keegi jäi selle tõttu *karistamata* ja kannatanu arvab, et ta oleks pidanud karistada saama. Keegi, kes tunneb, et süsteem ja ennekõike Derek vedas teda alt."

Kapten Blake alles pidas kõige üle aru. „Ja kas meil juba mõni nimi on? Keegi, kelle Derek Nicholson vangi saatis ja kes selle teooriaga sobiks?" Ta suunas pilgu taas Alice'ile.

„Veel mitte," vastas Alice kapteni karmi pilku vältimata, „aga enne päeva lõppu saab olema."

„See peab juhtuma enne hommiku lõppu," vastas kapten Blake talle. „Ringkonnaprokurör Bradley ütles, et te olete tema parim töötaja, nii et olge siis parim." Ta viskas Hunteri lauale hommikuse LA Timesi numbri. Ajalehes oli pealkiri: „ÕUDUSTE SKULPTUUR. LAPD POLITSEINIK TAPETUD JA TÜKKIDEKS RAIUTUD".

Hunter libistas pilgu üle artikli. Seal seisis, et Nashorni purjejahi kajut oli üleni verine, tema peata ja tükeldatud keha oli jäetud istuma toolile näoga ukse poole ning tema küljest lõigatud kehaosadest oli tehtud mingi groteskne ja jõle skulptuuri moodi asjandus. Ka mainiti artiklis, et muusika-keskuses oli jäetud mängima vali *heavy metal* muusika. Üksikasju ei olnud.

„Selle loo televersioon jõudis eetrisse eile hilisõhtul ja täna varahommikul," pahvatas kapten Blake, hakates ruumis edasi-tagasi tammuma. „Ärkasin täna hommikul üles ja leidsin põhimõtteliselt oma ukse eest ajalehereporteri ja fotograafi. Kurat võtaks, kui ma saan teada, kes sündmuspaigas viibinud politseinikest selle info ajakirjandusele lekitas, saadan ta elu lõpuni liiklust korraldama."

„Ma ei usu, et selle loo lekitas politseinik, kapten," sõnas Hunter.

„Kes siis? See naine, kes surnukeha leidis?"

Hunter raputas pead. „Ta oli liiga tõsises šokis, et eile kelle-gagi rääkida. Mul kulus pool tundi, et tema käest üldse midagi teada saada. Tema alateadvus hakkab juba mälestusi blokeerima. Põhimõtteliselt mäletas ta ainult verd. Ja üks politseinik oli tema juures, kuni talle rahusteid anti ja ta magama jäi. Reporterid temaga ei rääkinud."

„Kellegagi nad igatahes rääkisid."

„Tõenäoliselt eile tööl olnud sadama turvamehega." Hunter võttis oma märkmiku. „Keegi härra Curtis Lodeiro, viiekümne viie aastane. Elab Maywoodis. Leanne Ashman jooksis paanikas sadama turvamehe juurde, kui oli Nashorni purjejahist välja tormanud. Kuni ta hädaabinumbrile helistas, käis härra Lodeiro seda üle vaatamas. Lodeiro nägi kuriteopaika paremini kui Leanne."

„No tore. Ringkonnaprokurör helistas mulle hommikul enne, kui ma voodist välja sain. Ja pärast teda kohe Nashorni kapten ja politseiülem. Kuna ajakirjanikud luusivad nüüd selle loo ümber nagu näljased penid, siis saavutas surve juurdluses tulemuste saavutamiseks DEFCON-1* staatuse. Ja kõik tahavad kohe vastuseid saada, pagan võtaks. Kui see mõrtsukas otsis tähelepanu, siis üks on kindel – kõik selle linna politseinikud ihkavad tema verd."

Kolmkümmend viis

Alice võttis Hunteri laualt ajalehe ja luges artikli läbi. „See kõik on spekulatsioon," ütles ta, katkestades tekkinud vaikuse. „Niisama lihtne see ongi. Siin on kaks fotot – üks tehtud avamerejahi juures õues ja teine Andrew Nashorni värvifoto. Mingeid tunnistajate ega uurijate ütlusi ei ole. Ega intervjuusid. Kõik detailid, kui neid selleks võib nimetada, on parimal juhul hädised."

„Tänan väga ilmselge mainimise eest," nähvas kapten Blake teda põrnitsedes. „Spekulatsioon või mitte, aga see ei muuda asjaolu, et lugu on ajalehtedes ja televisioonis. See on avalik.

---

* DEFCON ehk *Defense Readiness Condition* (tõlkes kaitsevalmidustase) on Ameerika Ühendriikide relvajõudude valmidustaset iseloomustav skaala, kus nr 1 on kõige kõrgem.

Ja sellest piisab, et inimesed paanikasse satuksid. Nad ei vaja tõendeid. Pruugib neil vaid seda ajalehest lugeda või telerist näha. Nüüd ootavad kõik meilt vastuseid ja nagu ikka, neid tahetakse *eilseks*."

Alice ei vastanud. Ta teadis, et kaptenil on õigus. Ta oli seda kohtusaalis korduvalt näinud. Advokaadid teevad vandekohtu ees avaldusi, millele vastaspool vastuväite esitab, kohtunik rahuldab selle ja see kustutakse protokollist. Aga sel pole enam tähtsust. See on juba välja öeldud. Ja olenemata sellest, kas see protokollist kustutatakse või mitte, vandemehed kuulsid seda. Ja rohkem pole vajagi, et nende mõtted hakkaksid liikuma suunas, mis sobib antud advokaadile.

Kapten Blake pöördus Hunteri poole. „Nii, räägi minuga, Robert. Kui sul on varjunukkude osas õigus, tähendab see, et saime Nashorni purjejahist teada midagi uut."

Hunter vaatas Garcia poole, kes seisis fototahvli juures, sättides kuriteopaiga fotosid kindlatesse rühmadesse.

„Jah," vastas Garcia.

Kapten Blake ja Alice tulid lähemale, uurides kõiki fotosid, mida Garcia suurele valgele tahvlile kinnitas. Seal oli kajut, veri seintel ja põrandal, toolile jäetud surnukeha, Nashorni pea diivanilaual ja uus skulptuur pikal baariletil.

„Issand jumal!" ütles Alice sõrmeotstega huuli puudutades. Õudusest hoolimata ei suutnud ta pilku fotodelt kiskuda.

Kapten Blake'i asjatundlik pilk libises fotolt fotole, silmitsedes iga pisiasja. Ta oli olnud kindel, et on oma pika karjääri jooksul näinud kõikvõimalikke jubedusi, mida kurjategijatel ja mõrtsukatel on pakkuda, aga viimase kolme päeva jooksul nähtu oli selle arusaama kildudeks löönud ja piirid uuele tasemele nihutanud. Kurjus suutis end väga lihtsasti ületada.

Tema tähelepanu keskendus viimaks fotodele, millel oli uus skulptuur – verised käed, käelabad, sõrmed ja jalalabad;

küljest lõigatud ja seejärel täiesti arusaamatul ja õudsel viisil uuesti kokku pandud.

„Kas mõrtsukas kasutas taas traati ja kiirliimi?" küsis Alice, vaadates silmi kissitades tahvli paremas servas olevat fotot.

„Jah," kinnitas Garcia.

„Aga seekord seinal sõnumit polnud."

„Selleks polnud põhjust," sõnas Hunter. „Derek Nicholsoni toa seinale jäetud sõnum polnud kuriteoga otseselt seotud. See oli hetke ajel kirjutatud."

„Olgu, sellest saan ma aru, aga miks see üldse jätta?" ei andnud Alice alla. „Milleks selline sõnum? Selle vaese noore naise psühholoogiliseks hävitamiseks?"

„See sõnum polnud mõeldud ainult medõele."

Hunteri sõnade peale vaatas Alice uuesti tema poole.

„Kuidas palun?"

„See oli mõeldud ka meile."

„Mis asja?" Kapten Blake pööras viimaks tahvlile selja. „Millest, kuradist, sa räägid, Robert?"

„Otsustavus, meelekindlus, pühendumine," vastas Hunter, aga piirdus sellega.

„Räägi edasi, megaaju," ärgitas kapten teda, „ja ma ütlen sulle, kui me asjale pihta saame."

Hunter oli kapteni hääletooni ajutise kerkimisega harjunud.

„Mõrtsukas ütles meile sel moel, et miski poleks teda takistada saanud, kapten," selgitas ta. „Ja kui täiesti süütu inimene oleks talle peale sattunud ja mingil moel tema eesmärki ohustanud, oleks ta ka tema tapnud. Ilma kahetsuseta. Ilma süümepiinadeta. Ilma kõhklusteta."

„See kinnitab, et Nicholsoni mõrva puhul polnud mitte midagi juhuslikku," jätkas Garcia. „Robert kasutas olulist sõna – *eesmärk*. Ja sel mõrtsukal oli see olemas – tappa Derek Nicholson ja kasutada tema kehaosi oma kõheda teose loomiseks. Medõde ei olnud plaani osa ja ta ei seadnud mõrtsuka plaani ohtu. Kui ta oleks tuled põlema pannud, siis küll."

„Ja ka see ütleb meile midagi väga olulist," võttis Hunter taas jutujärje üle. „Nimelt seda, et mõrtsukas ei satu kergesti paanikasse."

„Kuidas nii?" küsis Alice.

„Sest ta ei tapnud medõde." Hunter läks akna alla, venitades samal ajal kangeid käsi ja selga. „Kui mõrtsukas kuulis tol õhtul medõde majja tagasi tulemas, oli ta piisavalt talitsetud, et oma tegevus peatada, tuled Nicholsoni toas kustutada ja oodata. Medõe saatus oli tema enda, mitte mõrtsuka kätes."

„Ja enamik kurjategijaid oleks sattunud paanikasse ja tapnud ootamatult välja ilmunud kolmanda osapoole," taipas kapten siis, „või alustatut pooleli jättes sündmuspaigast põgenenud."

„Just. Seinale kirjutatud sõnum ei olnud ette kavatsetud. See mõte tekkis tal hiljem. Ent mõrtsukas nägi selles võimalust ... meid oma otsustavuse ja pühendumise osas hoiatada, ehkki see on psühholoogiliselt hävitav." Hunter avas haagi ja lükkas akna lahti. „Me ei saanud sellest kohe aru, sest me ei saanud kuidagi teada, et ta tapab veel."

„See tüüp on väga enesekindel ja ta uhkustab sellega üsna vabalt," sõnas Garcia, kinnitades tahvlile viimase foto. „Eile õhtul otsustas ta kirjaliku sõnumi asemel meile näidata, et tal on ka huumorimeel."

„*Heavy metal* lugu, mille ta mängima jättis," tähendas kapten Blake.

Alice krimpsutas nägu. „Lugesin seda artiklist. Mis värk sellega oli?"

„Mõrtsukas jättis Nashorni jahis plaadi mängima – heli põhja keeratud," selgitas Garcia. „Kordus üks ja sama lugu."

„Ja kus seal huumorimeel on?" küsis Alice kergelt pead raputades.

„Lugu, mille ta valis, on vana lugu pealkirjaga „Falling to Pieces"," vastas Hunter.

„Ja refrään räägib sellest, et keegi laguneb tükkideks ja palub end taas kokku panna," lisas Garcia.

Alice vaikis.

„Nii et ta naerab meie üle," ütles kapten Blake, nõjatudes vastu Garcia lauda, viha hääles ja karm pilk silmis. „Lisaks sellele, et kurjategija on piisavalt napakas, et tappa osariigi prokurör ja LAPD politseinik, on ta ka nii jultunud, et õrritab meid seinale kirjutatud sõnumi, topelttähendusega lugude, ohvrite kehaosadest tehtud skulptuuride ja varjunukkudega. Ta teeb sellest oma isikliku tsirkuse." Blake'i silmad pildusid sädemeid. „Ja *meie* oleme selles klounid."

Mitte keegi ei vastanud.

Alice oli taas fototahvli poole pöördunud. „Mida te nägite, kui sellele valguse peale suunasite?" Ta viitas ühele uue skulptuuri fotole. „Tean, et te ei jäänud selle väljaselgitamisega labori koopiat ootama. Te kontrollisite seda eile õhtul, eks?"

„Jah."

„Mida te siis nägite?" küsis kapten Blake. „Ilmutusraamatu nelja ratsaniku varjunukke?"

Garcia läks tagasi oma laua juurde, võttis sealt A4 suuruses pruuni paberümbriku ja sellest ühe foto. Ta keeras seda ja näitas teisele.

„Me saime selle."

Kolmkümmend kuus

Garcia läks fototahvli juurde ja kinnitas uue foto Andrew Nashorni purjejahist leitud skulptuuri fotode alla.

Kapten Blake ja Alice käänasid üheaegselt kaela ja kissitasid silmi, nagu oleks see mingi sünkroontants.

„Kasutasime kriminalistide prožektorit, et uue skulptuuri varje seinale tekitada," selgitas Hunter. „Nii õnnestuski meil varje pildistada. Kaamera välku polnud vaja. Meil kulus õige nurga leidmiseks natuke aega. Mõrtsukas näitas meile, kuidas seda vaadata. Ta jättis meile vihje."

Kapten Blake ja Alice ei paistnud Hunteri sõnu kuulvat. Nende jaoks oli muu maailm taandunud ja jäänud vaid foto, mille Garcia oli tahvlile kinnitanud.

Kapten avas esimesena suu. Tema sõnad olid aeglased, täis kõhklust. „Mis, kurat, see on?"

Hunter pani käed rinnale vaheliti ja vaatas veel kord kujutisi, mis oli vallutanud tema mõtted sestsaadik, kui ta neid eile õhtul nägi. „Mida see teie arvates meenutab, kapten?"

Naine tõmbas sügavalt hinge. See, kuidas Andrew Nashorni käed olid kokku pandud – kuidas randmete siseküljed olid vastamisi sätitud, sõrmed väljapoole laiali, nagu oleksid valmis palli kinni püüdma, meenutas moonutatud nägu. Murtud ja ebaloomulikult väänatud pöidlad osutasid üles, nagu kasvaksid kujutise peast kõverad sarved.

„Mingit paganama tohutut sarvedega koletise pead. Võib-olla mingi saatan." Kapten kissitas veel rohkem ja raputas pead, suutmata õieti oma silmi uskuda, kui uuris varje, mille tekitasid kahekaupa kokku sätitud sõrmedest neli kuju.

See, kuidas mõrtsukas oli kujud osavasti nikerdanud – ülevalt ümarad ja laiad, keskelt sissepoole kaardus ja alt kitsad – ja need seejärel valgusallika ette sättinud, oli hüpnotiseeriv.

Haige geeniuse tõeline kunstiteos. Kui valgust näidati selle konkreetse nurga alt, jätsid kahe püsti seisva kuju varjud mulje kahest külgvaates inimesest. Kahe pikali oleva kuju tekitatud varjud sarnanesid samuti kahe inimesega, kes lamasid teineteise peal maas. „Ja mida see saatan teeb?" küsis kapten Blake. „Vahib nelja inimest? Kaks seisavad ja kaks on pikali?"

Hunter kehitas õlgu. „Te näete täpselt sama, mida meiegi, kapten."

Kapten Blake hakkas rahutuks muutuma. „No tore! Ja mida kogu see jama tähendab?"

„Järjekordne mõistatus mõistatuse sees," vastas Garcia oma laua juurde tagasi minnes.

„Me ei tea veel, kapten," tunnistas Hunter. „Meil pole olnud aega kujutist analüüsida, selle ja selle tähenduse kohta infot otsida. Me saime selle ju alles eile õhtul, eks ole?"

„See vari, mis meenutab sarvedega pead, võib kujutada mõrtsukat," oletas Alice, osutas fotole ja köitis sellega kõikide tähelepanu. „Sellepärast see ongi nii palju suurem kui ülejäänud neli kujutist. Kõverad pöidlad tekitavad sarvekujulised varjud ja kogu see asi meenutab saatana pead, mis ilmselgelt iseloomustab kurjust. Võib-olla usub ta, et on kurjast vaimust vaevatud või midagi sellist." Ta kehitas õlgu, silmitsedes ülejäänud kujutist.

„Ja võiks ju väita, et ta vaatab nelja muud kuju sellepärast, et need esindavad tema ..." Alice'i hääl katkes ja ta vabises, hirmutades end mõttega, mis tal peas ringi tiirles.

„Ohvreid," lõpetas Hunter tema eest.

Kapten Blake hakkas läkastama. „Pidage. Kas te tahate öelda, et see uus mõistatus, see uus varjupilt võib esindada mõrtsukat ja tema plaani?" Tema hääles oli endiselt ärritunud noot.

Hunter pööras peopesad ülespoole, nagu öeldes „kes teab".

„Nagu öeldud, me ei tea veel, kapten."

„Aga see tundub loogiline, eks?" ei andnud Alice alla. „Võib-olla sellepärast ongi kaks kuju pikali maas. Vaadake." Ta astus lähemale ja viitas fotole. „Need võivad kujutada kahte ohvrit – Derek Nicholsoni ja Andrew Nashorni. Võib-olla ütleb mõrtsukas meile, et tal on veel kaks ohvrit sihikul. Te ju mainisite seda äsja, eks ole?" Ta pöördus kapten Blake'i poole. „Ütlesite, et mõrtsukas on piisavalt ülbe, et juurdlust sõnumite, laulude, skulptuuride ja varjunukkudega õrritada. Miks mitte olla siis nii jultunud, et öelda meile, et ta kavatseb tappa veel kaks inimest? Me teame, et ta on enesekindel. Teame, et ta on ennasttäis." Alice kopsis nimetissõrmega sarvedega pea suurendatud kujutist. „Me teame, et ta arvab, et teda pole võimalik takistada."

Kapten tõstis käe, et Alice'it ohjeldada. „Rahu, professor Päikesekiir. Eile kaalusite te esimese skulptuuri juures, kas mõrtsukas võib olla nii napakas, et peab end jumalaks. Nüüd arvame, et ta on meelt muutnud ja ütleb meile, et on kurat? Kurjuse kehastus? Me lahmime praegu huupi."

„Ma olen päris kindel, et olen seda juba öelnud," sekkus Hunter kindlal hääletoonil, „aga me ei tea veel nende varjukujude tähendust, kapten. Need kõik on oletused ainult meie enda kujutlusvõime ja tõlgenduste põhjal. Isegi see, mida me arvame esimese skulptuuri kujutistest teadvat, võib olla vale. Me ei saa kuidagi kindlad olla."

„Leidke siis selleks võimalus," käratas kapten ukse poole minnes. „Ja andke mulle midagi konkreetsemat kui oletused." Ta põrnitses Alice'it. „Ja teie hakake nende nimekirjadega tegelema, preili ringkonnaprokuröri parim taustauuringu tegija." Ta lahkus, lastes uksel meelega enda järel kinni paugatada.

Murdosa sekund hiljem helises Hunteri lauatelefon ja ta sirutas käe selle poole.

„Uurija Hunter," ütles ta mikrofoni ja kuulas umbes kümme sekundit, kortsutades seejärel nii tugevasti laupa, et kulmud puutusid peaaegu kokku. „Kohe tulen alla."

Kolmkümmend seitse

Kuulus Parker Centeri maja oli olnud Los Angelese politsei peakorteriks alates 1954. aastast. 2009. aastal viidi kõik vanast hoonest aadressil North Los Angeles Street 150 üle uuele linnavalitsuse hoonest veidi lõunasse jäävasse 46 500 ruumeetri suurusele maa-alale. Uues politsei haldushoones on rohkem kui kümme LAPD jaoskonda, teiste hulgas kombluspolitsei, noorsoopolitsei, majanduskuritegude osakond, narkorühm ning röövide ja mõrvarühm. Pole siis ime, et vestibüül on alatasa inimestest tulvil – tavakodanikud ja korrakaitsjad.

Hunter märkas naist kiiresti. Olivia Nicholson istus ühel paljudest põranda külge kinnitatud plasttoolidest hoone maast laeni ulatuvate klaasist välisuste juures. Õhukeses konservatiivses volangidega mustas kleidis ja mustades kõrge kontsaga kingades Olivia torkas lihtsama välimusega inimeste seas silma nagu hele laserkiir. Tema suured päikeseprillid oli väikese ja terava nina peal.

„Preili Nicholson," ütles Hunter kätt ulatades.

Naine tõusis, aga ei võtnud pakutud kätt vastu. „Uurija, kas me saaksime rääkida?" Tema hääl oli nii rahulik kui antud olukorras võimalik.

„Muidugi." Hunter lasi käe alla ja vaatas kähku ringi. „Tulge kaasa ja ma otsin meile vaiksema nurgakese." Ta juhatas naise inimeste vahelt läbi ja kasutas oma magnetkaarti, et pääseda läbi tõkkepuuga takistatud väravast ja nad said minna kaugemale majja. Lifti astudes lükkas Olivia päikeseprillid pealaele, nii et lahtised heledad juuksed jäid tahapoole, näo pealt eemale. Tema silmad olid endiselt punased. Hunter pidas seda nutmise ja magamatuse süüks. Meik varjas tumedaid silmaaluseid, aga naine nägi sellegipoolest kurnatud välja. Teadmatus, kes tema isa tappis, näris teda sisimas. Hunter sai sellest aru.

Ta vajutas teise korruse nuppu, kus asusid pressikonverentside ja koosolekute ruumid. Nende tööruum ei sobinud, sest seal olid fototahvel, skulptuuri koopia ja kõikjal toimikud. Kolmanda korruse ülekuulamisruumid olid liiga heidutavad oma metall-laudade, tühjade seinte ja suurte kahesuunaliste peeglitega ning ilma akendeta. Palju sobivamad olid kas peamine pressikonverentsi ruum või mõni väiksem koosolekuruum.

Nad seisid liftis vaikides ja väljusid pikka laia heledalt valgustatud koridori. Hunter läks ees ja katsus esimese paremale jääva koosolekuruumi ust. See oli lahti ja ruum tühi. Ta pani tuled põlema ja andis Oliviale märku sisse astuda.

„Kuidas ma teid aidata saan, preili Nicholson?" küsis Hunter, viidates ühele viiest toolist väikese ovaalse laua ümber.

Olivia ei istunud. Ta avas käekoti luku, võttis sealt hommikuse ajalehe ja pani lauale. „Kas mu isaga juhtus sama?" Tema alumised silmalaud olid nagu tammid, millest pisarad ähvardasid üle tulvata ja oli vaid sekundite küsimus, millal see juhtub. „Kas isik, kes ta tappis, kasutas tema kehaosi, et luua mingi haige skulptuur?"

Hunter hoidis käed külgedel ja hääle rahuliku. „See artikkel ei ole teie isa mõrva kohta."

„Aga see on väga sarnase mõrva kohta," nähvas Olivia teravalt. „Mõrva, mida selle artikli väitel uurite teie. On see tõsi?"

Hunter vaatas talle otsa. „Jah."

„Ringkonnaprokurör Bradley kinnitas mulle, et kõik annavad endast parima, et minu isa koju sisse murdnud koletis kohtu

136

ette saata. Ta kinnitas, et selle juhtumiga tegelevad uurijad on parimad ja et nad tegelevad *ainult* minu isa mõrvaga. Seega on ainus loogiline järeldus, et need mõrvad on omavahel seotud." Naine otsis Hunteri pilgust vastust. Ta ei leidnud seda. „Palun ärge solvake mind öeldes, et need küsimused, mille te mulle ja mu õele skulptuuride kohta esitasite, puudutasid minu isa majast leitud katkise skulptuuri metallist kildu."

Hunteri näoilme ei reetnud midagi, aga ta teadis, et ei saa rohkem keerutada. „Palun võtke istet, preili Nicholson." Seekord tõmbas ta naisele tooli välja, kasutades emotsioonide võimuses oleva isikuga toime tulemise esimest etappi – astuda lihtsaid rahulikke samme, et tema ärevust leevendada. Kui võimalik, panna ta istuma – istuv asend on lõõgastavam kui seismine, füüsiliselt ja emotsionaalselt.

„Palun," kordas Hunter.

Olivia istus viimaks.

Hunter läks nurgas oleva veeautomaadi juurde, lasi kahte plasttopsi jääkülma vett ja viis need lauale, istudes seejärel naise vastu.

Teine etapp oli anda inimesele juua. See paneb seedesüsteemi tööle, pakub organismile muud tegevust, et mitte mõelda lähenevale paanikahoole. Jahe jook palaval päeval jahutab keha maha, mis on väga lohutav tunne.

Hunter võttis esimesena lonksu, näidates eeskuju. Paar sekundit hiljem tegi Olivia sama.

„Ma vabandan, kui jätsin mulje, et valetan teile ja teie õele," alustas Hunter talle otsa vaadates. „See ei olnud minu kavatsus."

„Aga te valetasite skulptuuri killu kohta, mille te mu isa toast leidsite." Naise sõnade varjus oli haavumine.

Hunter noogutas korra. „Kuriteopaiga üksikasjade ja sotsiopaatide kasutatud julmuse täpne teadmine pole aidanud kellelgi leinaga paremini toime tulla. Enamasti mõjub see vastupidiselt.

Uskuge mind, preili Nicholson. Olen seda korduvalt näinud. See, et ma teid ja teie õde tol päeval küsitlesin, oli teile niigi ränk. Polnud põhjust teile rohkem valu põhjustada. Teie vastused poleks ju sellest muutunud, kui oleksin teile skulptuuri kohta tõtt rääkinud."

Olivia võttis veel lonksu vett, pani topsi lauale ja silmitses seda, ilmselgelt järgmisi sõnu kaaludes. „Mis see oli?" küsis ta viimaks.

Hunter tegi nägu, nagu ei mõistaks.

„Mis see skulptuur oli? Mille ta mu isa ..." Naine ei suutnud lauset lõpetada. Pisarad olid taas silmis.

„Ei midagi konkreetset," vastas Hunter. „See oli vormitu."

„Kas sel oli mingi tähendus?"

Hunter ei tahtnud mingil juhul Olivia valu suurendada, aga ta ei näinud ka muud väljapääsu, vaid pidi uuesti valetama – ta ei saanud juurdlust ohtu seada ja tal polnud tõestust, et see, mida Alice avastas, on ka tegelikult varjunukkude tähendus. „Kui on, siis pole me veel seda avastanud."

Kolmkümmend kaheksa

Olivia silmitses Hunteri nägu. Tema suurte roheliste silmade pilk püsis mehe silmadel viis pikka sekundit, enne kui ta otsustas, et mees räägib tõtt. Ta võttis taas topsi, aga ei tõstnud seda huultele. Ainult närviline reaktsioon, et käed ei väriseks. See ei aidanud.

„Ma pole viimastel päevadel magada suutnud," ütles Olivia pilku mujale suunates, leides kaugemal seinal neutraalse koha ja jäi sellel korraks pidama. „Olen pigem ärkvel, kui sulen silmad ja näen unenägusid, mis mul tekivad."

Hunter ei öelnud midagi. Ta kahtles, kas Oliviat lohutaks, kui ta ütleks, et on suure osa elust nii elanud.

„Me teadsime, et isal pole kaua jäänud, ja ehkki see oli raske, arvasin, et Allison ja mina oleme selleks valmis." Ta raputas pead ja alahuul värises. „Selgus, et me polnud kaugeltki valmis. Aga niimoodi tegelikult juhtunu üksikasju teada saada ..." Ta lükkas ajalehe Hunteri poole ja vaikis.

„Palun veel kord vabandust," ütles Hunter ajalehte vaatamata. „Ma pidin otsustama ning ma tegin seda tuginedes oma kogemusele suhtlusest mõrvaohvrite leinavate lähedastega."

Hunter ütles seda leebelt ja neutraalselt ning Olivia paistis seda tunnetavat.

„See, mis eile juhtus ..." Naise pilk kandus ajalehele ja tagasi Hunterile. „Kas nende vahel on seos?"

Olivia küsimus tähendas lihtsalt seda, et Hunter ei saanud vastamist vältida.

„Selle järgi, mida me seni oleme avastanud, usume, et mõlemad kuriteod sooritas sama inimene," vastas ta ja jätkas kähku, „te ilmselgelt lugesite artiklit?" Hunter nookas ajalehe poole.

„Jah."

„Kas Andrew Nashorni nimi on teile tuttav?"

„Ei," vastas Olivia kergelt pead raputades.

„Te ei tunne teda ajalehefoto järgi ära?"

„Kui ma hommikul artiklit lugesin, esitasin endale sama küsimuse, uurija." Olivia raputas pead ja vaatas taas mujale. „Ei tema nimi ega nägu tule mulle tuttav ette. Kui mu isa teda tundis, ei mäleta ma, et ta oleks Nashorni nime maininud. Ja kindlasti ei mäleta ma, et oleksin teda kusagil näinud."

Hunter kallutas selle peale veidi pead.

Olivia jõi vee ära ja vaatas Hunterit anuva pilguga. „Te pole seni just palju avastanud, ega ju, uurija?" Ta pidas ainult

139

korraks vahet. „Ja palun ärge mulle enam valetage." Naise hääl peaaegu katkes.

Hunter ootas, kaaludes, mida talle avaldada. Ootusärevus särises Olivia hoiakus peaaegu nagu elekter. „Hetkel on meil kilde, mida üritame kokku sobitada, aga me *teeme* edusamme," rõhutas ta. „Ma ei saa teile tõesti rohkem suurt midagi avaldada. Kahjuks mitte. Loodetavasti mõistate."

Olivia istus vaikides ja kohmetult tükk aega. „Tean, et miski ei too mu isa tagasi, uurija, aga mõte, et see koletis, kes ta tappis, on alles vabaduses ... tapab edasi ... ja et teda võib-olla ei tabatagi, ajab mind oksele. Palun ärge laske sel juhtuda."

Kolmkümmend üheksa

Oli keskhommik ja mitte keegi ei kahelnud, et täna tuleb järjekordne imeilus suvepäev. Selge sinine taevas ja särav kõrvetav päike olid varasest kellaajast hoolimata tekitanud peaaegu rõhuva kuumuse. Garcia auto konditsioneer töötas taas täisvõimsusel, kui tema ja Hunter koroneri juurde sõitsid. Doktor Hove oli Andrew Nashorni lahkamise lõpetanud.

Hunter istus vaikides, küünarnukk toetumas ukse käepidemele, lõug sõrmenukkidele. Ehkki ta näis silmitsevat hommikust liikluskaost, olid tema mõtted mujal. Olivia anuvad sõnad kumisesid alles kõrvus. Naise ahastus oli Hunteri jaoks sama tõeline kui Olivia ja tema õe jaoks.

Kõigest mõni nädal pärast seda, kui Hunter sai kuritegeliku käitumise ja biopsühholoogia eriala doktorikraadi, oli tema isale, kes töötas kesklinnas Bank of America harukontoris, kiiva kiskunud rööövi käigus kuul rindu lastud. Isa oli kolm kuud koomas. Ja kogu selle aja püsis Hunter tema kõrval, uskudes, et tema kohalolek, tema hääle kõla või isegi tema puudutus aitavad isal leida jõudu elule tagasi võidelda. Ta oli eksinud.

Ehkki kaks pangaröövlit lasti koha peal maha, pääsesid kolm ülejäänut põgenema. Neid ei tabatudki.

Mõru maitse teadmisest, et tema isa mõrtsukad ei pidanud oma teo eest vastust andma, oli Hunteril pidevalt suus. Ja see teadmine hoidis valu aastast aastasse elus. Ta ei tahtnud, et sama juhtuks Olivia ja Allison Nicholsoniga.

„On kõik korras?" küsis Garcia, kiskudes Hunteri mõtetest. Hunteril kulus paar sekundit, et pilk autoderivilt lahti kiskuda ja paarimehe poole vaadata. „Jah, jah. Olin lihtsalt ..."

„... kusagil mujal?" Garcia noogutas. „Tean." Ta naeratas ja pidas korraks vahet. „Tead, mida kauem mõrtsukas kuriteopaigas viibib, seda suurem on oht vahele jääda, nii et ma pakun, et ta ei jää sekunditki kauemaks kui hädavajalik."

Hunter nõustus.

„Aga need skulptuurid, varjukujutised, need pole algaja kätetöö. Ma pole kunagi midagi nii peent näinud. See ei käinud ju nii, et mõrtsukas raius ohvri tükkideks, väänas tema kehaosad paika ja lootis, et kõik läheb esimese korraga pihta."

„Olen selles täiesti kindel."

„Mida ta kasutas? Mannekeene?"

„Mida iganes, Carlos," vastas Hunter. „Ta võis teha mudeleid traadist, papjeemašeest, kipsist, isegi tavalistest mängunukkudest, millel on painduvad kummist käed ja jalad. Sellisest, mida müüakse igas väiksemas poes."

„Nii et see tüüp istub kodus ja mängib nukkudega, kuni läheb välja ohvreid tükeldama. See linn on täiega perses, tead sa seda?"

„Maailm on täiega perses," parandas Hunter teda.

„Andrew Nashorni toimik jõudis viimaks kohale. See on tagaistmel." Garcia nõksatas peaga tahapoole.

„Oled sa seda lugenud?"

„Jah, nagu iga teise uurija CV, mida ma kunagi lugenud olen. Nashorn sündis Põhja-Californias San Mateo maakonnas El Granadas, kus elas kahe- või kolmeteistkümnenda eluaastani. Tema vanemad kolisid siis Los Angelesse. Isa oli raamatupidaja ja sai siia parema tööpakkumise. Ema oli usklik koduperenaine." Nad peatusid punase fooritule taga. Hunter naaldus tahapoole ja võttis tagaistmelt kausta.

„Nashorn oli tavaline koolipoiss," jätkas Garcia. „Mitte just parim õpilane, aga ka mitte halvim. Ehkki ta elas Maywoodis, käis ta koolis Bellis. Kolledžisse ei läinud. Töötas mõned aastad pärast keskkooli lõpetamist siin-seal ja otsustas siis politseisse tööle tulla. Tal kulus uurijaks saamiseks aega."

„Kaksteist aastat," luges Hunter toimikust. „Kukkus eksamil neli korda läbi."

„Ta oli lesk. Lapsi polnud."

Hunter noogutas. „Abiellus kahekümne kuuesena," ütles ta lugedes. „Naine suri vähem kui kolm aastat hiljem."

„Jah, lugesin seda ka. Mingi imelik südamehaigus, millest nad teadlikud polnud."

„Kardiomüopaatia," kinnitas Hunter. „Südamelihase haigus. Uuesti ei abiellunud."

„Nii palju, kui ma aru sain, oli ta tubli politseinik," ütles Garcia, lükkas käigu sisse ja pööras North Mission Roadile. „Saatis uurijana piisaval hulgal jätiseid trellide taha. Ja siis juhtus see, mida kõik politseinikud kardavad. Sai töökohustuste täitmisel vigastada, kui ajas Inglewoodis taga mingit tänavapätti." Garcia raputas pead. „Vaene vennike. Brasiilias öeldaks selle kohta, et ta sündis tšillipulbriga kaetud tagumikuga päikese poole."

Carlos Garcia oli sündinud Brasiilias São Paulos. Brasiilia föderaalagendi ja Ameerika ajaloo õpetaja pojana kolis ta vaid kümneaastasena koos emaga Los Angelesse, kui vanemate abielu lõhki läks. Ehkki ta oli elanud suurema osa elust Ameerika Ühendriikides, rääkis Garcia portugali keelt nagu tõeline brasiillane ja käis iga paari aasta tagant seal külas.

Hunter vaatas paarimeest ja krimpsutas siis nägu. „Mis asja? Mida paganat see tähendab?"

„Seda, et ta sündis ebaõnne tähe all, ja arvan, et Nashorni puhul see nii oligi."

„Tõsiselt või? Mida brasiillased ütlevad siis, kui inimene on sündinud õnnetähe all? „Ta sündis suhkruga kaetud tagumikuga kuu poole"?"

„Just." See näis Garciale muljet avaldavat.

„Nalja teed või?"

„Ei, see on üsna täpne tõlge."

„Huvitav analoogia," oli kõik, mida Hunter kosta oskas. Nashorni toimiku järgmised paar lehekülge olid kokkuvõte tema viimastest juurdlustest.

„Tema kapten ütles, et ta oli harjumuste ori," sõnas Garcia. „Käis alati puhkusel samal ajal – suve esimesed päevad. Alati kaks nädalat üksinda merel kala püüdmas. Ta ostis selle purjejahi säästude eest. Tema kapteni sõnul oli see jaht tema pensionikindlustus."

„Kallimat ega paarilist polnud." Hunter luges alles toimikut.

„Lähimad sugulased on onu ja tädi, kes elavad El Granadas."

„Jah, tema kapten võtab nendega ühendust."

Hunter vaatas Nashorni kodust aadressi – korter LA idaosas. Kriminalistid olid hommikul sinna saadetud. Eile õhtul polnud nad leidnud Nashorni jahilt ei mobiiltelefoni, arvutit, aadressiraamatut, märkmikku ega midagi muud sarnast ning tema kapteni sõnul polnud ka tema töölaual midagi. Kõvakettal isiklikke faile polnud. Nad alles kontrollisid tema töömeile. Hunter lootis, et Nashorni korteri läbiotsimine annab mingit tulemust. Ta pani toimiku kinni ja tagaistmele, kui Garcia maakonna koroneri hoone parklasse sõitis.

Nelikümmend

Alice Beaumont printis välja veel ühe dokumendi ja pani selle põrandale kümnete teiste juurde. Kuna Hunterit ja Garciat polnud kontoris, oli ta ruumi ajutiselt oma isiklikuks taustauuringute keskuseks muutnud.

Ta oli korra üritanud uurida, mida teise skulptuuri tekitatud vari võiks tähendada, aga olles kolmveerand tundi internetis tuhninud, polnud ta leidnud mitte midagi, mis teda kas või natukene erutaks. Vastupidiselt esimestele varjunukkudele ei leidnud ta mingit mütoloogilist tähendust, mida kujutisega seostada saaks. Kui ta kujutise pulkadeks võttis, oli lihtne seostada sarvedega moonutatud pead mis tahes kuradiga, aga see ei selgitanud nelja väiksemat varjunukku, mis olid tehtud Nashorni äralõigatud sõrmedest.

Alice tahtnuks otsimist jätkata, ent teadis, et hetkel on juurdluse jaoks olulisem tegelda nimekirjaga kurjategijatest, kelle Derek Nicholson oli aastate jooksul trellide taha saatnud. Kui ta leiaks mingi seoses mõne Andrew Nashorni juurdlusega kas uurijana või taustauuringute tegijana, annaks see neile pidepunkti, mida nad hädasti vajasid.

Alice istus maas, paberilehed ümber laiali, hakkas neid üle lugema ning kahe, kolme, nelja ja vahel ka viie kaupa sorteerima.

Ta oli sel hommikul oma sülearvuti kaasa võtnud, kuna tal oli tunne, et ta vajab mõnesid võimsaid rakendusi, mis olid tema arvuti kõvakettal olemas. Ja tal oli õigus. Hunter oli tal soovitanud minna ajas tagasi viis, isegi kümme aastat, otsides kurjategijaid, kes olid vabadusse lastud, põgenenud või tingimisi vabastatud. See tähendas liiga palju nimesid ja toimikuid, mida läbi lugeda. Kui sinna juurde lisada nimed ja toimikud, mille ta sai Andrew Nashorni juurdlustest ning lisaks need ohvrid, kes süüdistasid Nicholsoni isiklikult nende kohtuasja kaotamises, kuluks tal vähemalt nädal, et need kõik läbi analüüsida. Aga siinkohal tulidki mängu tema arvutioskused.

Esimese asjana pärast Hunteri ja Garcia lahkumist kirjutas Alice väikese rakenduse, mis loeks läbi tekstifailid ning otsiks kindlaid nimesid, sõnu ja fraase. Rakendus oskaks ka faile omavahel siduda, kasutades erinevaid kriteeriume. Häda oli selles, et mitte kõik toimikud polnud digitaliseeritud. Lausa pooled neist olid ainult paberil. Pelgalt nimede loetelu hankimine oli lihtne isegi 26 aasta tagusest ajast, aga toimikuid hakati digitaliseerima alles umbes 15 aastat tagasi. Vanemaid juhtumeid lisati Los Angelese prokuratuuri andmebaasi võimalikult kiiresti, aga neid oli palju, inimesi vähe ning seetõttu oli see protsess vaevarikas ja väga-väga aeglane. Sama kehtis LAPD ja Andrew Nashorni uuritud juhtumite kohta.

Alice tegi olemasoleva abil tegelikult suuri edusamme. Tema rakendus oli juba tähistanud ja sidunud omavahel nelikümmend kuus dokumenti, aga ta polnud veel Nashorni juurdlusi analüüsima hakanud.

Nelikümmend üks

Hunter tõmbas maski nina ja suu peale ning läks spetsiaalses lahkamisruumis ühest lahkamislauast paremale seisma. Garcia oli tema selja taga, käed rinnal vaheliti, õlad ettepoole kühmus, nagu üritaks end jäise tuule eest kaitsta.

Ruumis oli liiga külm, nagu tavaliselt, ehkki õues oli palav suvepäev: siin oli liiga sünge, olenemata eredatest koht- ja laevalgustitest, ning liiga õudne oma roostevabast terasest laudade ja kappide, steriilse õhustiku, surnukehade külmkambrite ja õudu tekitavate üliteravate lõikeriistadega.

„Maski pole vaja, Robert," ütles doktor Hove, kerge muie suunurkades. „Nakkuse ohtu pole ja surnukeha ei haise." Ta vaikis, kaaludes öeldut. „Võib-olla ainult natukene."

Ehkki kõik laibad hakkasid mingil hetkel kudede loomuliku lagunemise ja bakterite plahvatusliku vohamise tõttu pärast surma haisema, polnud lõhn Hunterit kunagi häirinud. Kuna surnukehad pestakse enne lahkamist hoolikalt puhtaks, oli ka see lõhn enamasti peaaegu kadunud.

„Sa ikka saad aru, et su lõhnataju on täiega nüristunud, eks, doktor?" vastas Hunter, tõmmates uued kummikindad kätte.

„Mu abikaasa ütleb seda iga kord, kui ma süüa teen." Doktor Hove naeratas taas ja suunas uurijate tähelepanu lahkamislaudadele. Nashorni keha oli ühel ja äralõigatud kehaosad teisel laual. Doktor Hove läks laua juurde, millel olid kehaosad.

„Ametlik surma põhjus on südamepuudulikkus, mille põhjustas tugev verekaotus. Nagu esimese ohvri puhul."

Hunter ja Garcia noogutasid vaikides. Doktor Hove jätkas.

„Võrdlesin haavu esimese ohvri omadega. Need on samasugused. Mõrtsukas kasutas sama lõikamisvahendit."

„Elektrilist kööginuga?" küsis Garcia.

Doktor Hove noogutas. „Aga seekord natuke teistmoodi."

„Kuidas?" uuris Hunter, minnes teisele poole lauda.

„Ta üritas seekord verejooksu korralikult peatada. Jalad amputeeriti suure tõenäosusega Syme'i disartikulatsiooni kasutades."

„Mis asja?" küsis Garcia.

„See on James Syme'i järgi nime saanud jalalaba amputeerimise meetod," selgitas doktor Hove. „Syme oli 19. sajandil Edinburghi ülikoolis kliinilise kirurgia professor. Ta töötas välja jala amputeerimise protseduuri, mida kasutatakse tänapäevani. Sisselõiked on siin tehtud puhtalt üle pahkluuliigeste. Vastavalt Syme'i disartikulatsiooni juhistele olid arterid kinni pandud ja suured veenid suletud nii palju kui võimalik, arvestades seda, et see kõik toimus ilma kirurgilise tiimita purjeka kajutis. Tavaliselt suletakse väiksemad veresooned protseduuri ajal elektrokoagulatsiooni abil, aga mõrtsukas ei vaevunud seda tegema. Tal kas polnud vajalikku varustust või ..."

„Seda polnud vaja," jätkas Hunter. „Ta teadis, et ohver sureb mõne tunni, võib-olla koguni mõne minuti jooksul. Ta ei tahtnud lihtsalt, et ohver sureks verekaotuse tõttu liiga kiiresti."

„Pean sellega nõustuma," sõnas Hove. „Jalad amputeeriti kindlasti esimesena. Mõrtsukas kattis köndid marlitampoonidega, mille sidus kinni elastse sidemega. Hästi tehtud."

„Tahad öelda, et see oli professionaalselt tehtud?" küsis Garcia.

„Arvan küll, aga enne seda puistas ta haavadele Cayenne'i pipart."

„Cayenne'i pipart?" Garcia kibrutas laupa. Ta mõtles selle peale ühe sekundi. „Jeesus!"

Hunter kandus mälestustes tagasi purjejahile ja selle kummalise terava lõhna juurde, mida oli kajutis tundnud. Ta teadis, et oli seda varem tundnud, aga polnud aru saanud, mis see on. „Ta ei kasutanud seda valu suurendamiseks," ütles ta, taibates, mida Garcia kahtlustas, ja jättis selle versiooni kohe kõrvale. „Seda kasutati verejooksu peatamiseks."

„Kuidas palun?"

„Robertil on õigus," tähendas doktor Hove. „Cayenne'i pipart on aastaid kasutatud loodusliku ravina. Täpsemini vere hüübimise kiirendamiseks."

Garcia pilk kandus Nashorni äralõigatud jalgadele metall-laual. „Nagu kohvipuru?"

„Jah, kohvipuru võib samamoodi toimida," kinnitas doktor Hove. „Mõlemad reageerivad kehal vererõhu reguleerijana, mis tähendab, et vigastatud kohale ei koondu suuremat rõhku, mis tavaliselt sellises olukorras juhtuks. Veri hüübib kiiresti, kui rõhk normaliseerub. See on vana nipp, aga toimib alati. Saatsin sideme juba laborisse analüüsi."

„Kas mõrtsukas kasutas muude amputeerimiste puhul samasugust meetodit?" küsis Garcia.

Doktor Hove kallutas pea küljele ja väänas suud. „Teatud mõttes. Käte arterid ja suured veenid suleti jämeda niidiga, aga nagu te mäletate, polnud haavad kinni seotud. Ja vastandina jalgade amputeerimisele ei kasutatud Cayenne'i pipart käte verejooksu ohjeldamiseks. Ent see, mida tehti, takistas kindlasti ohvrit liiga kiiresti verest tühjaks jooksmast."

„Meil pole veel toksikoloogia analüüsi vastuseid, ega?" küsis Hunter.

„Veel mitte," vastas doktor Hove. „Päeva või paari pärast. Oletan, et saame samad tulemused südame tööd reguleerivate ravimite osas, mida mõrtsukas kasutas esimese ohvriga."

Hunteril oli sama tunne, aga ta märkas doktor Hove'i käitumises veel midagi. Miski nagu häiris naist. „Kas midagi on veel?" küsis ta.

Doktor Hove tõmbas sügavalt hinge ja torkas käed pika valge kitli suurtesse taskutesse. „Sa tead, et ma olen pikka aega patoloogina töötanud, Robert. Ja LA-suguses linnas näeb selles ametis peaaegu igapäevaselt kõige hullemat, milleks inimesed on võimelised. Aga ma pean ütlema, et kui meie seas liigub tõeline kurjus või tõeline deemon, siis see mõrtsukas on seda. Ja mind ei üllataks sugugi, et kui te selle mehe tabate, kasvavad tal peas kuradi sarved."

Hunter ja Garcia tardusid paigale, kui neile meenus purjejahi kajutist leitud skulptuuri tekitatud vari nagu mingi korduv õudusunenägu.

„Üks hetk." Garcia tõstis käe, vahetades seejärel Hunteriga kiire rahutukstegeva pilgu. „Miks sa nii ütlesid, doktor?"

Doktor Hove pöördus. „Kohe näitan, miks."

Nelikümmend kaks

Alice lõpetas järgmise toimiku lugemise ja vaatas kella. Ta oli sellega tegelenud kolm ja pool tundi ega olnud ikka leidnud midagi sellist, mida tasuks rohkem uurida. Ta oli läbi lugenud 38 dokumenti 46-st, mille tema rakendus oli ära tähistanud. Ta raputas pahaselt pead, silmitsedes kahte puutumata toimikute kasti oma laual. Ta oli kindel, et seekord oli ta hauganud suurema suutäie, kui suudab alla neelata. Ta vajas tervet hulka lugejaid ja võib-olla veel paari programmeerijat, et need dokumendid õhtuks läbi vaadata. Võib-olla peaks uurima hoopis seda, mida uue skulptuuri tekitatud vari tähendada võib. Võib-olla annab see tulemusi.

Alice valas endale kohvi juurde ja toetas selja vastu seina. Pilk peatus korraks fototahvlil ja kõige selle jõhkrus pani ta värisema. Kuidas võib keegi olla nii julm? Nii väärastunud? Ja samas nii nutikas, et mõelda välja need skulptuurid ja varjukujutised? Ja nii nutikas, et minna kellegi teise koju või jahile, piinata neid mitu tundi, lõikuda nad tükkideks ja seejärel märkamatult lahkuda? Jätmata maha niidiotsi, välja arvatud need, mida ta tahtis, et politsei leiaks?

Alice sundis end pilku mujale pöörama, püüdes neid kujutluspilte vaimusilma eest tõrjuda. Tähelepanu koondus taas põrandal olevatele dokumentidele. Pealmisel lehel oli juurdluse number ja süüaluse või süüdimõistetu nimi. Ta põrnitses neid mõnda aega, mõtted tiirlesid peas ringi, otsides võimalusi. Ta oli vaadanud läbi mitmed juhtumid, milles Andrew Nashorn oli olnud juhtivuurija, ja käputäie neid, milles ta oli osalenud uurija või taustajõuna. Peaaegu kõigi puhul oli tegemist jõuguliikmete, röövlite, varaste ja pisipättidega. Isikuid, kes Alice'i meelest polnud võimelised selleks, mida see mõrtsukas tegi. Ta kahtles tõsiselt, kas leiab sealt mingi seose, ent ta polnud isegi alustanud nende isikute kontrollimist, kes võinuks süüdistada isiklikult Derek Nicholsoni ja California osariiki nende kohtuasja kaotamises.

Ta võttis kohvisõõmu liiga kiiresti ja kõrvetas suulae ära. Järsku ta peatus, kui aju paiskas õhku uue mõtte, mille aluseks oli nimelt seose puudumine nimekirjade vahel.

Arvuti taga istudes võttis Alice ekraanile varem kirjutatud rakenduse koodi. Tal oli vaja teha vaid mõned muudatused ning uus otsimis- ja võrdlemistööriist on olemas. Tal kulus vajalike muudatuste tegemiseks pool tundi. Alice kasutas oma salasõna, et lasta uuel rakendusel siseneda Los Angelese prokuratuuri andmebaasi. Hunter oli andnud talle salasõna, mis võimaldas tal saada ühenduse LAPD ja üleriigilise kurjategijate andmebaasiga.

Kuni programm otsimisega tegeles, jätkas Alice toimikute lugemist.

Rakendus pidi saama ühenduse ja otsima kahest erinevast andmebaasist, mis asusid kahes eri kohas – ta oletas, et see võtab tükk aega. Esimesed vastused tema esialgsete otsingukriteeriumite põhjal tulid 35 minutit hiljem. 34 esile kerkinud nime. Alice otsis välja nende juhtumite kokkuvõtted ja printis välja. Ta luges need läbi, tehes lehekülje äärele märkusi. Number 24 kokkuvõtet lugema hakates tundis ta, et läheb üleni külmaks. Ta pani paberi käest ja lehitses kiiresti ülejäänud lehti, otsides vastet, millele rakendus oli viidanud.

Alice ahhetas ehmunult ja õhk pahises kopsudesse nagu külm tuul.

„Nii, see on väga huvitav."

Nelikümmend kolm

Doktor Hove suunas Hunteri ja Garcia pilgud tagasi esimesele lahkamislauale ja Nashorni kehaosadele.

„Pea lõigati otsast viimasena," ütles ta lähemale astudes, keeras Nashorni pead ja paljastas suure haava näo vasakul poolel. „Aga nii sai mõrtsukas ohvrist jagu. Väga tugev löök näkku. Arvatavasti mingisuguse raske metallist või puidust relvaga, näiteks toru, kurikas või midagi."

Garcia käänas oma kaela küljelt küljele, nagu oleks krae ebamugav.

„Tema lõualuus oli kolmes kohas mõra," jätkas doktor Hove, viidates alalõuale – samale poolesentimeetrisele läbi naha tunginud luutükile, mida Hunter oli purjejahi kajutis näinud. „Luukillud tungisid talle suhu. Osad läbistasid igemeid nagu naelad. Hoop lõi kolm hammast välja."

Garcia tõmbas teistele märkamatult keelega üle hammaste ja summutas värina.

„Kriminalistid leidsid kõik kolm hammast kajutist," ütles Hove.

„Nii et hoop näkku lõi ta teadvusetuks?" küsis Hunter.

„Täiesti kindlalt, aga vastupidiselt esimesele ohvrile, kes oli põhimõtteliselt voodihaige ega suutnud mõrtsuka sadistlikele soovidele vastu hakata ka teadvusel olles, oleks see ohver võinud lihtsalt vastu hakata. Füüsiline tervis oli hea, arvestades tema vanust ja asjaolu, et üks tema kops oli osaliselt kahjustatud."

Doktor Hove viitas kehaosadele lahkamislaual. „Käte ja jalgade lihased olid piisavalt tugevad, mis viitab regulaarsele trennile. Ta oli aktiivne."

„Aga randmetel ega käsivartel polnud silmaga nähtavaid sidumise jälgi," sõnas Hunter, kummardudes lähemale, et silmitseda laual olevaid kehaosi hoolikamalt.

„Õigus," nõustus Hove. „Kriminalistid ei leidnud ka midagi, mis viitaks sellele, et ohver oleks tooli või millegi muu külge seotud olnud."

„Sa tahad siis öelda ..." sekkus Garcia, „... et ohver oli kogu selle protseduuri aja teadvuseta."

„See oleks olnud loogiline järeldus."

Hunter tunnetas doktori hääles kõhklust. „Oleks olnud?"

„Löök näkku lõi ta kahtlemata teadvusetuks, aga uinutita oleks valu ta teadvusele toonud kohe, kui mõrtsukas lõikama hakkas."

„Seega manustati talle uimastavat ainet," lausus Garcia.

„Oleksin seda toksikoloogia analüüsi vastuste selgumiseni ise ka arvanud, kui poleks seda ..." Hove osutas väiksele, umbes seitsmesentimeetrisele luutükile, mis oli pandud lauale Nashorni jalgade kõrvale.

Hunter vaatas seda ja kallutas pea pisut murelikuna kuklasse. „Selgroolüli?"

„Kaelalüli," lisas doktor Hove.

„Mis asja?" Garcia kummardus lähemalt vaatama.

„Osa kaelakaarest," selgitas Hunter.

„Ja mida see tähendab?"

Doktor Hove pöördus Garcia poole. „Püüan seda selgitada nii, et ei peaks pikka loengut kaela ja lülisamba kohta. Need on lülid C5–C7." Ta osutas taas luutükkidele laual. „Kael koosneb lülidest C1–C7 ja need asuvad lülisamba ülemises otsas." Ta puudutas Garcia kaela, näitamaks, kus on nende täpne asukoht inimese kehas. „C1 on kõige ülemine kaelalüli, kolju vastas, ja C7 kaela alumine lüli – lülisamba ülemise osa algus. See on lülisamba väga haavatav osa ja selle mis tahes kahjustus võib kaasa tuua halvatuse. Sõltub suuresti sellest, millise lüli juures kahjustus on. Mida lähemale koljule, seda haavatavam koht ja seda valdavam on halvatus. Saad seni aru?"

Garcia noogutas nagu koolipoiss.

„Kui vigastus on üleval C1, C2 või C3 juures, võib see põhjustada tetrapleegiat – halvatuse kaelast allapoole ja närvisüsteemi väljalülitumise – ehk allpool kaela ei tunne inimene midagi. Ent see võib lihtsasti ka hingamistakistuse tekitada ja hingamisaparaadi abita saabub surm väga kiiresti."

Hunter tundis, et süda hakkab kiiremini põksuma, taibates, mida doktor Hove järgmisena ütleb.

„Vigastus C4 kaelalüli piirkonnas ehk kaela poole peal …" Hove puudutas taas Garcia kaela, viidates selle asukohale, „… võib põhjustada tetrapleegiat ja närvisüsteemi tundetust, ent harva hingamistakistust." Ta pidas vahet, kaaludes oma sõnade tõsidust.

„Meil on tema lülisamba see väike osa olemas seetõttu, et kui ohvril pea maha lõigati, tehti sisselõige vahetult pärast C7 lüli – kaela alumises osas. Pead ja kaela uurides avastasin, et seljaaju oli C4 lüli kohal läbi lõigatud. Ta oli tahtlikult kaelast allapoole halvatuks tehtud. Suur osa kehast ei tundnud mitte midagi."

Garcia tundis, kuidas külm higi hakkab mööda selga nirisema. „Pea nüüd hoogu, doktor. Kas sa tahad väita, et mõrtsukas halvas ta?"

„Just seda ta tegigi."

„Kuidas?"

„Ma näitan."

Doktor Hove pööras Nashorni äralõigatud pea ringi, osutades kuklale. Umbes üheksa sentimeetri kaugusele kolju alumisest osast oli umbkaudu kahe ja poole sentimeetrine värske horisontaalne sisselõige.

„Mõrtsukas lõikas terava noaga kuklal tema seljaaju läbi."

„Sa *teed* nalja." Miski kiskus Garcia sisemuses kokku.

„Kahjuks mitte. Nagu öeldud, on see mõrtsukas kurjuse kehastus – deemon inimese nahas. Kes sellise asja peale üldse tuleb?"

„Kriipsujuku," vastas Hunter.

Teised vaatasid teda, nagu oleks ta tulnukas.

„Seda kutsutakse kriipsujukuks," jätkas Hunter. „See oli võte, mida kasutasid sadistlikud üksused Vietnami sõja ajal. See polnud muidugi nii täpne. Sõja ajal lõid sõdurid noa ohvrile selga ja lõikasid lülisamba mis tahes kohast läbi. Vahel oli halvatus kaelast saadik, vahel ainult jalad, vahet polnud. See tähendas, et ohver ei saanud vastu hakata."

„Sa ei taha ometi öelda, et mõrtsukas on Vietnami sõja veteran?" küsis Garcia.

„Tahan öelda vaid seda, et see võte pole uus väljamõeldis."

„Kuna seljaaju on nahale väga lähedal, ei pea sisselõige väga sügav olemagi," selgitas doktor Hove. „Kui nuga oleks tunginud paar sentimeetrit sügavamale, oleks see ohvri hingetoru läbi lõiganud ja ta oleks surnud peaaegu kohe."

„Oh pagan, seega pole kahtluski, et mõrtsukal on meditsiinilised teadmised," sõnas Garcia, taganedes sammukese.

„Minu arvates mitte mingisugust," kinnitas Hove. „Ta teadis, et peab lõikama seljaaju läbi C4 lüli juures, et ohver oleks kaelast allapoole halvatud, seejuures hingamisorganeid kahjustamata. Ja just seda ta tegigi. Sinna juurde peaaegu täiuslik Syme'i disartikulatsiooni protseduur, õigete veenide sulgemine pärast amputeerimist ja jalaköntide kinnisidumine. See tegelane võiks olla haiglas kirurg."

Nelikümmend neli

„Mõrtsukas halvas ohvri, lõigates kuklal noaga tema seljaaju läbi?" Kapten Blake'i hääl oleks äärepealt vääratanud, kui ta luges lahkamisaruande koopiat, mille Garcia oli talle ulatanud. Hunter noogutas.

Ringkonnaprokurör Dwayne Bradley istus ühel kahest nahktugitoolist kapten Blake'i laua ees. Ka temal oli käes aruande koopia.

„Pidage," ütles ta pead raputades. „Selle järgi mõjutas seljaaju läbilõikamine ka närvisüsteemi, nii et ohver oli tundetu ega tundnud valu."

„Jah," vastas Garcia.

„Milleks siis seda teha, kurat võtaks? Kui mõrtsukas tahtis, et ohver kannataks, miks siis tunnetus ära võtta? See on kuradima arusaamatu." Bradley põsed hakkasid juba veidi roosaks tõmbuma.

„Sest mingil põhjusel soovis mõrtsukas, et ohver tunneks teistsugust valu," ütles Hunter, toetades küünarnukki vastu raamaturiiulit. „Psühholoogilist valu."

Bradley kõhkles hetke.

„Kujutlege, et peate vaatama, kuidas teie enda keha moonutatakse ja tükeldatakse, teie enda veri pritsib laiali, aga te ei tunne midagi, ei suuda reageerida. Kujutlege, et peate vaatama iseenda surma nagu filmi ekraanil. Te teate, et olete suremas, aga ei tunne seda."

Ringkonnaprokurör Bradley pilk püsis Hunteril, kui ta vastas. „Te ikka oskate võigast pilti maalida."

„Kui kaua see kestis?" küsis kapten. „Pean silmas tükeldamist, psühholoogilist piinamist?"

„Raske öelda, aga arvestades seda, kui kaua aega kulub kehaosade küljest lõikamiseks ja verejooksu ohjeldamiseks nii nagu seda oli tehtud, siis rohkem kui tund, võib-olla kauemgi."

„Kuradi raibe," sosistas Bradley ja pööras aruande lehte. „Siin on kirjas, et surmaaeg on nelja ja seitsme vahel päeval."

„Jah," kinnitas Garcia.

„Ja surnukeha avastas kella kaheksa paiku naine ühelt naaberpurjekalt?"

„Jah," vastas Garcia.

„Kas me saime midagi sadama turvakaameratest?" küsis kapten Blake. „Edasi-tagasi käivaid inimesi?"

Garcia turtsatas naerma. „Me küll lootsime seda, aga nad kasutavad ikka vana süsteemi. See salvestab videokassettidele, kui suudate seda uskuda. Ja see on rohkem kui kaks kuud rivist väljas olnud."

„Tüüpiline," tähendas ringkonnaprokurör. „Kuidas ukselt uksele või antud juhul siis purjekalt purjekale küsitlusega läks? Mitte keegi ei näinud kedagi, kes ei peaks seal olema, ja kes lahkus sadamast selle aja paiku, kui ohvri purjekast hakkas valju muusikat kostuma?"

„Ma ei usu, et mõrtsukas nii loll on," sõnas Hunter.

„Loll? Mis mõttes?"

„Me ei saa seda küll kuidagi kinnitada, aga Nashorni purjejahil oleval muusikakeskusel oli äratuse funktsioon. Arvan, et mõrtsukas seadistas taimeri, et muusika hakkaks mängima vähemalt pool tundi pärast tema lahkumist. Kui lisada sinna juurde asjaolu, et inimesed hakkavad tõsiselt närvi minema alles siis, kui vali muusika on tükk aega mänginud, siis oli mõrtsukas ammu läinud selleks ajaks, kui see kedagi häirima hakkas."

Kapten sulges aruande ja lükkas selle oma laua serva poole. „Aga ohvri korter? Kas me sealt leidsime midagi? Arvuti, mobiiltelefoni?"

„Kriminalistid leidsid sülearvuti," vastas Hunter. „Nad tegelevad praegu sellega, uurivad faile, fotosid, meile, kõike, mida leiavad. Mobiili ei olnud."

„Nashorn oli valmis minema oma kahenädalasele puhkusele," täiendas Garcia. „Nii et tõenäoliselt oli tal telefon kaasas. Arvame, et mõrtsukas võttis selle kaasa, viskas vette või hävitas muul moel."

„Võime hankida tema numbri, võtta ühendust teenuse-pakkujaga ja siis edasi vaadata," ütles ringkonnaprokurör Bradley.

„Me juba tegime seda," lausus Hunter. „Telefon on välja lülitatud, nii et kui seda pole hävitatud, siis ei saa seda otsima hakata enne, kui see sisse lülitatakse. Aga võib-olla saame tema kõnede väljavõtte."

„Võib-olla ei ole vastuvõetav," teatas ringkonnaprokurör. „Alice hangib selle teile." Ta vaatas korraks kella.

„Olgu," sõnas Hunter. „Ma lähen täna veel korra ka Amy Dawsoni juurest läbi."

Ringkonnaprokurör Bradley ja kapten Blake kissitasid silmi ja raputasid kergelt pead.

„Derek Nicholsoni tööpäevade hooldusõde," tuletas Hunter neile meelde. „Tahan näidata talle Andrew Nashorni fotot ja kontrollida, kas tema oli see teine mees, kes peale ringkonna-prokurör Bradley Nicholsonil külas käis. Me ei tea ikka veel, kes see teine külaline oli. Me oleme seda Los Angelese maakonna prokuratuuridest kontrollida lasknud, aga mitte keegi pole endast märku andnud. Nii et peame eeldama, et teine külaline ei olnud kolleeg prokuratuurist."

Bradley noogutas.

Kapten Blake hakkas pliiatsiga lauda kopsima, mõeldes nüüd millelegi muule. „Ütle mulle üht," alustas ta Hunteri poole pöördudes. „Tean, et mõlema mõrva teguviis on sama, aga see, mida Dwayne ütles, pani mu mõtlema. Miks panna esimene ohver kannatama füüsiliselt ja teine vaimselt? See on arusaamatu."

„Nagu alati, kapten," vastas Hunter.

„Jajah, aga minu meeleheaks. Kas sinu arvates võib olla tegemist rohkem kui ühe kurjategijaga? Kaks inimest, kes teevad ehk koostööd. Üks, kes vihkas Nicholsoni ja teine Nashorni? Võib-olla nad kohtusid vanglas. Istusid samas kohas, aga erinevate kuritegude eest. Neist said sõbrad. Neil oleks olnud mitu aastat aega julma kättemaksu haududa."

„Täiesti võimalik," nõustus Bradley.

„See on vähe tõenäoline, arvestades seda, mida ohvritega tehti."

„Kuidas nii?"

Hunter läks ruumi keskele. „Kui mõelda mõlemas kuriteos väljendunud psühhoosi tõsidusele ja teo enda hullumeelsusele, on peaaegu võimatu, et ründajaid on kaks. Kuriteopaigad viitavad pisima detailini mõrtsuka väljaelatud sundmõttele. Võtame kas või need skulptuurid. Psühholoogilisel tasandil on võimatu, et see saaks olla sarnane. Ohvrite tapmine, nende keha tükeldamine ja inimese kehaosadest skulptuuri tegemine pakub talle naudingut. See rahuldab tema sees midagi, mida mõistab ainult tema ise. Mitte keegi teine ei saaks samasugust rahuldust. Selline psühholoogilise häirituse tase ei saa olla kellelgi teisel. See on sama mõrtsukas, kapten. Uskuge mind."

Neid segas koputus uksele.

„Jah," hõikas kapten Blake.

Uks avanes poolenisti ja Alice Beaumont pistis pea sisse. Ta oli käinud prokuratuuris lugemas toimikuid, millele ta interneti kaudu ligi ei pääsenud. Tema silmad läksid üllatusest suureks ja ta seisis liikumatuna. Ta ei teadnud, et Hunter ja Garcia olid surnukuurist tagasi ning tal polnud aimugi, et ringkonna-prokurör Bradley on siin.

Kõik pöördusid Alice'i poole.

Kolm sekundit vaikust.

„Vabandust, et segan." Alice'i pilk liikus ruumis ringi, veendumaks, et kõik teda kuulavad. „Aga ma vist leidsin viimaks midagi."

Nelikümmend viis

Ringkonnaprokurör Bradley andis Alice'ile märku edasi tulla, nagu oleks see tema kabinet, ja ootas, et naine sulgeks enda järel ukse.

„Mida sa siis teada said?" küsis Bradley, visates lahkamisaruande koopia kapten Blake'i lauale.

„Vaatasin kogu hommikupooliku läbi pikka nimekirja neist kurjategijatest, kelle kohtuasjas olid prokuröriks Derek Nicholson." Alice noogutas Hunterile. „Seekord läksin ajas tagasi viisteist aastat. Otsisin kahte ohvrit siduvaid juhtumeid. Ennekõike isikut, kelle Nashorn vahistas ja kelle kohtuasjas oli prokuröriks Nicholson." Ta võttis rohelisest plastkaustast neli paberilehte ja ulatas ühe kõigile ruumis viibijaile. „Kõikidest kurjategijatest, kelle Nashorn kaheteistkümne uurijana töötatud aasta jooksul vahistas, oli Nicholson kolmekümne seitsme juhtumi prokuröriks."

Kõik vaatasid nimekirjas olevaid nimesid.

„Kolmkümmend seitse? Siin on ainult kakskümmend üheksa nime," ütles ringkonnaprokurör Bradley veidi kulme kergitades.

„Sellepärast, et ma kontrollisin neid kolmekümmend seitset," selgitas Alice. „Kaheksa inimest on juba surnud. Häda on selles, et kõik need kolmkümmend seitse olid tavalised tänavapätid — relvastatud rööv, kallaletung, narkoäri, prostitutsioon, peksmine, jõuguliikmed ja muu säärane. Kui ma nende tausta kontrollisin, ei leidnud ma muud, kui kooli pooleli jätnud ja kehva haridusega inimesi, kes olid pärit purunenud kodudest ja kel olid vägivaldsed vanemad. Inimesed, kel on äkiline iseloom ja kes ei sobi selle mustriga."

„Mis mustrist sa räägid?" uuris ringkonnaprokurör.

„Nicholsoni lahkamisaruandes on kirjas, et mõrtsukal on mingisugune meditsiiniline taust," jätkas Alice.

„Mis sai kinnitust pärast Nashorni lahangut täna hommikul," lisas Garcia.

„See kinnitab minu väidet," sõnas Alice. „Selles nimekirjas olevatel kurjategijatel ei ole sellist haridust, mida on vaja nende mõrvade sooritamiseks, mida meie uurime. Neil lihtsalt poleks selleks teadmisi, kannatlikkust ega ka otsustavust, et ohvrit tükeldada ja skulptuure luua."

„Te tahate siis öelda, et ükski selle nimekirja nimedest ei vääri edasist uurimist?" küsis kapten Blake meloodilisel häälel.

„Milleks see siis meile anda?" Ta viskas nimekirja hooletult oma lauale.

„Ei," vastas Alice samasugusel hääletoonil. „Tahan öelda seda, et see on minu arvamus. Ma koostasin selle nimekirja, sest see on minu töö. Ringkonnaprokuröri juures töötatud aja jooksul olen aru saanud, et aeg on igas juurdluses hinnaline vara, aga kui teil on vahendeid ja aega kontrollida kõiki kahtekümmend üheksat nime selles nimekirjas, siis palun laske käia."

Ringkonnaprokurör Bradley naeratas nagu uhke isa, vaadates kapten Blake'i poole. Puudu olid vaid sõnad „tubli tüdruk".

Hunter nägi kapteni lõualihast tõmblemas. „Aga sa pole selle pärast elevil," sekkus ta kähku. „Sa leidsid midagi muud, eks ole?"

Alice'i pilku tekkis sära. „Kui olin selle nimekirja läbi vaadanud, tuli mulle üks mõte. Arvasin, et võiksime seda vaadelda teise nurga alt."

„Ja mis nurk see on?" Kapteni hääl oli endiselt sapine.

Alice läks kapteni lauaserva juurde. „Mis siis, kui isik, keda me otsime, on seotud ainult ühe, mitte mõlema ohvriga?"

Kõik kaalusid seda veidi aega.

„Aga milleks siis teine tappa?" küsis Garcia.

Alice tõstis nimetissõrme püsti, nagu öeldes „See ongi põhiküsimus."

„Sest seos on mujal." Ta ei andnud kellelegi aega selles kahelda. „Kirjutasin seda silmas pidades rakenduse, mis otsis prokuratuuri andmebaasist – täpsemalt Nicholsoni kohtuasju. Seejärel üritas rakendus seostada vasteid Nashorni vahistatud kurjategijatega."

„Milliseid kriteeriume sa kasutasid?" uuris Hunter.

Alice kallutas pea küljele ja kehitas õlgu. „See oligi minu probleem. Spekter oli lai, nii et otsustasin alustada kõige lihtsamast, mida Robert soovitas – pereliikmed või sugulased, seades esikohale need, kes olid viimasel ajal vabadusse pääsenud või tingimisi vabastatud." Ta pidas vahet ja liigutas pead küljelt küljele. „No mitte just viimasel ajal, sest vaatasin läbi viimased viis aastat."

„Ja …?" Kapten Blake toetas küünarnuki oma pöördtooli käetoele ja lõua kergelt sõrmenukkidele.

„Ja mul vist vedas, sest leidsin vägagi tõsiseltvõetava kandidaadi."

Nelikümmend kuus

Alice lasi suunurkadel veidi kerkida ja võttis oma rohelisest plastkaustast neli väljaprinditud politseifotot.

„See on Alfredo Ortega."

Ta jagas paberilehed laiali. Foto tundus vana. Sel oleval isikul oli ebasümmeetriline nägu, kandiline lõug, terav nina, kõrvad, mis tundusid pea jaoks liiga väikesed, puseriti hambad ja paksud huuled – mitte just kena mees. Juuksed olid süsimustad ja pikad, ulatudes üle õlgade.

„Olgu pealegi," sõnas kapten. „Ta on kurjakuulutava moega. Mis värk temaga on?"

„Härra Ortega oli Mehhiko päritolu Ameerika kodanik. Ta töötas LA kaguosas ühes laos laotöölise ja kahveltõstuki juhina. Ta oli suur mees – 193 cm ja kaalus 110 kg. Selline tüüp, kellega nalja ei tehta. Ühel vihmasel augustikuu päeval ei tundnud ta end väga hästi, oli vist söönud midagi, mis oli halvaks läinud. Pärastlõunal hakkas ülemusel temast kahju ja ta käskis Ortegal koju minna. Ortega oli olnud selleks ajaks abielus kaks aastat – lapsi polnud. Ta jõudis koju tavapärasest varem ja leidis oma naise Pami teise mehega voodist. Too teine mees oli üks Ortega joomasemudest."

Garcia krimpsutas nägu. „Kuramus, see ei saa hea olla."

Alice kandis keharaskuse teisele jalale ja jätkas. „Ärritumise asemel jättis ta nad sinnapaika, sõitis tükk maad eemal asuvasse San Bernardinosse naise vanemate koju, tappis naise ema, isa, vanaema ja noorema venna. Koera ei puutunud. Pärast veresauna lõi ta neil kõigil pea maha ja pani söögilauale."

Neli paari silmi vaatasid murelikult fotolt Alice'i poole. Ta lasi pingel kesta.

„Seejärel sõitis Ortega tagasi LA-sse sõbra koju, kes oli tema naisega maganud. Selleks ajaks oli sõber kodus naise ja lapse juures, kes oli ainult viieaastane." Alice pidas vahet ja tõmbas sügavalt hinge. „Ta tappis nad kõik samamoodi nagu naise sugulased – matšeetega. Jättis pead köögikapile. Pärast seda käis ta rahulikult nende kodus duši all ja sõid nende külmikust toitu. Alles siis naasis ta koju. Ta armatses oma naisega ja lõi tal siis pea maha."

Kõik vahtisid Alice'it peaaegu katatooniliselt.

„Oh sa ... see on *innustav* lugu," ütles Garcia ohates. „Millal see juhtus?"

„Kakskümmend üks aastat tagasi. Ta ei osutanud vahista-misel vastupanu. Kui ta kinni võeti, ütles ta, et teda tabas ajutine hullumeelsus. Sellepärast see oligi vandekohtu istung. Derek Nicholson oli prokurör."

Jahmunud vaikus.

„Ma mäletan seda juhtumit," teatas ringkonnaprokurör Bradley.

„Kas Nashorn vahistas ta?" küsis Garcia.

„Ei saanud vahistada," vastas Hunter pead vangutades. „See juhtus kakskümmend üks aastat tagasi, Carlos. Nashorn polnud siis veel uurija."

„Oodake nüüd." Kapten Blake pani foto oma lauale. „Te ütlesite, et piirdusite oma otsingukriteeriumites viie viimase aasta jooksul vabastatud või tingimisi vabadusse pääsenud isikutega. Kas te tahate öelda, et see tore mees lasti vabaks? Kuidas?"

„Ei." Alice raputas pead. „Vandekohtu otsus oli üksmeelne. Ortegale määrati surmanuhtlus. Ta veetis kuusteist aastat surmamõistetute osakonnas. Hukati mürgisüstiga viis aastat tagasi."

Kõik olid segaduses.

Kapten Blake'i kannatus katkes. „Mis kuradi jama see on?" Ta virutas foto lauale, tõusis ning vaatas kordamööda ringkonnaprokuröri ja Alice'it. „Kõigepealt nimekiri, mida me teie arvates ei peaks uurima, nüüd foto juba surnud inimesest. Mis, pagan, see on? Raiskame-LAPD-aega päev või? Mis debiilikud sul seal töötavad, Dwayne?"

„Sellised, kes sinu jaoskonna debiilikutele tuule alla teeksid, Barbara." Bradley nõksatas peaga Hunteri ja Garcia suunas.

„Alfredo Ortega on seos, mille ma leidsin Nicholsoni poolelt," vastas Alice rahulikul häälel, laskmata konfliktil edasi areneda, ja võttis kaustast järgmise foto. Ta jagas taas kõigile koopia. „Lubage tutvustada Ken Sandsi."

See politseifoto oli oluliselt uuem kui Ortega oma. Sel olev mees tundus olevat kahekümnendates eluaastates. Tema nahk oli kullakarva, aga pigem päevitamisest kui päritolu tõttu. Põsed olid arvatavasti teismeea aknearmidest auklikud nagu käsn. Silmad olid nii tumedad, et olid peaaegu mustad. Tal oli süstiva narkomaani ebamäärane pilk, aga neist väljakutsuvates silmades oli veel midagi – midagi kalki ja hirmutavat. Midagi julma. Tumedad juuksed olid lühikesed ja tal oli näol enesekindel naeratus nagu inimesel, kes teab, et maksab millalgi kätte.

„Olgu pealegi, ja mida see Ken Sands siis endast kujutab?" Alice muigas kavalalt. „Päris palju huvitavat."

Nelikümmend seitse

„Sands kasvas Paramountis koos Ortegaga," luges Alice järgmiselt paberilehelt. „Nad olid parimad sõbrad. Kummalgi polnud vendi ega õdesid ja see tegi nad veelgi lähedasemaks. Mõlema perekond oli vaene. Sandsi isa jõi palju, nii et tema kodune elu polnud just ideaalne. Ta vihkas kodus olemist. Vihkas oma isa ja peksu. Suure osa ajast veetis tänavatel ja koos Ortegaga. Peagi sattusid nad kokku narkootikumide, jõukudega, tulid kaklused – teate küll, kuidas see käib."

Kapten Blake'i lauatelefon helises ja ta sirutas käe toru poole. „Mitte praegu." Ta lõi toru hargile tagasi. „Jätkake."

Alice köhatas kurgu puhtaks. „Sands ja Ortega käisid Paramounti keskkoolis. Ortega oli alla keskmise õpilane, aga Sandsil, kes küll segas tunde, olid paremad hinded, kui võinuks arvata. Kui ta oleks tahtnud ja selleks oleks raha olnud, võinuks ta kolledžisse minna. Nende tänavaelu muutus samas siiski juba kuritegelikuks ja seitsmeteistkümnesena vahistati mõlemad autoärandamise ja marihuaana omamise eest. Nad istusid aasta noortevanglas.

164

See mõjus Ortegale rängalt. Ta otsustas, et ei taha sellise eluga jätkata. Kohtus Pamiga varsti pärast vabanemist. Nad abiellusid paar aastat hiljem. Ehkki ta oli ikka narkomaan, sai ta laos tööd ja kõik viitas sellele, et ta jättis tänavaelu selja taha."

„Aga Sands mitte," järeldas Hunter.

Kiire pearaputus. „Sands mitte. Ta jätkas pärast vabanemist pätielu, aga sai noortevanglas hulga uusi tuttavaid. Ja peagi oli ta juba tõsine narkoärikas."

„Kuidas sa selle info nii kiiresti kätte said?" küsis Garcia.

„Prokuratuuris on põhjalikud toimikud kõigi kohta, keda me oleme hagenud," vastas Alice, noogutas Bradleyle ja avas oma raporti. „Ühel õhtul tuli Sands koju purjuspäi ja narkouimas, läks *jälle* tülli oma sõbratari Gina Valdeziga ja asi kiskus inetuks. Sands pööras ära, võttis pesapallikurika ja peksis Ginat nii, et naine vaakus surmasuus haiglas. Tal oli mõned murtud luud, koljumõra ja ta jäi vasakust silmast pimedaks."

„Milline meeldiv tüüp," tähendas Garcia vastu akent toetudes.

„Sa ütlesid, et otsisid oma rakendusega seoseid pereliikmete ja sugulaste vahel," sekkus Hunter. „Kuidas sul õnnestus Sands Ortegaga seostada?"

„Kuna tema naine oli tapetud, pani Ortega pärast surmanuhtluse määramist lähima sugulasena kirja Ken Sandsi," selgitas Alice. „Nagu öeldud, olid nad nooremana nagu vennad. Sa soovitasid otsida pereliikmeid, jõuguliikmeid, keda tahes, kes vabaduses võiks tahta kellegi teise eest kätte maksta. Noh, Ken Sands igatahes sobib sellesse kategooriasse."

„Ei vaidle vastu," lausus Garcia.

„Aga nüüd läheb asi eriti heaks," lisas Alice. „Andrew Nashorn oli uurija, kes vahistas Sandsi."

Ruumis oleks nagu korraks tekkinud staatiline elekter.

„Sandsi sõbratar Gina kartis teda kohutavalt ja õigusega. Sands oli teda ennegi peksnud, korduvalt, nagu hiljem selgus.

Nashorn oli see, kel õnnestus veenda naist süüdistust esitama, kui viimane oli piisavalt toibunud. Sandsile esitati süüdistus kallaletungis elukaaslasele raskendatud asjaoludel surmava relvaga." "California karistusseadustiku 245. punkti järgi on see kuritegu," lisas ringkonnaprokurör Bradley. Alice noogutas. "Lisaks oli ta vahistamise ajal narkouimas ja tal oli kaasas kilo heroiini ning talle määrati üheksa ja pool aastat vangistust. Ta saadeti California osariigi vanglasse Lancasteris." "Palju sellest aega möödas on?" küsis kapten Blake.

"Kümme aastat. Ja selgus, et kui talle karistus ette loeti ja enne, kui ta kohtusaalist minema viidi, jõudis Sands vaadata Nashorni poole, kes istus prokuröri taga, ja öelda: "Ma maksan sulle kätte."" Alice pani aruande kapten Blake'i lauale. "Ta vabastati pool aastat tagasi."

Aeg peatus mitmeks sekundiks.

"Kas meil on tema aadress?" küsis Hunter.

"Ainult kunagine kodune aadress. Sands ei vabanenud tingimisi, vaid kandis oma karistuse ära – ta ei pea järelevalveametniku ega kohtuniku juures käima. Mingeid piiranguid ka ei ole. Ta võib riigist lahkuda, kui tahab."

"Hästi," sõnas kapten Blake laual olevat paberilehte vaadates. "Otsime ta siis kähku üles ja vestleme temaga pisut." Ta andis Alice'ile märku anda kaust ja aruanne tema kätte.

"Kuni me ta leiame, jäägu see meie vahele," lisas Bradley. "Ma ei taha, et ajakirjandus või keegi teine sellest haisu ninna saaks." Ta vaatas Hunteri ja Garcia poole, nagu läheksid nood siit lahkudes kohe uudist pasundama. "Ja ma pean silmas kõiki. Prokurör ja politseinik on tapetud. Kõik Los Angelese politseinikud ja korrakaitseagentuurid kibelevad süüdlast leidma. Kui see avalikuks peaks saama, tuleb meil tegemist ennenägematu inimjahiga. Nii et mitte sõnagi mitte kellelegi. On selge?"

Hunter ja Garcia ei vastanud. Nad põrnitsesid ringkonna-
prokuröri.

„*On see selge, uurijad?*"

„Kristallselge," vastas Hunter.

Nelikümmend kaheksa

Pärast hommikusi arenguid möödus ülejäänud päev sündmuste-
vaeselt. Mitte midagi uut ei selgunud. Loomulikult oli Alice'ilt
saadud Ken Sandsi aadress vana ja kui Sands vanglast pool aastat
tagasi pääses, ei olnud ta ka esitanud mingeid dokumente,
mis aitaksid teda leida – juhiluba, passi polnud, sotsiaalhoole-
kandes ta end ka registreerinud polnud. Tema sotsiaalkindlustuse
andmetes oli vana aadress.

Hunter lasi otsida pangakontot, gaasi- või elektriarvet,
mida iganes, mis nad õigesse suunda aitaks. Nad kontrollisid ka
Sandsi vanu sõpru. Inimesi, kellega ta veetis aega enne vanglasse
sattumist, inimesi, kellega kohtus vanglas ja kes olid nüüd vaba-
duses, keda iganes. Ent endistelt sõpradelt või vanglasemudelt
info välja pigistamine oli palju keerulisem kui pealtnäha tundus
ja Hunter teadis seda. Los Angelese tänavaseaduste kohaselt oli
kellegi reetmine, eriti veel politseile, surmaga karistatav. Isegi
Sandsi vaenlased ei kibeleks suud lahti tegema.

Hunter oli esitanud palve ka Sandsi ja Ortega vangla-
külastuste andmete saamiseks, aga California privaatsusseaduste
tõttu läheb päev või paar aega, enne kui kohtunik selleks loa
annab ja veel paar päeva, enne kui andmed nendeni jõuavad.

Ken Sandsi sõbratar Gina Valdez, kelle Sands oli peaaegu
surnuks peksnud, oli maamunalt kadunud. Ameerika
Ühendriikides ei ole nime muutmine eriti keeruline protsess.

Ja internetiajastul muutus identiteedi muutmine aina lihtsamaks. Mitte keegi ei teadnud, kas Gina oli nime muutnud või uue identiteedi loonud. Mitte keegi ei teadnud, kas ta on veel LA-s, Californias või ülepea riigis. Aga üks oli kindel – ta ei tahtnud, et teda leitaks.

LAPD uurijana oli Andrew Nashorn vahel töötanud koos paarilise, uurija Seb Stokesiga. Stokes polnud Ken Sandsi vahistamises osalenud, aga Hunter helistas talle sellegipoolest. Nad leppisid kohtumise kokku järgmiseks hommikuks,

LAPD IT-üksuse juht Brian Doyle oli õhtupoolikul Hunteriga ühendust võtnud ja teavitanud teda sellest, mis tal oli õnnestunud Nashorni korterist leitud sülearvutist kätte saada. Hunter ja Garcia uurisid tund aega saadud meile ja seda, mis oli koostatud arvuti internetiotsingute ajaloo põhjal. Selge oli see, et Nashorn kasutas erinevaid eskortteenuseid, millest paljud tegelesid fetišite, sidumismängude ja sadomasoga. Oli ka mitmeid pornolehekülgede külastusi ja ehkki paljud neist olid karmivõitu, ei olnud ükski neist ebaseaduslik.

Meilides polnud midagi kahtlast, ei ähvardusi ega ka midagi, mida saaks ähvarduseks pidada. Ka polnud nad teinud edusamme Derek Nicholsoni pärast haigestumist külastanud teise isiku tuvastamisel. See, mida Nicholsoni hooldusõde oli öelnud oma patsiendi soovi kohta südametunnistust kergendada ja kellelegi millegi kohta tõtt rääkida, ketras endiselt Hunteri mõtetes.

Tema ja Garcia tuhnisid ülejäänud päeva internetis, otsides midagi, mis kas või ebamääraselt sarnaneks kujutisele, mille tekitas seinale Nashorni kehaosadest moodustatud skulptuur. Nad ei leidnud midagi, mis kogu selle asjanduse moodi oleks. Sarvedega, moonutatud pea kujutas enamasti saatanaid või deemoneid. Ja see kehtis kogu maailma religioonide, usundite ja kultuuride kohta. Olemas oli ka mütoloogilisi sarvedega jumalaid, nagu Kreeka jumal Paan, või isegi Apollo ja Zeus, keda alguses kujutati sarvedega mehena. *Kurat või jumal,* mõtles Hunter. Valik on sinu. Ilma igasuguse pidepunktita oli see sama nagu heleda juuksekarva otsimine liivarannast. Teine osa kujutisest oli veelgi ebamäärasem. Kaks kogu seisid ja kaks olid pikali maas, peaaegu teineteise otsas. Hunter ja Garcia ei leidnud mitte midagi ning Hunter pidi hakkama kaaluma võimalust, et Alice'il võib õigus olla. Võib-olla polnud sel kujutisel mingit varjatud tähendust. Mitte midagi religioosset. Mitte midagi mütoloogilist. Mitte mingeid paralleele. Võib-olla oli tähendus niisama lihtne nagu Alice oli oletanud – julm mõrtsukas vaatab alla oma ohvrite peale. Kaks tapetud, kaks veel. Ja see tähendas, et ta tapab uuesti.

Nelikümmend üheksa

Õhtusöögiaeg oli möödas, kui Hunter Lennoxisse naasis ja auto Amy Dawsoni maja ette parkis. Taas juhatas Derek Nicholsoni tööpäevade hooldusõde ta viisaka naeratuse saatel majja, ent seekord kööki.

Majas oli tunda mõnusat küpsevate tomatite, basiiliku, sibula, tšilli ja vürtside lõhna.

„Mu abikaasa vaatab elutoas mängu," selgitas Amy. „Ta on tõsine Lakersi fänn ja kui ta hoogu satub, on ta vahel üsna häälekas. Te pole ju vastu, kui räägime siin, ega?"

„Muidugi mitte," kinnitas Hunter. „Teen nii kiiresti, kui saan."

Amyl oli seljas õhuke lilleline kleit ja jalas kummist plätud. Tema rastapatsid olid lahti harutatud ja juuksed olid nüüd kohevas hobusesabas. Ta pakkus Hunterile istet ühel kokku-pandava plastlaua ümber oleval toolidest.

„Kui te oleksite veidi varem tulnud, oleksite meiega õhtust süüa saanud."

Hunter naeratas. „See on teist väga lahke ja ma tänan, aga arvatavasti oli sedapidi paremgi. Kui mulle anda maitsvat kodust makaronirooga, võin süüa sama palju kui kaalun ... võib-olla rohkemgi."

Amy peatus ja vaatas Hunterit kahtlevalt. „Kust te teate, et ma täna makaronirooga tegin?"

„Ee ... selle imehea aroomi järgi teie köögis." Hunter kehitas õlgu. „Isetehtud vürtsikas tomatikaste?"

Amy ei suutnud üllatust varjata. „Just. Minu ema retsept. Meile kõigile meeldib see teravana."

„Mulle ka." Hunter noogutas enne istumist. Ta ootas, kuni Amy istus tema vastu teisele poole lauda. „Tahtsin veel korra rääkida sellest teisest mehest, kes härra Nicholsonil pärast tema haigestumist kodus külas käis."

„Mulle pole midagi uut meenunud," vastas naine siiralt kahetsevalt.

„Sellest pole midagi. Tahtsin teile tegelikult näidata üht fotot, et te ütleksite, kas see võib olla sama inimene, kes tol päeval härra Nicholsoni külastas."

„Olgu pealegi." Amy naaldus ettepoole, pannes küünar-nukid lauale.

Pere lemmik Screamer hakkas köögiukse taga haukuma. Amy krimpsutas häiritult nägu. „Vabandage mind korraks, uurija." Ta tõusus ja avas ukse, aga ei lasknud koera sisse. „Delroy," hõikas naine. „Kas saaksid Screameri välja viia? Ma ei saa praegu temaga tegelda."

„Ma vaatan mängu," vastas vali bariton.

„Kas sa võiksid siis paluda Leticial ta üles viia?"

„Leticia," hüüdis Delroy veel valjemini. „Tule võta oma koer, enne kui ma ta ära kägistan."

Amy sulges pead vangutades ukse. „Palun vabandust," ütles ta tagasi tulles. „Vahel ajab see koer mu hulluks. Abikaasa kah."

Hunter naeratas. „Pole midagi." Ta pani Andrew Nashorni A4 suuruses foto Amy ette. „See on isik, keda ma silmas pidasin." Amy võttis foto ja silmitses seda.

„Mul on kahju, uurija, aga see pole tema. See mees oli kindlasti noorem ja saledam." Amy pani foto lauale tagasi.

Hunter noogutas, aga ei puutunud fotot. „Kuidas oleks temaga?" Ta võttis teise foto. See oli Ken Sandsi politseifoto. Hunter oli võtnud ühendust California osariigi vanglaga Lancasteris ja saanud Sandsi veidi uuema foto, mis oli tehtud tema vabastamise päeval. Juuksed olid pikad ja sassis ning ta oli lasknud endale ette kasvada hõreda puhmas habeme. Tema näojooni polnud näha.

„See on temast kõige viimane foto," selgitas Hunter. Ta teadis, et Sands oli sel välimusel lasknud tekkida meelega. Paljudel keskmist ja pikka vanglakaristust kandvatel vangidel oli sarnane välimus. See oli levinud võte, et kinnipidamissüsteemile ei jääks neist head hiljutist fotot. Pikad juuksed ja puhmas habe aeti maha varsti pärast vabanemist. „Olen kindel, et tal pole enam näo ümber nii palju karvu." Hunter näitas naisele veel üht fotot, mis oli tehtud Sandsi vahistamise ajal. „Selline oli ta kümme aastat tagasi."

Amy võttis foto Hunterilt vastu. Ta silmitses seda pikalt. Hunter lasi tal segamatult uurida nii kaua kui vaja.

„See võis olla tema," vastas Amy viimaks.

Hunter tundis sisemuses kerget surinat.

„Aga ma ei ole muidugi kindel. Sel mehel, kes härra Nicholsoni tol päeval külastas, ei olnud habet ega pikki juukseid. Tal oli ülikond seljas."

„Saan aru."

Amy pilk püsis kogu selle aja tal käes oleval fotol. „Aga see võis olla tema."

Viiskümmend

Veri oli põrandal ja seintel hüübinud ja kuivanud ning kui punased verelibled surid ja hakkasid lagunema, taandus ka kummaline metalne lõhn, andes maad palju vängemale lehale – umbes nagu halvaks läinud liha ja hapuks läinud piim. Paljud neist, kes on viibinud jõhkra kuriteo paigas, väidaksid, et just selliselt vägivaldne surm lõhnabki.

Hunter seisatas taas Nashorni purjejahi kajuti uksel. Üksinda keset ööd uuesti mõrvapaikades käimine oli talle peaaegu sundmõtteks saanud. See andis talle võimaluse segamatult ringi vaadata, kiirustamata, üritades murdosa sekundi jooksul siseneda mõrtsuka mõttemaailma. Aga kuidas saada aru arusaamatust?

Hunter oli lugenud kriminalistide mõrvapaiga raportit mitu korda. Paljud jalajäljed kajuti põrandal, mida ta oli näinud eelmisel päeval, olid väga vasturääkivad ja neid ei saanud seostada ühegi kindla jalanõu suurusega. Verd oli maas nii palju, et niipea, kui mõrtsukas jalga liigutas, vajus veri peale ja hägustas jalajälje piirjooni. See muutis kriminalistide töö palju keerulisemaks. Kriminalistide tiimi juht Mike Brindle oli Hunterile päeval öelnud, et nad olid märganud jalajälgede puhul midagi veidrat. Kehakaalu jagunemine oli olnud ebaühtlane. See tähendas, et mõrtsukas kõndis asümmeetrilise hälbega – nagu lonkaks või siis kandis meelega vale suurusega jalanõusid. See oli trikk, mida Hunter oli ka varem näinud. Kriminalistid ei suutnud ka talla mustrit kindlaks teha, mis viitas sellele, et mõrtsukas oli katnud jalanõude talla paksu kile või millegi sarnasega. See selgitaks ka, miks väljaspool kajutit veriseid jalajälgi polnud.

Brindle oli Hunterile kinnitanud, et tema tiim jättis kajuti maha sellisena nagu nad selle eest leidsid. Esemed, mis olid laborisse analüüsimiseks kaasa võetud, olid kirjas Hunteril kaasasoleval paberil. Kõik muu oli jäänud oma kohale.

Hunter tõmbas kaitseülikonna luku kinni ja astus kajutisse. Ta ei muretsenud kuriteopaiga rikkumise pärast, vaid ei tahtnud, et jalanõud ja riided veriseks saaksid või selle jälgi haisu külge võtaksid. Ta teadis, et kui see hais kanga sisse imbub, ei saa sellest enam mingi pesu ega keemilise puhastusega lahti. See oli psühholoogiline. Aju seostab neid riideid selle lõhnaga, isegi kui lõhna ennast ammu pole.

Ta seisatas keset kajutit ja lasi pilgul aeglaselt üle selle libiseda.

Kas mõrtsukas oli juba pardal, kui Nashorn purjekale tuli?

Kajutiuksel polnud sissemurdmise jälgi, ehkki nende kahe luku muukimine poleks kogenud inimesele mingi probleem.

Hunter tegi enam-vähem sama, mida nad olid Garciaga eile teinud, veendumaks, et nad midagi kahe silma vahele ei jätnud. Ta läks väikese külmiku juurde ja avas selle. See oli korralikult varustatud – mitu pudelit vett, juustu, sinki ja palju õlut. Ta vaatas uuesti ka prügikorvi – šokolaadibatooni ümbris ja tühi kuivatatud liha kott. Õllepurke polnud. Väikeses köögis polnud ka klaase väljas. Kui Nashorn kellegi enne kaheks nädalaks mere minemist pardale kutsus, siis tõenäoliselt mitte lobisemiseks.

Mis siis juhtus?

Garcia oli päeval välja käinud mõtte, et võib-olla ähvardas mõrtsukas Nashorni kaldal mingisuguse relvaga, sundis teda ust avama ja lõi teda siis näkku. Arvestades mõlemat kuriteopaika ja doktor Hove'i järeldust, et mõrtsukas eelistab elektrilist kööginuga, oli see teooria Hunteri meelest väga ebatõenäoline. Sellele mõrtsukale ei meeldinud tulirelvad.

Ta läks läbi kajuti kaugema seina juurde, kus oli kõige rohkem verd. Tool, mille pealt Nashorni surnukeha oli leitud, oli laborisse viidud, ent selle asukoht oli teibiga tähistatud. Hunter seisatas selle keskel ja vaatas ringi. Peita polnud kuhugi. Kui keegi olekski üritanud end varjata, oleks teda kohe märgatud, kui ta just kääbus polnud. Nashorn oleks ukselt näinud kogu kajutit, välja arvatud tualettruumi, aga ka ainult siis, kui selle uks oli kinni. Kui mõrtsukas end seal varjas, oleks tal olnud kaks valikuvarianti – oodata, kuni Nashorn tualettruumi ukse avab ja anda talle siis piki pead selle relvaga, mida kasutati, või avada uks ise ja tormata Nashornile peale kohe, kui ta kajutisse sisenes.

Hunter nägi selles teoorias kohe kahte puudust. Nagu kõikides väikestes kajutites, nii polnud ka siin tualettruum kuigi suur. Doktor Hove oli kindel, et Nashorn oli löödud uimaseks üheainsa jõulise hoobiga näkku ning see oli tulnud paremalt vasakule ja hooga. See polnud vannitoas seistes võimalik. Ruumi lihtsalt polnud piisavalt. Kui mõrtsukas tualettruumist välja tormas, oleks tal kulunud Nashornini jõudmiseks vähemalt kaks-kolm sekundit olenemata sellest, kus viimane seisis. Sellest oleks piisanud, et Nashorn oleks rünnakut märganud ja võtnud sisse kõige lihtsama kaitseasendi – käed näo kaitseks üles tõstetud. Ehkki käed olid keha küljest ära lõigatud, polnud käelabadel ega käsivartel kaitsehaavu.

Hunteri pilk libises veel korra üle kajuti ja jäi pidama mootoriruumi väikesel luugil mootoriaugu peal. Nagu enamik asju kajuti selles otsas, oli ka see kaetud kuivanud verega. Kuna eile õhtul olid kriminalistid kibelenud sündmuspaigal tööd alustama, polnud Hunter saanud mootoriauku põhjalikumalt uurida. Ta kükitas selle kõrvale ja avas luugi. Mootoriruum oli väike, enam-vähem tavalise seinakapi suurune. Mootor võttis suure osa ruumist enda alla. Veri oli luugi vahelt sisse

immitsenud ning tilkunud mootori ja õliplekilise põranda peale.
Hunter kavatses luugi sulgeda, kui märkas midagi. Verejälge
üle mootori keskmise osa. Mitte luugi vahelt tilkunud veri,
vaid verepritsmed. Hunter oli sellist pritsmemustrit palju
kordi näinud – haavapritsmed, mille tavaliselt tekitas pöörlev
liigutus, nagu näiteks siis, kui ründaja lööb ohvrit näkku.
Löögi mõjul ohvri kael pöörduks ja haavast lendaks kitsas
kaares verd.

Hunter võttis kriminalistide raporti ja otsis fotod kähku
välja. Kui ta leidis, mida otsis, hakkas aju täispööretel tööle,
kalkuleerides kõiki võimalusi. Ta kummardus, pistis pea auku
ja näperdas mootori alumist poolt, nagu otsides midagi. Kui ta
käe tagasi tõmbas, oli see kaetud õhukese ligase vedeliku kihiga.

Hunter tundis, kuidas veri soontes kuumeneb. „Nutikas
raibe."

Viiskümmend üks

Kell üheksa hommikul tundus tolmustelt tänavatelt kiirgava
kuumuse tõttu nagu oleks ahjuuks lahti tehtud. Hunter istus
Seward Streetil Grubi kohviku ühes õuelauas. Suur valge
päikesevari, mis oli laua keskele torgatud, pakkus väga meel-
divat varju. Kohvikut ümbritsevat puidust võreaeda kattev
pügatud roheline hekk, mis oli täis tikitud lillakaspunaseid õisi,
tekitas maakoha tunde, ehkki see asus West Hollywoodist vaid
natukene ida pool.

Andrew Nashorni kunagine paarimees uurija Seb Stokes
oli teinud ettepaneku, et nad kohtuksid siin. Ta saabus paar
minutit pärast Hunterit, seisatas ukse juures, mis viis hoovi, ja
silmitses inimesi täis laudu. Ta oli suur mees. Tema päevinäinud

175

püksid oli paisuval kõhul pingul ja pintsak nii kitsas, nagu võiks rebeneda kohe, kui Stokes õlgu kehitab või aevastab. Juuksed olid hõredad, helepruunid ja kammitud üle pea asjatus katses varjata kiilast pealage. Tal oli sellise inimese tülpinud ilme, kes on teinud liiga kaua sama tööd ja hakanud seda vihkama. Ehkki nad polnud varem kohtunud, tundis Hunter ta kohe ära ja tõstis käe, et teise tähelepanu köita. Stokes tuli tema juurde.

„Näen vist liiga võmmi moodi välja, jah?" Tema hääl oli samasugune nagu välimus, suur, ent väsinud.

„Nagu me kõik," sõnas Hunter, tõustes teise mehe käe surumiseks püsti.

Stokes mõõtis Hunterit pilguga pealaest jalatallani, silmitsedes tema kogu ja riietust. Mustad teksad, kauboisaapad, särk, mille varrukad olid lihaselistel käsivartel üles keeratud, laiad õlad ja jõuline rind, kandilise lõuaga nägu.

„Tõesti või?" tähendas Stokes sapise muigega. „Sa näed välja rohkem nagu sportvõimleja, aga igatahes mitte ühegi mulle teadaoleva võmmi moodi." Ta surus Hunteri kätt. „Seb Stokes. Kõik kutsuvad mind Sebiks."

„Robert Hunter. Ütle mulle Robert."

Nad istusid.

„Nii, tellime." Stokes kutsus menüüd vaatamata ettekandja ja tellis hommikusöögi. Hunter võttis tassi musta kohvi.

Stokes naaldus toolileenile ja avas pintsakunööbid. „Nii et sina oled Andy mõrva juhtuurija?" Ta raputas pead ja vaatas kaugusesse, suunates seejärel Hunterile väsinud silmade pilgu. „On see tõsi, mida ma kuulnud olen? Ta lõiguti tükkideks? Seda et … tükeldati? Pea võeti maha?"

Hunter noogutas. „Tunnen kaasa."

„Ja tema kehaosad jäeti mingi haige skulptuurina lauale?"

Hunter noogutas taas.

„Kas see oli teie arvates jõugu kätetöö?"

„Miski ei viita sellele."

„Mis asja? Üks kurjategija?"

„Meie arvates küll."

Stokes kuivatas vasaku käe peopesaga läikivalt laubalt higi ja Hunter nägi, et tema lõug tõmbus vihaselt krampi.

„See on ikka täiega perses värk. Kuradima argpüks, sitajunn. Politseinik ei peaks nii surema. Tahaksin selle raisaga, kes Andy tappis, viis minutit kahekesi ühes ruumis olla. Vaatame, kes siis keda tükeldab."

Hunteri pilk püsis Stokesil, jälgides, kuidas teine oma emotsioonidest hoogu juurde saab.

„Sa ju tead, et kogu paganama LAPD on selles asjas teile toeks, eks? Mida iganes vaja, mis iganes üksuselt, ainult küsige. Kuradima võmmitapja. Ta saab oma karistuse."

Hunter vaikis.

„See polnud suvaline rünnak, ega? See oli isiklik? Seda et, kas see tundus kättemaksuna?"

„Võimalik."

„Mille eest? Andy polnud teinud välitööd ..." Stokes raputas pead ja kissitas silmi.

„Kaheksa aastat." Hunter vastas ise.

„Just, kaheksa aastat. Ta töötas kontoris, tegeles taustauuringute tegemisega ..." Stokes vaikis ja taipas järsku.

„Oot-oot. Te arvate, et see oli kättemaks mingi juhtumi eest, mida ta uuris rohkem kui kaheksa aastat tagasi, kui ta veel uurijana töötas?"

„Sa olid tema paarimees, eks?"

„Noh, mitte päris. Tegime mitme juurdluse puhul koostööd, aga kui me lõunaringkonnas töötasime, polnud enamike juhtumite puhul vaja rohkem kui ühte vanemuurijat. Tegelesime paljude lihtsamate röövide, kallaletungide, koduvägivalla, varguste ja muu säärasega. Andy ja mina uurisime koos paari mõrva, mis olid seotud jõukudega. Tähtsamad juhtumid saadeti kohe teile eriüksusesse."

Ettekandja tõi nende kohvikruusid. Stokesi oma peal oli nii palju vahukoort, et see meenutas lumist kuuske. Hunter ootas, kuni Stokes tühjendas kruusi kolm pakikest suhkrut.

„Arvate, et see jätis on mõni neist, kelle Andy ja mina trellide taha saatsime?"

„Hetkel uurime kõiki võimalusi."

„No see on küll kõige totram ja ametlikum uurija vastus, mida mina kuulnud olen." Stokes segas kohvi väikese puidust pulgaga. „Pea nüüd. Te arvate, et see kaabakas tapab veel? Palun ütle, et sa ei tulnud mulle soovitama, et ma oleksin ettevaatlik."

„Ei, ma ei tulnud siia selleks, aga valvas võiksid ikka olla."

Stokes naeris valjusti. Kähedal kurguhäälel. „Mida ma siis sinu arvates tegema peaksin, uurija? Kasutama politsei kaitset? Ostma suurema relva?" Ta naaldus ettepoole nii palju kui kõht võimaldas ja kergitas pintsaku hõlma, et Hunter näeks õlakabuuris relva. „Las tulla. Mina olen valmis." Stokes tõmbus eemale ja silmitses Hunterit. „Ma ei pidanud Andyga nii tihti ühendust, kui oleksin pidanud. Ma ei tööta enam lõunaringkonnas. Läksin pärast lahutust lääneringkonna Hollywoodi üksusesse."

„Millal see oli?"

„Seitse aastat tagasi. Aasta pärast seda, kui Andy kuuli sai. Aga Andy oli liikuv inimene. Ta ei töötanud küll enam tänaval ega olnud nii heas vormis kui varem, kuul kopsus hoolitses selle eest, aga ta polnud ka mannetu. Ja oli ta alati valvel, saad aru? Kõigi suhtes ettevaatlik. Ja ma tean, et tal oli alati relv kaasas. Kuidas üks pätt ta niimoodi kätte sai? Varitses tema paadis?"

Hunter naaldus tooli seljatoele ja pani jala üle teise. „Ei. Ta teeskles mehaanikut."

Viiskümmend kaks

Garcia ärkas üldiselt vara. Ta jõudis enamasti tööle enne teisi, aga täna hommikul oli ta laua taga tavapärasest veel varem.

Tal polnud magamisega selliseid probleeme nagu Hunteril, aga mitte keegi ei suuda tegelikult oma mõtteid kontrollida ega ka seda, mida alateadvus pinnale toob, kui inimene silmad suleb. Ta üritas mitte abikaasat üles äratada, aga ehkki ta lebas vaikselt ja liikumatult, tunnetas Anna mehe ebamugavustunnet nagu roomaks see üle tema naha. Ta tunnetas seda alati.

Garcia oli kohtunud Anna Prestoniga üheksandas klassis. Anna ebatavaline ilu köitis paljude poiste tähelepanu, aga see hüpnotiseeris Garciat ja ta armus tüdrukusse peaaegu kohe. Noorukina oli Garcia vaikne ja väga häbelik. Tal kulus kümme kuud julguse kogumiseks, et kooli tantsupeol Anna juurde minna ja kogelda: „Kas sa ... ee ... tahaksid ... tantsida ...?"

„Jah," vastas tüdruk naeratusega, mis võttis Garcial põlvist nõrgaks.

„Seda et ... minuga ... kas sa tahaksid minuga tantsida ...?"

Anna naeratas laiemalt. „Jah, hea meelega."

Tantsupõrandal kohmakalt aeglase loo rütmis liikudes sosistas Anna Garciale kõrva: „Miks sul nii kaua aega läks?"

Garcia võttis lõua tema õlalt ära ja vaatas Anna pruunikasrohelistesse silmadesse. „Mis asja?"

„Viis koolipidu. See on sel aastal viies koolipidu. Miks sul minu tantsima kutsumisega nii kaua aega läks?"

Garcia kallutas pea küljele ja vastas ettevaatlikult: „Ma ... mulle meeldib daamidel oodata lasta."

Mõlemad naersid.

Nad hakkasid tollest õhtust kohtamas käima.

Garcia tegi abieluettepaneku kolm aastat hiljem vahetult pärast kooli lõpetamist.

Kui temast sai LAPD uurija, oli ta endale lubanud, et ei võta koju kaasa seda groteskset maailma, kuhu töö teda viis. Ega räägi oma päevast Annaga mitte kunagi. Mitte sellepärast, et see oleks keelatud, vaid ta armastas naist liiga palju ega määriks tema mõtteid iialgi oma igapäevase reaalsuse ja kujutluspiltidega. Ta polnud seda lubadust kordagi rikkunud.

Eile hilisõhtul voodis lebades oli Anna end Garciale lähemale pressinud ja talle kõrva sosistanud.

„Kui sa kunagi peaksid tahtma rääkida, siis tead, et olen alati sulle toeks. Olgu, mis on."

Garcia oli tema poole vaadanud ja juuksesalgu hellalt naise näolt lükanud. „Ma tean." Ta naeratas. „Kõik on korras." Ta suudles naist huultele.

Anna pani pea tema rinnale ja sulges silmad. „Ma armastan sind," ütles ta.

Garcia hakkas tema pead silitama. „Mina sind ka." Und ei tulnudki.

★ ★ ★

Garcia istus näoga fototahvli poole. Ennekõike keskendus ta fotole teise skulptuuri tekitatud varjust. „Mida kuradit ta meile öelda üritab?"

„Küsisin endalt öö otsa sama," sõnas Alice tema selja taga seistes.

Garcia võpatas toolil. Ta polnud tähele pannud, kui naine sisse astus. „Oh sa poiss," ütles ta kella vaadates. „Sa oled varakult ärkvel."

„Või hilja, oleneb sellest, kuidas võtta." Naine pani oma lauale mõned kaustad.

„Ei saanud und?"

„Ma ei tahtnudki magada. Iga kord, kui silmad sulgesin, söötis mu aju ette järgmise õuduse."

Garcia grimassitas nägu, andes mõista, et teab täpselt, mida ta tunneb.

Alice võttis ühe kausta, mille oli kaasa toonud, ja ulatas Garciale.

„Mis see on?"

„Alfredo Ortega ja Ken Sandsi vanglatoimikud ja külastusandmed." Garcia silmad läksid suureks. „Tõesti? Ma ei teadnud, et selleks juba luba anti."

„See on üks eeliseid, kui ringkonnaprokurör, Los Angelese linnapea ja politseiülem on juhtumi lahendamisest eriti huvitatud. Kõik käib palju kiiremini. Need faksiti täna varavalges minu kontorisse."

„Kas oled need juba läbi vaadanud?"

Alice lükkas lahtised juuksed mõlema käega kõrva taha. „Jah."

Garcia vaatas endal süles olevat toimikut.

„Ma loen kiiresti." Alice naeratas. „Tähistasin osad kohad ära." Ta mõtles ümber. „Tegelikult päris paljud. Alusta sinisest, Alfredo Ortega toimikust. Mäletad, ta pandi vangi üksteist aastat enne Ken Sandsi."

Garcia kuulis Alice'i hääles midagi. „Ja ma saan aru, et sa leidsid miskit."

„Oota, kuni oled mõlemad toimikud läbi lugenud." Alice istus oma laua servale, rahulolev naeratus näol. „Pead ise lugema, et seda uskuda."

Viiskümmend kolm

Uurija Seb Stokes katkestas pika kohvisõõmu ja pani kruusi lauale. Nüüd oli tema ümara nina otsas vahukooretups. Ülemise huule kohal olid peaaegu täiuslikud valged kohevad vuntsid. „Mehaanik?" kordas ta, pühkides pabersalvrätiga vahukoore näolt. „Kas see raibe jäi turvakaamerasse?"

„Ei, turvakaamera ei töötanud," vastas Hunter rahulikult. „Need ei tööta mitte kunagi, kui vaja. Kuidas te siis teate, et mõrtsukas esines mehaanikuna?"

„Avastasin eile öösel, et Nashorni paadi mootorist tilkus õli. Ta pidi samal päeval, kui ta tapeti, minema oma tavapärasele kahenädalasele puhkusele. Arvan, et ta märkas probleemi purjejahti üle vaadates, ja teadis, et ei saa vigase mootoriga merele minna. Liiga ohtlik."

„Jah, Andy oli selline. Väga põhjalik. Ja ta polnud hooletu. Kas sa sadamast küsisid? On neil mehaanikute nimekiri olemas?"

„Ma kontrollisin." Hunter jõi kohvi. „Neil pole sadamas kindlat mehaanikut, aga neil on nimekiri mehaanikutest, keda nad soovitavad. Nashorn ei võtnud sadama kontoriga ühendust, et mõne mehaaniku nime küsida, aga enamikel paadiomanikel on nagunii oma usaldusväärne mehaanik."

„Kas Andyl ka?"

Hunter noogutas. „Keegi Warren Donnelly. Rääkisin temaga eile õhtul. Ta ütles, et Nashorn ei võtnud temaga õlilekke osas ühendust."

„Nii et te arvate, et mõrtsukas rikkus mootori enne, kui Andy purjekale jõudis," sõnas Stokes Hunter näost lugedes. „Võib-olla isegi paar päeva enne seda."

„Võimalik."

„Ja siis pidi vaid läheduses passima, jälgima, ootama õiget hetke, et oma teeneid pakkuda."

„Sellest teooriast me lähtumegi," kinnitas Hunter.

„Aga miks mitte varjata end kajutis ja oodata, kuni Andy tuleb? Milleks ajada olukord selle mehaaniku-juraga keerulisemaks?"

„Ma ei tea," tunnistas Hunter. „Võib-olla sellepärast, et see oli väike purjejaht. Kajut oli veel väiksem. Seal polnud ruumi end peita. Nashorn oleks võõra kohalolekut märganud enne pardale minemist. Mõrtsukas oleks oma eelisest ilma jäänud – üllatusfaktor oleks ära jäänud."

„Ja Andy oli ikkagi politseinik," lausus Stokes, naaldus tooli seljatoele ja tõmbas käega üle koriseva kõhu. „Ja hea politseinik. Ta oleks vähimagi ohumärgi peale relva haaranud ja valvel olnud."

Hunter noogutas taas. „Nashorn oli suur ja tugev mees, kes ilmselgelt suutis enda eest seista. Võib-olla mõrtsukas teadis, et temaga rüselemine pole hea mõte. Asi võinuks tõsiselt kiiva kiskuda. Ja see mõrtsukas ei riski tarbetult."

Stokes hakkas alahuult närima. „Nii et mõrtsukas oli vaja alusele kutsuda. Nii poleks Andy teda kahtlustanud. Pardal oleks kindlasti tekkinud võimalus Andy uimaseks lüüa."

„Arvestades verepritsmete ja hammaste asukoha järgi, tundub, et Nashorn kükitas mootoriava ees. Võib-olla palus mõrtsukas tal midagi vaadata või kinni hoida, kuni võttis kotist tööriista."

„Hammaste?"

„Nashorn sai löögi näkku. See purustas lõualuu ja kolm hammast lendas välja."

Ettekandja tõi Stokesi hommikusöögi lauda. „Olete kindel, et ei taha midagi?" küsis naine Hunterilt.

„Jah, aitäh."

„Olgu, andke teada, kui meelt muudate." Ettekandja pilgutas Hunterile kelmikalt silma, pöördus päkkadel ja eemaldus.

Hunter sügas kergelt kuulihaavast jäänud armi parempoolsel triitsepsil. Ehkki see oli rohkem kui kaks aastat vana, sügeles see vahel kohutavalt. „Mõrtsukas pidi Nashorni südamest vihkama," ütles ta. „Ja sellepärast ma siin olengi. Sa töötasid temaga koos. Olite samas jaoskonnas. Kas sa suudad meenutada mõnd juhtumit, mida te koos uurisite, kedagi sellist, kes võiks millekski selliseks võimeline olla?"

Stokes lõikas oma kartuliomletist tüki ja hoidis seda nagu pitsalõiku. „Pärast seda, kui me eile õhtul telefonis rääkisime, teadsin, et sa seda küsid. Mõtlesin selle peale. Ja ainus selline lurjus, kes mulle meenub, on Raul Escobedo."

„Kes ta on?"

„Sarivägistaja. Mõisteti süüdi kolme naise ründamises Lynwood Parkis ja Paramountis kaheksa kuu jooksul. Tegelikult usume, et ta ründas ja vägistas kümmet ohvrit, aga ainult kolm tunnistasid. Sadistlik raibe. Meeldis neid enne korralikult klobida. Võtsime ta vahele, sest ta tegi enda teadmata vea."

„Millise?" Hunteri huvi kasvas.

„Escobedo sündis LA-s, aga tema vanemad olid pärit väikesest Mehhiko osariigist Colimast."

„Colima vulkaani kodu."

„Just. Kas sa juba teadsid seda?"

Hunter noogutas.

„Häh, mina pidin seda otsima. Igatahes, Escobedo vanemad immigreerusid USA-sse enne, kui ema teda ootama jäi. Nad elasid Santa Inési nimelises linnakeses. Ehkki Escobedo kasvas Paramountis, räägiti tema kodus ainult hispaania keelt. Tema häda oli selles, et Santa Inési elanikud räägivad seda selgelt eristatava aktsendiga. Mina vahet ei tee, aga nii on." Stokes võttis veel ühe suutäie omletti. „Ta polnud kunagi vanemate kodulinnas käinud, aga rääkis Santa Inési aktsendiga nagu kohalik. Ja see talle saatuslikuks saigi. Tema viga seisnes selles, et talle meeldis ohvreid vägistades ropendada. Viimane naine, kelle ta vägistas, oli pärit Las Conhasest, mis on Santa Inési naaberlinn."

„Naine tundis tema aktsendi ära," lausus Hunter. „Enamgi veel." Stokes turtsatas naerma. „Escobedo töötas varem postkontoris teenindajana. Kaks nädalat pärast kallaletungi peatus viimane ohver sõbranna juures South Gate'is. Mehhiko emadepäevani oli nädal aega ja nad läksid kohalikku postkontorisse sõbranna emale kaarti saatma. Ja ennäe, Escobedo oli nende teenindajaks. Tema häält kuuldes hakkas naine värisema ja puha, aga oli tubli. Ta ei läinud endast välja. Paanikasse sattumise ja tüübi minema hirmutamise asemel lahkus ta postkontorist, otsis taksofoni ja helistas meile. Seadsime Escobedole lõksu ja *põmm* – kolm nädalat hiljem tabasime ta teolt, kui ta järgmise ohvri ette võttis. Andy ja mina vahistasime ta." Stokes võttis kohvikruusi kätte ja Hunter tajus tema kõhklust. Ta jättis midagi ütlemata.

„Mis vahistamise käigus juhtus?"

Stokes pani kartuliomleti käest, tupsutas salvrätiga suud ja silmitses üle laua Hunterit. „Nagu üks politseinik teisele?"

Hunter noogutas kindlalt. „Üks politseinik teisele."

„Noh, me klohmisime teda natuke, kui ta kätte saime."

„Klohmisite teda?"

„Tead küll, kuidas asjad käivad. Kui see kõik juhtus, mõllas adrenaliini hullumoodi. Andy jõudis kohale esimesena. Escobedo oli tirinud 18-aastase tüdruku Lynwoodis mahajäetud päästearmee hoonesse. Andy oli algusest peale äkiline ja kannatlikkus ..." Stokes väänas suud küljelt küljele ja kordas sama liigutust peaga. „Seda tal polnudki. Ta sai meie kaptenilt alatasa sõimata, sest läks kergesti närvi. Ta polnud just ettearvamatu, aga üsna piiri peal, saad aru? Kui ta hoonesse jõudis, oli Escobedo jõudnud tüdrukul pluusi seljast kiskuda ja teda

185

tugevasti peksta. See muutis Andy sedavõrd pööraseks, et teda enam ei huvitanud, et ta on politseinik, saad aru?"

Hunter ei vastanud ja mitu sekundit valitses vaikus.

„Tõtt-öelda ..." jätkas Stokes viimaks, „... vääris see lurjus kõiki hoope. Andy tagus tema näo päris segi."

Hunter võttis rahulikult lonksu kohvi. „Kus ta praegu on? Kus Escobedo on?"

„Pole aimugi. See kõik juhtus kaksteist aastat tagasi. Escobedo sai kümme aastat ja istus selle aja ära. Kuuldavasti lasti ta kaks aastat tagasi vabadusse."

Mööda Hunteri selga kulges midagi elektrilaengu sarnast.

„Ja ma ütlen sulle," rääkis Stokes edasi, „et kui see pasakott Andy tappis, siis ..."

„Kus ta istus?" segas Hunter talle vahele, nihutades end tooliservale.

„Mis asja?" Stokes kissitas silmi ja lükkas laubalt pika juuksesalgu.

„Escobedo. Millises vanglas ta istus?"

„Los Angelese maakonnas osariigi vanglas."

„Lancasteris?"

„Jah."

Samas vanglas, kus Ken Sands, mõtles Hunter.

„Tõsiselt, kui Escobedo seda tegi, siis ma ..."

„Sa ei tee mitte midagi," segas Hunter taas vahele. Ta ei tahtnud mingil juhul, et Stokes läheks kohvikust minema, arvates, et sai vihje LA värskeima võmmitapja kohta. See valeinfo lekiks kohe kõikjale ja lõunaajaks tegeleksid pooled linna politseinikud Escobedo jahtimisega. Ta pidi Stokesi maha rahustama. „Kuule, Seb, kui Escobedo on ainuke, keda sa oskad mainida, siis me kontrollime teda, aga hetkel pole ta isegi kahtlusalune. Ta on kõigest üks nimi loetelus. Miski ei seosta teda kuriteopaigaga – sõrmejälgi, DNA-d, kiude ei leitud, tunnistajaid ei ole. Me ei tea seda, kus ta Nashorni mõrva päeval oli või kas tal on üldse oskusi teha seda, mida tehti." Hunter lasi oma sõnadel paar sekundit kohale jõuda. „Sa oled tubli uurija. Ma lugesin su kausta. Tead täpselt, kuidas uurimine käib. Kui praegu jutt laiali läheb, võib kogu juurdlus ohtu sattuda. Ja kui see juhtub, võivad süüdlased vabadusse jääda. Sa tead seda."

„See raibe ei pääse."

„Sul on õigus, ei pääsegi. Ja kui Escobedo on mõrtsukas, siis ma taban ta."

Veendumus Hunteri hääles muutis Stokesi karmi pilgu leebemaks.

Hunter pani lauale nimekaardi ja lükkas selle Stokesi poole. „Kui sulle tuleb meelde veel kedagi peale Escobedo, helista mulle." Ta peatus tõustes. „Ja ole minu meeleheaks valvel, eks? See tüüp on targem kui keskmine pätt."

Stokes muigas. „Ja nagu ma ütlesin ..." Ta patsutas punnitavat kohta pintsaku all, „... las aga tulla."

Viiskümmend neli

Garcia oli äsja lõpetanud Alice'ilt saadud toimikute lugemise, kui Hunter nende kabineti ukse avas. Sõit Grubi kohvikust politseimajja oli võtnud kauem aega, kui ta oli arvanud.

„Pead seda lugema," sõnas Garcia enne, kui Hunter oma laua juurde jõudis.

„Mis see on?"

„Alfredo Ortega ja Ken Sandsi vanglatoimikud ja külastusandmed."

Hunter kortsutas kulmu ja vaatas Alice'i poole, kes valas endale kohvi.

„Kapten käskis tegutseda ja ma tegutsesin," ütles ta asjalikult.

„Sa häkkisid sisse California vanglasüsteemi andmebaasi?" Alice kehitas peaaegu märkamatult õlgu.

„Mis asja?" Garcia turtsatas selle küsimuse peale naerma. „Sa ütlesid, et said need tänu sellele, et ringkonnaprokurör, Los Angelese linnapea ja politseiülem on meie poolel."

Alice vaatas teda viltusel pilgul ja naeratas siis. „Ma valetasin. Palun vabandust. Ma ei teadnud, kuidas sa reageerid asjaolule, et ma rikkusin protokolli. Osad politseinikud on selles osas väga pedantsed."

Garcia naeratas vastu. „Mitte siin."

„Olgu pealegi, mis meil siis on?" küsis Hunter Garcialt.

Garcia keeras esimese toimiku lehti tagasi. „Alfredo Ortega pandi kinni üksteist aastat enne Ken Sandsi, kelle Ortega pani oma andmetes kirja lähima sugulasena, nagu Alice meile eile ütles. Nende üheteistkümne aasta jooksul Ortega kinniminemise ja Sandsi vahistamise vahel käis Ken Sands Alfredo Ortegat külastamas ei vähem ega rohkem kui 33 korda."

Hunter toetus oma laua eesmise serva vastu. „Kolm korda aastas."

„Kolm korda aastas," kordas Garcia noogutades. „Ortega õõvastava kuriteo tõttu oli ta nn surmamõistetute osakonna B-taseme vang, ja see tähendab, et talle olid lubatud vaid kontaktivabad külastused."

„Kõik surmamõistetute külastused toimuvad spetsiaalses ruumis ja vang viiakse sinna käeraudades," selgitas Alice.

„Surmamõistetud vangidele on lubatud piiratud arv külastusi – enamasti kord kolme kuni viie kuu jooksul," jätkas Garcia. „Külastus võib kesta tunni või kaks. Meil on Ortega külastusandmed olemas. Sands jäi iga kord maksimaalseks lubatud ajaks."

„Olgu pealegi. Kas keegi veel Ortegat külastas?" uuris Hunter.

„Kui tema hukkamiskuupäev lähemale jõudma hakkas, käisid tavapärased külastajad – ajakirjanikud, surmanuhtluse vastaste rühmituste liikmed, keegi, kes tahtis temast raamatu kirjutada, vangla vaimulik ... sa tead, kuidas see käib." Garcia keeras lehte. „Aga esimese üheteistkümne vangistusaasta jooksul oli Sands tema ainuke külastaja. Mitte kedagi teist." Garcia sulges toimiku ja ulatas selle Hunterile.

„See oli ootuspärane, et Sands Ortegat vaatamas käis," sõnas Hunter lehti lapates. „Alice'i taustauuringust selgus, et nad olid nagu vennad, nii et seda oli arvata. Kas see on kõik, mida me teame?"

„Ortega külastusandmed näitavad vaid seda, et Sands pidas temaga kogu selle aja ühendust," ütles Alice ruumi nurgas kohvi juues. „Külastused on valvega, ent jutuajamised privaatsed. Nad võisid rääkida millest tahes. Ja ei, see pole kõik, mida me teame." Ta vaatas Garcia poole, nagu öeldes „näita talle".

Garcia võttis teise toimiku ja avas selle.

„See on Ken Sandsi vanglatoimik," selgitas ta. „Ja siinkohal läheb asi kõvasti huvitavamaks."

Viiskümmend viis

Garcia võttis teisest toimikust A4 suuruses paberilehe ja ulatas selle Hunterile.

„Sandsi vanglakülastuste andmed on üsna muljetavaldavad. Teda käis esimese kuue vangistusaasta ajal külastamas üks ja sama inimene neli korda aastas."

Hunter vaatas andmeid. „Tema ema."

„Just. Isa ei käinud kordagi, aga see pole ka nende suhet arvestades üllatav. Ülejäänud kolme ja poole aasta jooksul ei käinud Sandsil mitte ühtegi külastajat."

„Polnud väga populaarne poiss?"

„Ei. Tema ainus tõeline sõber oli Ortega ja too istus San Quentinis."

„Kongikaaslased?" küsis Hunter.

„Jah, üks karm kuju, Guri Krasniqi," vastas Alice.

„Albaanlane, tähtis ninamees," lausus Hunter. „Olen temast kuulnud."

„Tema jah."

Garcia turtsatas naerma. „Noh, meil on suurem võimalus uksest välja minnes ükssarve sitahunnikusse astuda kui Albaania maffiabossi rääkima panna."

Naljatamisest hoolimata teadis Hunter, et Garcial on õigus.

„Sands sai kuuendal vangistusaastal topeltmatsu," jätkas Alice. „Kõigepealt viidi Ortega surmanuhtlus täide ja ta hukati pärast kuutteist aastat surmamõistetute kambris istumist – mürgisüstiga. Pool aastat hiljem suri ajuaneurüsmi tagajärjel Sandsi ema. Sellepärast külastused lõppesidki. Tal lubati ema matustel käia ainult mitme valvuri saatel. Kohal oli vaid kümme inimest. Isaga ei rääkinud ta sõnagi. Ja väidetavalt ei näidanud välja mingeid emotsioone. Mitte ühtegi pisarat."

Hunterit see ei üllatanud. Ken Sands oli tuntud kui „karm tüüp" ja karmide tüüpide jaoks on uhkus kõik. Ta poleks iialgi pakkunud oma isale ega ka vangivalvuritele seda rahuldust, et nutaks nende nähes või väljendaks muul moel leina, isegi kui tegemist oli ema matustega. Kui ta nuttis, siis omaette vangikongis.

Garcia tõusis ja läks ruumi keskele. „Nii, kõik see on väga huvitav, aga mitte nii huvitav, kui järgmine asi." Ta nookas enda käes olevate andmete suunas. „Sa ju tead, et osariigi vangla kui rehabilitatsiooniasutus pakub vangidele kursusi, praktikaid ja tööd, kui vähegi võimalik, eks?" Seda kutsutakse *õppe-kutseharidusprogrammiks* ning nende missioonikirjelduse järgi on see mõeldud ergutama produktiivsust, vastutustunnet ja enda harimist. Tegelikult ei toimi see päris nii mitte kunagi." "Olgu pealegi." Hunter pani käed rinnale vaheliti.

"Osad vangid võivad võtta ka kaugõppekursust, kui selleks avalduse esitavad ja see heaks kiidetakse. Mitmed USA ülikoolid on selle programmiga ühinenud, pakkudes vangidele mitmekesist kraadiõpet."

"Sands õppis ühte neist erialadest," järeldas Hunter.

"Isegi kahte ja omandas kinni istudes kaks ülikoolikraadi."

Hunter kergitas kulme.

"Sands omandas psühholoogiakraadi Ameerika ülikooli kunstide ja teaduste kolledžis Washingtonis ja ..." Garcia heitis pilgu Alice'i poole, kruvides pinget, "... kutsehariduse Massachusettsi ülikoolist õendus- ja hoolduserialal. Lõpetamiseks pole vaja praktilist kogemust patsientidega tegelemisel, aga kursus võimaldas tal lasta endale tuua meditsiinialaseid raamatuid, mida vangla raamatukogus ei olnud."

Hunter tundis kihelust end läbistamas.

"Mäletad, ma ütlesin, et Sandsi hinded olid palju paremad kui nii sõnakuulmatult õpilaselt oodata võiks?" küsis Alice.

"Jah."

"Ta läbis mõlemad erialad suurepäraste tulemustega. Psühholoogiaõppe lõpus sai ta kiituskirja ja õenduserialal olid tal kogu õppimise ajal suurepärased hinded." Alice hakkas näperdama oma hõbedast amulettidega käevõru. "Nii et kui me otsime meditsiiniteadmisi, siis on Sandsil need olemas." Alice jõi kohvi, vaadates Hunterile otsa. "Aga see pole ikka veel kõik."

Hunter vaatas Garciat küsiva pilguga.

"Vanglas ei saa vangid üldiselt vabal ajal teha, mida ise tahavad," luges Garcia laua taha minnes. "Neid ärgitatakse tegelema millegi kasulikuga, nagu lugemine, maalimine või mida iganes. California osariigi vanglas Lancasteris korraldatakse mitmeid ..." Garcia tegi õhus sõrmedega jutumärke, „... „isiksuse arendamise tegevusi." Sands luges palju, laenutas raamatukogust pidevalt raamatuid."

„Häda on selles," lisas Alice omalt poolt, „et raamatukogu register ei ole netis ja ega see mind ka üllata, ent see tähendab, et ma ei saa seda nimekirja süsteemi häkkides, sest seda pole elektroonilisel kujul olemas. Peame ootama, kuni see Lancasterist meile saadetakse."

„Sands veetis ka palju aega jõusaalis," jätkas Garcia märkmeid edasi lugedes. „Aga kui ta parasjagu ei lugenud või mõne kaugõppekursuse jaoks ei õppinud, tegeles ta hobiga, mis tal vanglas tekkis."

„Mis see oli?" Hunter läks veeautomaadi juurde ja lasi endale topsi vett.

„Kunst."

„Jah, aga mitte maalimine või joonistamine," tähendas Alice ja tema käitumine ärgitas Hunterit pakkuma.

„Skulptuur," ütles ta.

Garcia ja Alice noogutasid.

Hunter ohjeldas elevust. Ta mõistis California osariigi psühholoogilist lähenemisviisi rehabilitatsiooniasutustes väga hästi – ärgitada kõiki vange suunama negatiivseid emotsioone millessegi loovasse, konstruktiivsesse. Kõikides California vanglates on põhjalik kunstiprogramm ja nad ergutavad kõiki vange selles osalema. Ja suurem osa osalebki. Kui selles mitte midagi muud kasu pole, aitab see vähemasti aega veeta. Kolm kõige populaarsemat kunstiliiki California vanglates on maalimine, joonistamine ja skulptuur. Paljud vangid tegelevad kõigi kolmega.

„Ja me ei tea ikka Sandsi võimalikku asukohta?" küsis Hunter.

Alice raputas pead. „Ta oleks nagu pärast vanglast vabane-mist õhku haihtunud. Mitte keegi ei tea, kus ta on."

„Keegi teab alati midagi," väitis Hunter.

„See on kindel," nentis Garcia, klõbistades klaviatuuril. Printer tema kõrval hakkas tööle. „See on viimane nimekiri, mida sa palusid," ütles ta, võttis printerist paberilehe ja ulatas Hunterile. „Kõik teised vangid samas blokis, kus Sands kogu oma karistusaja istus. Nimesid on üle neljasaja, aga ma säästan sind vaevast. Vaata teist lehekülge. Tunned kellegi ära?"

Alice heitis Garciale üllatunud pilgu. „Kui sa enne nime-kirja lugesid, ei öelnud sa, et tundsid kellegi ära."

Garcia naeratas. „Sa ei küsinud."

Hunter keeras lehte ja pilk libises üle nimede, peatudes alumise neljandiku peal. „Ära jama."

Viiskümmend kuus

Thomas Lynch, keda tunti paremini Titona, oli jätis, pisipätist narkomaan, kes vahistati seitse aastat tagasi pärast seda, kui toidupoe relvastatud röövi tulemusena said surma poeomanik ja tema abikaasa.

Ehkki röövi ajal olid kahe kurjategija näod kogu aeg kaetud, avastasid Hunter ja Garcia turvakaamera videot vaadates ühe mehe kerge närvilise pealiigutuse. Tikk, mille põhjustas stress. Neil kulus kolm päeva, et Titoni jõuda.

Tito oli pisikurjategija. See oli olnud tema esimene relvas-tatud rööv. Teda veenis selles kaasa lööma teine mees, Donnie Brusco, lootusetu kräkisõltlane, kes oli juba kaks inimest tapnud.

Garcial läks vähem kui tund aega, et Tito rääkima panna. Turvakaamera videolt oli näha, et Tito ei vajutanud päästikule.

Ta oli isegi püüdnud teist maskis meest takistada vanapaari maha laskmast. Garcia veenis Titot, et kui ta teeb koostööd, võivad nad prokurörilt paluda leebemat karistust, kuna see oli Tito esimene tõsine rikkumine. Kui ta koostööd ei tee, saab ta surmanuhtluse.

Tito rääkis ning Donnie Brusco võeti kinni ja mõisteti surma mürgisüsti läbi. Ta istus hetkel San Quentinis surmamõistetute osakonnas, oodates hukkamiskuupäeva. Tito sai kümme aastat relvastatud röövi ja mõrvale kaasaaitamise eest. Hunter ja Garcia pidasid sõna ning kostsid tema eest prokurörile, kes soovitas ennetähtaegselt tingimisi vabastamist. Kui Tito oli kümnest aastast kuus ära istunud, lasti ta üksteist kuud tagasi vabadusse California kriminaalhooldusameti ja kriminaalhooldaja eestkoste alla. Ta oli karistust kandnud California osariigi Lancasteri vanglas – A-vanglablokis. Samas blokis oli istunud ka Ken Sands.

Viiskümmend seitse

Kuna Tito oli California kriminaalhooldusameti jälgimise all, ei olnud teda keeruline leida. Tema aadressiks oli väike korter LA idaosas Bell Gardensis ühes sotsiaalmajas. Kriminaalhooldaja ütles Hunterile telefonis, et Tito on tingimisi vabastatud vangide musternäide. Ta oli alati nende kokkusaamistel õigel ajal kohal, tal oli laos püsiv töökoht ja ta polnud jätnud kordagi vahele iganädalast rühmaseanssi psühholoogiga.

Hunteri ja Garcia esimene peatus oli Tito töökoht, eraomanduses ladu Los Angelese kaguosas Cudahys. Omanik, väga lühike ja väga ümar juudi mees, kes naeratas pidevalt, ütles Hunterile, et reede on Titol vaba päev, et ta tuleb tööle homme, kui nad tahavad tagasi tulla. Laupäeviti töötab ta öises vahetuses, üheksast õhtul viieni hommikul.

Tito sotsiaalmaja oli punastest tellistest kandiline peletis Bell Gardens Parkist lääanes. Maja metallist välisuks kolksatas nagu vanglavärav, kui Hunteri ja Garcia alumise korruse räpasesse koridori astusid. Väikeses ruumis haises vängelt kuse ja läppunud higi järele ning sein oli üleni grafitit täis soditud. Lifti polnud, ainult kitsas must trepp, mis viis viiendale korrusele. Tito korterinumber oli 311.

Grafitit oli seintel ka ülespoole minnes, nagu oleks trepikoda mingi värviline psühhedeelne tunnel. Kolmandale korrusele jõudes võttis neid vastu veelgi vastikum hais kui all – midagi halvaks läinud piima või kuivanud okse sarnast.

„Kuramus," ütles Garcia, pannes käe nina peale. „Siin haiseb nagu solgitorus."

Poole koridori peal vilkus üks vähestest põlevatest fluorestsentslaelampidest nagu diskotuled.

„Ainult muusika puudub," naljatas Garcia. „Ja terve koristusbrigaad desinfitseerimisvahendi ja õhuvärskendajatega."

Korter 311 uks asus täpselt vilkuva lambi all. Nad kuulsid seest hispaania tantsumuusikat. Hunter koputas kolm korda. Uurijad astusid instinktiivselt uksest vastavalt vasakule ja paremale. Kedagi ei tulnud. Hunter ootas umbes viisteist sekundit ja koputas uuesti, pöörates parema kõrva uksele lähemale. Ta kuulis sees liikumist.

Paar sekundit hiljem avas ukse 160 cm pikkune tumedate juustega kahekümnendates eluaastates Ladina-Ameerika päritolu naine. Ta oli ebanormaalselt kõhn. Tema tõmmu nahk klammerdus luudele nagu oleksid need ainsad, mille külge veel klammerduda oli. Pupillid olid kohviubade suurused, pilk eemalolevalt narkouimane. Ta oli paljas, välja arvatud halvasti istuv kimonot meenutav hommikumantel kondistel õlgadel. Ta ei vaevunud seda eest kinni tõmbama.

„Oo, seksikad külalised," ütles ta hispaania aktsendiga, enne kui Hunter ja Garcia end tutvustada jõudsid. „Meile meeldivad külalised. Mida rohkem, seda uhkem." Ta naeratas neile suitsetamisest kollakate hammaste välkudes ja tõmbas ukse laiali lahti. „Tulge sisse ja pidutseme." Ta saatis Hunterile õhusuudluse ja hakkas muusika rütmis kõikuma.

„Mida kuradit sa teed, libu?" Tito astus magamistoast välja, jalas vaid pitsilised lillakaspunased püksikud. „Kobi siia tagasi ja ..." Ta vakatas keset lauset, nähes uusi tulijaid. „Mida perset?" Ta üritas ennast kinni katta. Hunter ja Garcia olid juba korteris sees, mõlemad põrnitsesid Titot – 185 cm pikka, 95-kilost pirnikujulise kehaga meest, kel olid jalas naiste püksikud.

„See pole normaalne," sosistas Hunter.

Garcia raputas pead vaevumärgatavalt. „Kohe üldse mitte."

„Meie peole tuli veel inimesi, musirull," ütles naine ust sulgedes. „Võtame paljaks ja tantsime." Ta lasi hommikumantlil maha kukkuda ja sirutas käe Hunteri särginööpide poole. Hunter lükkas tema käed leebelt eemale.

„Ei, kahjuks ei tulnud me peole." Ta võttis naise hommikumantli maast üles ja aitas talle uuesti selga.

„*Ai, chingado*.* Loll mõrd, kobi tagasi tuppa," ütles Tito, tuli lähemale, tõmbas naise kättpidi eemale ja mässis siis endale valge vannilina ümber.

„Tänan, et end kinni katsid, Tito," ütles Garcia. „Mul hakkaski juba süda pahaks minema."

„Tito, mis seal toimub?" hüüdis teine naishääl magamistoast. Hääl tundus väga noor.

„Mitte midagi, tüdruk. Ole vait, raisk."

---

* hisp k. Oh, kurat.

Garcia naeratus püsis. „Palju sul seal inimesi on, Tito?"

„Pole sinu asi, võmm."

Latiinonaine tundus kohe tõsinevat. „Nad on võmmid?"

„Mis sa ise arvad, juhmakas? Pitsakullerid nad ju pole, kurat võtaks. Kobi nüüd sinna tagasi ja püsi seal." Tito tõukas naise magamistuppa ja virutas ukse kinni. „Mida te tahate? Ja miks te orderita minu korteris olete?"

„Me ei vaja orderit," vastas Garcia toas ringi vaadates. „Meid kutsus lahkesti sisse sinu ... pruut."

„Ta pole mu pruut ..."

„Me peame rääkima, Tito," sekkus Hunter. „Kohe."

„Keri persse, võmm. Ma ei pea teiega rääkima. Ma ei pea sittagi tegema." Tito avas enda kõrval puidust puhvetkapi sahtli ja pistis käe kähku sinna sisse.

Viiskümmend kaheksa

Uurijad tegutsesid otsekohe sünkroonis, nii et Hunter astus vasakule ja Garcia paremale, vahemaa nende vahele laienes ja nad haarasid korraga relva. Mõlemad sihtisid Titole rindu. See käis nii kiiresti, et Tito tardus paigale.

„Rahu, pitspüks," hüüdis Garcia. „Näita käsi, rahulikult."

„Hei, hei." Tito nõksatas eemale ja tõstis käed kõrgele üles. Tal oli käes muusikakeskuse pult. „Püha kurat, poisid. Mis kurat teil kõigil viga on? Ma tahtsin ainult muusika vaiksemaks panna." Ta nõksatas peaaegu märkamatult lõuga vasaku õla poole. Samasugune närviline tikk, mis reetis ta seitse aastat tagasi turvakaamera videol relvastatud röövi ajal.

Hunter ja Garcia lükkasid kaitseriivi tagasi peale ning pistsid relvad kabuuri.

„Mis, kurat, *sinul* viga on?" küsis Garcia vastu. „Peaksid teadma, et võmmide ees selliseid ootamatuid liigutusi ei tee. Saad nii veel surma."

„Seni olen hakkama saanud."

„Tito, istu maha," ütles Hunter, tõmmates väikese elutoa keskel oleva ümmarguse puidust laua alt tooli välja. Tito elu- ja söögituba oli hämar, sisustajaks oli olnud igasuguse stiilitajuta ja tõenäoliselt ka poolpime inimene. Seinad olid määrdunud beeži tooni või olid ehk kunagi valged olnud. Laminaatparketiga põrand oli nii kriimustatud, nagu oleks Tito korteris uisutatud. Haises kanepi ja alkoholi järele.

Tito kõhkles, üritades jätta karmi venna muljet.

„Tito, istu maha," kordas Hunter. Hääletoon ei muutunud, ent tema pilk nõudis kuuletumist.

Tito istus viimaks ja vajus toolil kössi nagu vihane koolipoiss. Lodev paljas ülakeha oli täis tätoveeritud, käsivarred samuti. Paljaks aetud peal oli mitu armi. Hunter oletas, et enamik neist olid vanglas saadud.

„See on täielik pask, mees," ütles Tito, näperdades närviliselt kollast plastist välgumihklit. „Teil pole mingit õigust siin olla. Ma olen puhas nagu kuld. Võite mu kriminaalhooldajalt küsida. Ta kinnitab seda."

„Muidugi oled, Tito," sõnas Hunter talle otsa vaadates ja kopsis kergelt kolm korda oma ninaotsa. „Sa pead silmas valget kulda, eks."

Tito pigistas nina ning vaatas siis oma pöialt ja nimetissõrme. Nende küljes oli valget pulbrit. Ta pigistas kähku nina veel neli-viis korda, nuusatades iga korraga, et jääkidest vabaneda. „Kuule, see on jama. Me lihtsalt lõbutsesime seal toas natuke, saad aru küll? Mitte midagi kanget, mees. Natuke midagi, mis ergutaks. Mul on vaba päev. Lasime ainult auru välja."

„Rahune maha, Tito. Me ei tulnud sind pitsitama ega su väikest pidu rikkuma," ütles Garcia, kallutades pead magamistoa poole. „Nii et taltsuta viis minutit oma erekat. Tahame ainult rääkida."

„Te olete vist laksu all, kutid. Kui mul oleks erekas, kargaksin juba kedagi." Ta noogutas, muie huulil. „Just nii, poisid, mul on naisi jalaga segada."

„Olgu-olgu, pornokunn," sõnas Hunter, seistes teisel pool lauda Tito vastas. „Esitame sulle mõned küsimused ja laseme siis jalga."

„Mis küsimused?"

„Ühe teise vangi kohta Lancasteris."

„Raisk, kutid, kas ma olen infoteenuse moodi?"

Garcia plaksutas korra käsi, nii et Tito vaatas tema poole. „Kuula hoolega, kutt, sest ma ei hakka seda kordama. Ütlesin, et me ei tulnud siia sind pitsitama, aga ma võin ka meelt muuta. Olen kindel, et su kriminaalhooldaja tahaks su väikestest narkopidudest kuulda. Kuidas sulle meeldiks need kolm ja pool aastat, mis sul istuda oleks jäänud, trellide taga veeta?"

„Ja kui jääd vahele uimastite omamise ja võimaliku edasimüümisega, saaksid veel vähemalt paar aastat karistusele otsa," lisas Hunter omalt poolt.

Tito hammustas huulde. Ta teadis, et tal pole pääsu.

„Kuule, Tito, tahame lihtsalt teada, kas sa tead, kust me leiaksime Ken Sandsi nimelise mehe."

Tito silmad läksid suureks nagu tõllarattad. „Te ajate jama."

„Sa seega tead teda," nentis Garcia.

„Jah, tean küll. Kõik A-blokis teadsid teda. Ta on haige raibe. Ikka tõeliselt haige, saate aru? Kas ta põgenes?"

„Ei, lasti pool aastat tagasi vabadusse," vastas Hunter. „Istus oma karistuse ära."

„Ja juba otsivad võmmid teda jälle taga." Tito turtsatas naerma. „Mind see ei üllata."

„Te olite siis vanglas sõbrad?"

„Persse, mees. Ma teadsin, kes ta on, aga käisin temast kauge kaarega mööda. See tüüp oli plahvatusohtlik nagu aatompomm. Vihkas maailma. Aga ta oli tark. Valvurite juuresolekul käitus nagu miisu. Väga viisakalt ja lugupidavalt. Tal ei olnud Lancis õieti mingeid jamasid. Ja tal olid alatasa raamatud käes. Luges nagu hull. Nagu inimene, kel on missioon, saate aru? Samas oli tal teatav maine ja teised temaga ei jamanud."

„Maine?" küsis Garcia.

Tito pea nõksatas taas. „Üks tüüp ülbas temaga korra. Teate küll, selline suur lihaseline gorilla, kes arvab, et on kõva mees. Noh, see tüüp ülbas Keniga kõigi nähes. Ken ei teinud tükk aega midagi. Ootas õiget hetke. Ta oskas olla kannatlik, eks ole? Ei kiirustanud millegagi. Noh, õige aeg jõudis kätte ja ta tasus tollele tüübile duši all. Too ei saanud arugi.

Mitte keegi ei näinud seda pealt. Esialgse ülbamise ja rünnaku vahele oli jäänud nii palju aega, et neid kahte asja seostada oli keeruline, saate aru? Ken ei saanud selle eest karistada."

Hunter ja Garcia teadsid, et sellised juhtumid on vanglas sagedased.

Tito raputas pead ja hakkas jälle plastist välgumihklit näperdama. „See mees ei unusta midagi. Kui tal on sinuga kana kitkuda, siis oled täiega omadega perses, saate aru? Sest ühel päeval maksab ta kätte." Tito köhis, nagu oleks haige. „Olin sel päeval vanglahoovis, kui see suur ambaal Keniga ülbas. Nägin Keni silmis seda pilku. Ma ei unusta seda iialgi. *Mina* hakkasin ka kartma ja see asi ei puudutanud mind kuidagi. See oli nagu talitsetud vihkamine, mõistate? Nagu oleks tema sees saatan või midagi.

Ma pole tema nime Lancist vabanemisest saadik kuulnud. Ja kui ma seda ka kunagi ei kuule, on ikka liiga vara. See tüüp tähendab ainult halba."

„Me peame ta üles leidma."

„Miks te seda minu käest küsite? Teie olete uurijad, onju? Eks uurige siis."

„Seda me teemegi, geenius." Garcia läks kööginurka. Kanepilõhn segunes halvaks läinud piima haisuga. Vanamoeline kraanikauss oli kuhjaga täis musti nõusid. Tööpindadel olid pabertaldrikud, toidukarbid ja tühjad õllepurgid. „Mulle meeldib, mida sa siin teinud oled," ütles Garcia külmiku ust avades. „Õlut tahad?"

„Sa pakud mulle mu oma õlut?"

„Üritan viisakas olla, aga sa rikud selle täiega ära." Garcia lõi külmikuukse kinni ja astus prügikorvi kaant kergitava pedaali peale. Kaas kerkis ja sellega koos vänget kanepi lõhna. „Kuramus!" Garcia taganes sammu ja krimpsutas nägu. „Kas need on plärukonid? Neid on siin üle saja."

„Hei, mida sa teed, mees?"

„Tito ..." Hunter istus tema vastu – see oli vähem heidutav ja ta tahtis, et Tito pisut lõõgastuks. „Me peame Sandsi üles leidma, saad aru?"

„Kuidas, kurat, mina peaksin teadma, kus ta on? Me polnud sõbrad."

„Aga sa olid sõber teistega, kes võivad midagi teada." Hunter jälgis Tito silmade liikumist. Oli näha, et teine sobrab mälus. Mõni sekund hiljem jäi pilk pidama, tardudes ja muutudes veidi eemalolevaks. Hunter taipas, et talle oli tulnud meelde konkreetne isik.

„Ma ei tea, kellelt küsida, mees."

„Tead küll," vastas Hunter.

Nad vaatasid teineteisele korraks silma.

„Kuule, mees." Garcia läks teisele poole lauda. „Me tahame vaid natuke infot. Peame Sandsi üles leidma ja see on väga tähtis. Vastutasuks ei tule järgmise tunni jooksul sulle külla kriminaalhooldaja ja mõni meie kombluspolitseinikust sõber. Olen kindel, et nad otsiksid su elamise hea meelega läbi, eriti selle toa, kus on su kaks noort sõbrannat."

„Oh, see on pask, semu."

„Noh, see on meie ainus pakkumine."

„Raisk." Närvilisele tikile järgnes raske ohe. „Vaatan, mida teada saan, aga ma vajan aega."

„Sul on aega homseni."

„Te teete nalja."

„Kas tundub, et teeme?" küsis Garcia.

Tito kõhkles.

Garcia võttis oma mobiili.

„Olgu, semu, ma vaatan, mida annab välja selgitada ja võtan homme ühendust. Kas te võiksite nüüd minema minna?"

„Veel mitte," vastas Hunter. „Keegi on veel."

„Oo ei, jääb ära."

„Veel üks vang – Raul Escobedo. Oled temast kuulnud?"

Siiasõidu ajal olid Hunter rääkinud Garciale kohtumisest uurija Seb Stokesiga ja et viimane mainis Raul Escobedot.

„Kes?" Tito kissitas silmi.

„Tema nimi on Raul Escobedo," kordas Hunter. „Ka tema oli Lancasteri klient. Seksuaalkurjategija."

„Vägistaja?" Tito kallutas pea kuklasse.

„Jah."

„Ei, mees, pilves oled või? Kas võmmide sõõrikutesse pannakse nüüd savu või?"

„Mulle ei maitse sõõrikud."

„Mulle ka mitte," lisas Garcia.

„Ma olin A-blokis, kus on kõige hullemad väärakad ja isoleeritud vangide osakond. Nad ei oleks eales pannud meie juurde vägistajat, saate aru? Kui politsei teda just surma saata ei tahtnud. Ta oleks tund aega hiljem läbi tõmmatud ja kutu olnud." Tito ei liialdanud. California vanglates kehtis teatud koodeks ja Hunter teadis seda. Kõik vangid, olenemata nende kuriteost, vihkasid vägistajaid. Vanglas olid vägistajad täielik kõnts – argpüksid, kel polnud julgust tõelist kuritegu sooritada ja kes ei olnud piisavalt mehed, et jõudu kasutamata naisi saada. Pealegi oli kõikidel vangidel ema, õde, tütar, abikaasa või kallim – keegi, kes võiks kergesti sattuda vägistaja ohvriks. Vägistajad saadeti enamasti eraldi osakonda või blokki, teistest vangidest eemale, muidu saaks neile kindlalt osaks sama saatus kui nende ohvritele, enne kui nad jõhkralt tapetaks. See oli korduvalt tõestust saanud.

Viiskümmend üheksa

Alice Beaumont ärritus aina enam. Ta oli kogu päeva internetist pilte uurinud ja oodanud California osariigi vanglast Lancasterist soovitud informatsiooni. Hoolimata mitmest telefonikõnest ja tungivatest palvetest ei paistnud neil selle palve täitmisega kiiret olevat.

Piltide uurimine ei andnud mingit tulemust. Ta oli veetnud tunde mütoloogia ja sektide kodulehtedel, aga ei olnud leidnud mitte midagi uut lisaks sellele, mida juba teadis.

Alice ei olnud selline inimene, kes istuks ja ootaks, et teised asjad ära teeksid. Ta pidi kaasa lööma ja tal oli ootamisest kõrini.

Sõit politseimajast California osariigi vanglasse Lancasteris võttis veidi üle kahe tunni. Alice oli helistanud ringkonnaprokurör

Bradleyle ja selgitanud, mida tal on vaja. Kaks telefonikõnet ja vähem kui veerand tundi hiljem oli Bradley kõik ära korraldanud. Vanglaülem Clayton Laver ütles, et Alice võib tulla ise vajalikele paberitele järele. Laver ütles ka, et nad teeksid seda ise, aga neil on liiga vähe töötajaid, liiga vähe raha ja liiga palju tööd, ning neil võib minna veel paar päeva või rohkemgi, enne kui nad seda ise teha saavad.

Alice parkis auto kahest suurest külastajate parklast teise ja läks vastuvõtulaua juurde. Teda võttis vastu vanglaametnik Julian Healy, mustanahaline, 193 cm pikk mehemürakas, kes nägi välja nagu kaljurahn.

„Ülem Laver vabandab," ütles Healy võõrapärase lõunaosariikide aktsendiga. Täishäälikud olid venitatud ja pikad ning tema kõnepruuk laisk, nagu oleks kiiresti kõnelemine liigne pingutus. „Ta on hetkel hõivatud ega saa teiega kohtuda. Mulle anti juhised viia teid, kuhu vaja." Healy naeratas, libistades pilgu aeglaselt üle Alice'i. Alice'il oli seljas tumesinine kostüüm ja helehall siidpluus. Ülemine nööp oli lahti, nii et kael ja peenike valgest kullast briljantripatsiga kett olid näha. „Peate pluusi kinni nööpima. Ja ma soovitan ka jaki kinni nööpida."

„Siin on palav nagu põrgus," ütles Alice, ulatades käekoti mehele läbivaatamiseks.

„See pole midagi võrreldes põrguga, mida kinnipeetavad teile põhjustaksid, kui teid ja teie õhukest pluusi näeksid." Healy vaatas tema kingi. „Hea, et te lahtise ninaga kingi ei kanna."

„Mis lahtiste ninadega kingadel viga on?"

„Te ei kujuta ette, kui paljud kinnipeetavad on huvitatud naiste jalgadest, ennekõike varvastest. Ja eriti veel siis, kui varbaküüned on punased või mingit punast tooni. See ajab nad pöördesse. Sama hästi võiksite olla alasti. Selleks, et üldvangide libiidot mitte erutada, ei tohi külalised lahtiste ninadega kingi kanda."

Alice ei teadnud, mida kosta. Ta ei öelnud midagi.

„Siin on kirjas, et te tahate meie raamatukogu näha?" küsis Healy kaasasolevalt paberilehelt lugedes.

„Jah."

„Mingil kindlal põhjusel?"

Alice silmitses teda hetke.

„Pole minu asi, eks?" Healy naeratas. „Olgu pealegi. Tulge kaasa." Ta läks Alice'i ees külalistealast välja, väljus tagauksest ja kõndis üle kolmerealise tee. Nad olid nüüd vanglakompleksis. Nende taga oli põhjapoolne 800 meetri pikkune müür, hambuni relvastatud valvur iga paarisaja meetri järel tornis seismas. Lancasteri vangla oli mõeldud 2300 kinnipeetavale, ent tegelikult oli vange kaks korda rohkem. Siin oli nii I kui ka IV taseme vange – IV tase tähendas ranget režiimi, mis on California vanglates kõige kõrgem tase, kui surmamõistetute osakond välja arvata. Lancasteris vangivalvurina töötamine oli vägagi kurnav töö.

Nad jõudsid esimese hooneni, mis oli ristkülikukujuline, terasest ja betoonist kahekordne ehitis. Healy tõmbas magnetkaardi välisukse küljes olevast pilust läbi ja toksis sõrmistikule kaheksakohalise numbri. Raske metalluks surises valjusti ja avanes klõpsatuse saatel. Sees oli veel relvastatud valvureid. Kõik nägid välja, nagu suudaksid üle elada ka 8-pallise maavärina. Nad kõndisid läbi hoone vaikides, Healy noogutas kergelt iga kord, kui mõnd valvurit kohtas. Siis väljusid nad esimesest blokist ja läksid edasi mööda käiguteed.

„Raamatukogu asub F-hoone keldris," selgitas Healy. „Sinna saab ka palju otsemalt, aga see tähendaks läbi vangla minemist ja seal on kinnipeetavaid. Püüan lihtsalt olukorra meie mõlema jaoks lihtsamaks teha."

Nad kõndisid umbes kolm minutit. Healy kordas F-hoones protsessi magnetkaardi ja sõrmistikuga ning raske uks vajus lahti.

205

Sees andsid valgust ainult pikad fluorestseeruvad laelambid metall-võrgu all. Nad pöörasid vasakule pikka koridori. Trepi juures pesi põrandat oranžides tunkedes vang. Tema päevitunud lihaselised käsivarred olid täis tätoveeringuid ja arme. Ta katkestas oma tegevuse ja astudes eest, et Healyle ja Alice'ile teed anda. Koridor säras puhtusest, nii et Alice mõtles tahtmatult, kas kinnipeetav alustab otsast peale kohe, kui on põranda pesemisega koridori lõppu jõudnud, korrates seda päikesetõusust päikeseloojanguni.

„Ettevaatust, boss, natuke on libe," ütles mees, pea maas, pilk põrandal.

Raamatukogu oli suurem kui Alice oli arvanud, võttes enda alla kogu keldrikorruse. Healy noogutas välisukse juures seisvale relvastatud valvurile ja suunas Alice'i väiksesse ruumi.

„Palun võtke istet, kuni ma raamatukoguhoidja kutsun. Ta aitab teil vajalikku leida."

Kuuskümmend

Ruum oli ilmetu, kümme korda kuus sammu suur kandiline boks – akent polnud, üks raske uks. Sees oli ainult betoonpõranda külge kinnitatud metall-laud, kaks plasttooli, mis oleksid rohkem sobinud terrassile, ja vänge puhastusvahendi hais. Kui hais kõrvale jätta, meenutas see Alice'ile ülekuulamisruume, mida ta oli näinud politseimajas, välja arvatud seinale kinnitatud suur kahesuunaline peegel.

Möödus terve minut, enne kui Healy uuesti ukse avas. Temaga oli kaasas poole väiksem ja kaks korda vanem mees. Hõredad valged juuksed oli lõigatud lühikeseks korralikuks soenguks. Mehe näol olid sügavad kurbusekortsud, tõestus suures osas trellide taga veedetud elust. Lugemisprillid olid ninal, mille luu oli mitu korda murdunud. Tema silmad võisid kunagi olla karmi ähvardava pilguga, ent nüüd olid need väsinud ja alistunud. Seljas olid mehel kinnipeetava oranžid tunked.

„Meie raamatukoguhoidja on täna haige. See on Jay Devlin, raamatukoguhoidja asetäitja," sõnas Healy. „On olnud üheksateist aastat. Ta teab sellest raamatukogust kõike. Kui tema ei oska teil aidata leida, mida otsite, ei oska keegi."

Devlin noogutas viisakalt, ent ei surunud Alice'i kätt. Ta hoidis käed külgedel ja pilgu maas.

Healy pöördus Devlini poole. „Kui ta tahab minna raamatukogu korrusele, kutsu valvur Toledo teda saatma, kuuled? Ma ei taha, et ta seal üksinda ringi käiks."

„Saab tehtud, boss." Devlini hääl oli ainult natuke valjem kui sosin.

„Kui tahate tualetis käia," pöördus Healy taas Alice'i poole, „tuleb valvur Toledo teiega kaasa ja kontrollib, kas see on tühi, enne kui te sisse lähete. Meil ei ole siin naiste tualettruume, ainult külastajate blokis. Kui olete siin lõpetanud, helistab Jay üles ja ma tulen teile järele."

„Jah, boss," vastas Alice noogutades ja oleks äärepealt kulpi visanud.

Healy kissitas silmi ja vaatas teda pilguga, mis võinuks jääd sulatada. „Loodetavasti meeldib meie raamatukogu teile," ütles ta viimaks, väljus ja lasi uksel enda järel kinni paugatada.

„Ta ei ole naljahammas, ega ju?" sõnas Alice.

„Ei ole," vastas Devlin kühmus seistes. „Valvurid ei naera siin naljade üle, kui need just meid, kinnipeetavaid, ei puuduta."

„Mina olen Alice." Alice sirutas käe.

„Mina olen Jay." Devlin ei surunud tema kätt.

Alice taganes sammu. „Minu soov on lihtne. Tahan loetelu kõikidest raamatutest, mida üks endine kinnipeetav siit raamatukogust laenutas."

„Olgu." Devlin noogutas, pilk liikus uuesti naise näole.
„See peaks lihtne olema. Kas teil on kinnipeetava number?"
„Mul on tema nimi."
„Pole probleemi, sobib ka see. Mis nimi see on?"
„Ken Sands."
Devlini silmalaud värelesid korraks.
„Saan aru, et te teate teda."
Devlin noogutas ja tõmbas kiiruga kaks korda käega üle
suu ja lõua. „Tean kõiki kinnipeetavaid, kes siin käivad. Olen
siin piisavalt kaua olnud. Tegelikult raamatukogu avamisest
saadik. Igale vanglablokile on määratud nädalas oma päev ja
ajavahemik, kui sealsed vangid tohivad raamatukogu kasu-
tada. Erinevate blokkide vange ei ole hea mõte kokku lasta,
saate aru? Aga väga vähesed kasutavad raamatukogu võimalusi.
Kahju. Ken aga istus siin ja luges igal võimalusel. Ta armastas
raamatuid. Õppimist. Käis raamatukogus rohkem kui ükski
teine kinnipeetav eales."
„See on hea. Siis ei peaks meil probleemi tekkima."
„Kui kaua teil aega on?"
Alice muigas. „Kas ta luges nii palju?"
„Ta luges palju, aga häda pole selles. Häda on meie süsteemis.
Seda hakati uuendama ja digitaliseerima alles aasta alguses. Ja
see protsess on väga aeglane. Kuni selle valmis saamiseni peame
kasutama oma raamatute kataloogimiseks vana raamatukogu-
kaardi süsteemi. Ilma arvutiteta." Devlin liigutas pead küljelt
küljele. „Minu jaoks on see hea. Kui uus süsteem valmis saab,
pean muud tegevust otsima. Ma ei oska eriti arvutit kasutada."

Ringkonnaprokuröri juures töötava inimesena mõistis Alice
hästi, miks vangla raamatukogude digitaliseerimise protsess kulges
teosammul. Kõik, mida osariigi valitsus tegi, sõltus eelarvest.
Eelarve oli igal aastal erinev ja seda jaotati vastavalt prioriteetidele.
Kuna California korrektsiooni- ja rehabilitatsiooniametis toimus

nii palju reforme, oli Alice'i arvates vangla raamatukogusüsteemi digitaliseerimine tähtsuse poolest üsna alumises otsas.

„Igal kinnipeetaval on raamatukogukaart," selgitas Devlin üürikese vaikuse järel. „Iga kord kui keegi raamatu laenutab, kirjutatakse raamatu katalooginumber tema raamatukogukaardile koos laenutamise kuupäevaga. Kinnipeetava number pannakse kirja raamatu kataloogikaardile. Nimesid ei kasutata." Alice'i silmad läksid suureks. „Tahate öelda, et ma saan Sandsi raamatukogukaardi, kus on hulk numbreid, mitte raamatute pealkirju?"

„Just. Siis peate seda numbrit raamatu kaardiga võrdlema, et õige raamat leida."

„Aga see on ju napakas süsteem. Nii kulub millegi leidmiseks terve igavik."

Devlin kehitas häbelikult õlgu. „Aega on meil kõigil siin üleliia. Pole mõtet midagi kiiresti teha. Muidu on lihtsalt veel rohkem vaba aega, aga mitte midagi teha."

Alice ei saanud sellele vastu vaielda. „Olgu." Ta vaatas käekella. „Asume siis asja kallale. Kus neid kaarte ja raamatute nimekirju hoitakse?"

„Kartoteegikappides laenutusleti taga raamatukogu korrusel."

„Kutsuge siis valvur. Kui teie süsteem on selline, pole mul siin midagi teha."

Kuuskümmend üks

Valvur Toledo oli Alice'ist 30 cm pikem ja lai nagu kapp. Kitsaste huulte kohal olid tihedad hallisegused vuntsid, pea oli kiilaks aetud ja bakenbardid nagu Elvisel. Ta läks koos Alice'i ja Devliniga raamatukogu põhikorrusele ja võttis sisse koha

209

laenutusletist vasakul – neli sammu peauksest eemal. See, kuidas tema pilk aina Alice'i peale vilas, tekitas viimases äärmiselt ebamugava tunde.

Raamatukogu põhikorrusel oli kohti sajale kinnipeetavale, aga hetkel oli neid siin ainult käputäis, siin-seal laiali paljude plastlaudade ja -toolide taga. Kui nad kõik oma tegevuse katkestasid ja korraga pea tõstsid, et Alice'it põrnitseda, meenutas see stseeni vanast vesternist. Siis kostis vaikne pomin, mis kandus läbi lugemissaali nagu lainetus. Alice ei tahtnud teada, mida nad ütlesid.

„Milliseid raamatuid teil siin on?" küsis Alice Devlinilt.

„Natuke kõike, välja arvatud krimiraamatud. Meil pole üldse mitte mingisuguseid krimiraamatuid – ei ilukirjanduslikke ega tõsielulisi." Devlin naeratas. „Nagu see võiks midagi muuta. Meil on küll terve osakond religioossete raamatute ja õpikutega – matemaatika, ajalugu, geograafia … Kõik selline. Igaüks võib lugema õppida või teha läbi põhi- või keskkooli … kui tahab. Vähesed tahavad. Meil on ka mahukas ja kaasaegne juriidilise kirjanduse osakond."

„Milliseid raamatuid Ken luges?"

Devlin turtsatas naerma ja sügas lõuga. „Ken luges kõike. Ja ta luges kiiresti, ent eriti meeldisid talle õpikud. Ta võttis kaugõppekursusi – edasijõudnute kolledžikursusi. Ta oli tark. Tänu neile kursustele lubati tal õppimise jaoks rohkem raamatuid küsida. Selliseid, mida meil siin ei ole, aga kuna need ostis osariik, saime need pärast endale jätta, kui ta oli need läbi lugenud. Mitte keegi teine pole neid laenutanud." Devlin pidas vahet, grimassitas nägu ja tõmbas käega üle lühikeste juuste. „Ja siis olid need raamatud, mida ta luges kohapeal, seal nurgas istudes." Ta osutas lauale saali kaugemas otsas. „Neid ta ei laenutanud. Kui kinnipeetav siin loeb, ei panda raamatuid ka tema kaardile kirja."

Alice noogutas.

Devlin näitas talle, kuidas raamatukogukaardid on järjestatud ja kus neid hoitakse – pikas puidust kapist, mis hõivas kogu pikkuses tagaseina. Alice hakkas juba mõttes kõike tähtsuse järjekorda sättima. „Kas teil meditsiinialase kirjanduse osakond on?"

„Jah," vastas Devlin. „Väike. Ma näitan."

Nad läksid laenutusleti juurest raamatukogu põhikorrusele. Valvur Toledo oli neist kogu aeg maksimaalselt kolme sammu kaugusel. Taas vaatasid kõik raamatukogus viibijad nende poole. Igast nurgast kostis pominat, aga Alice keeldus taas seda kuulamast.

Nad läksid ühe tagumises otsas oleva raamaturiiuli juurde.

„See on meie meditsiiniraamatute osakond," teatas Devlin, viidates mõnele raamatule ülemisel riiulil. Seal oli kakskümmend neli raamatut. Alice jättis selle meelde. „Need raamatud on meil ka ainult tänu sellele, et Kenil oli neid ühe oma kursuse jaoks vaja," selgitas Devlin.

Alice palus näidata veel kahte osakonda – psühholoogiat ja kunsti. Ta jättis meelde ka nende raamatute arvu.

„Nii, nüüd on mul vaja paberit ja pastakat, siis võin pihta hakata."

„Saan teile pliiatsi anda."

„See sobib ka."

Nad läksid ettepoole tagasi. Kui Devlin oli laenutusleti taga, ulatas ta Alice'ile mõned paberilehed ja pliiatsi, näitas talle sahtlit, kus olid Ken Sandsi raamatukogukaardid, ja jättis ta tööd tegema.

Ken Sandsil oli 92 raamatukogukaarti, kõik täis kirjutatud raamatute katalooginumbreid. Ilmselt oli ta selline, kes suutis lugeda ühe raamatu päevas. Nagu Devlin ütles, oli vangidel aega küllaga, ja tundus, et Sands kulutas iga vaba hetke lugemisele.

Kõikide kaartide kontrollimine võtaks terve igaviku. Alice pidas hetke aru, aju üritas leida kõige kiiremat ja lihtsamat moodust, kuidas need läbi töötada. Talle tuli mõte ja ta hakkas katalooginumbreid kirja panema.

Üks kiilaks aetud peaga kinnipeetav, kes oli istunud vaikselt laenutusletile kõige lähema laua taga, läks Devlini juurde ja ulatas talle raamatu.

„See on hea raamat, Toby. Olen kindel, et see meeldib sulle." Alice oli liiga ametis numbrite kirjutamisega, et märgata, kuidas Devlin sokutas salaja raamatu lehtede vahele paberitüki. Kui keegi üldse Lancasteri vanglast teate välja oskab toimetada, siis on selleks Toby.

Politseinikud polnud ainukesed, kes omade eest hoolitsesid.

Kuuskümmend kaks

Paljud asjatundjad ütlevad, et tõeline viskiarmastaja joob seda vähese veega või veel parem allikaveega. Viskile enne joomist tilga vee lisamine ei lase selle kangusel maitsemeeli tuimestada ja naudingut vähendada. Vesi võimendab ka viski aroomi ja maitset, tuues esile selle varjatud omadused. Laialt levinud arvamus on, et viskit peaks lahjendama viiendiku veekogusega. Asjatundjatele ei meeldi ka need, kes lisavad Šoti viskile jääd, kuna selle jahutamine külmutab aroomi ja tuimestab maitset.

Hunteril oli teiste arvamusest kama, olgu nad asjatundjad või mitte. Talle meeldis ühelinnaseviskit juua vähese veega mitte sellepärast, et seda peeti õigeks, vaid sellepärast, et tema meelest olid osad viskisordid puhtalt joomiseks liiga vänged. Vahel jõi ta Šoti viskit ühe või kahe jääkuubikuga, nautides jaheda vedeliku voolamist kõris. Garcia jõi viskit nii, nagu see ette anti. Täna õhtul oli mõlemal klaasis üks jääkuubik.

Nad istusid Lincoln Boulevardil Brennan'sis ühes eesmises lauas – see urkabaar oli tuntud oma neljapäevaõhtuste kilpkonnade võidujooksu ja plaadimasina klassikalise rokkmuusika kogu poolest.

Hunter vajas pausi klaustrofoobsest tööruumist, rääkimata veriste kuriteopaikade morbiidsetest fotodest ja kehaosadest skulptuuri koopiast.

Nad jõid viskit vaikuses, kumbki oma uperpallitavate mõtete võimuses. Hunter oli telefonis vestelnud doktor Hove'iga. Andrew Nashorni toksikoloogia analüüsi vastused olid käes. Nende ennustus oli osutunud õigeks. Tema verest leiti propafenooni, felodipiini ja karvedilooli jälgi, sama ravimite kokteil, mida oli kasutatud Derek Nicholsoni südame töö aeglustamiseks.

Baari sisenes pikk ja pikkade heledate juustega naine, kel oli tantsija nõtke keha ja kõnnak, mis oli samas nii võluv kui ka seksikas. Jalas olid naisel liibuvad sinised teksad, helepruunid tikk-kontsaga kingad ja seljas püksivärvli vahele torgatud koorekarva pluus. Tema kirurgiliselt suurendatud rinnad venitasid õhukest puuvillkangast nii, et nööbid olid iga hetk minema lendamas. Hunteri pilk järgnes naisele ukse juurest baarileti juurde.

Garcia naeratas paarimehele, aga ei öelnud midagi.

Hunter võttis veel lonksu viskit ja vaatas siis veel korra vargsi pika blondiini poole.

„Võib-olla peaksid minema temaga rääkima," ütles Garcia, kallutades kergelt pead baarileti suunas.

„Kuidas palun?"

„Noh, sul on silmad punnis peas. Võib-olla peaksid minema temaga rääkima."

Hunter silmitses sekundi Garcia nägu ja raputas siis kergelt pead. „Asi pole selles, mida sa arvad."

„Muidugi mitte, aga arvan ikkagi, et peaksid kaaluma temaga rääkimist."

Hunter pani klaasi käest ja tõusis. „Tulen kohe tagasi." Garcia vaatas talle üllatunult järele, kui paarimees suundus baarileti ja pikakasvulise blondiini poole, kellele olid juba mitmed mehed järele vaatama jäänud. Garcia ei arvanud tegelikult, et Hunter nii kiiresti midagi ette võtab, kui üldse. „See peaks küll huvitav olema," sosistas ta endamisi, nihutades end oma toolil nii, et nägi paremini, naaldus siis ettepoole ja toetas küünarnukid lauale. Ta oleks sel hetkel andnud kõik biooniliste kõrvade eest.

„Vabandage," ütles Hunter baarileti ääres seisva naise juurde jõudes.

Naine isegi ei vaadanud tema poole. „Ei ole huvitatud." Tema hääl oli külm, tuim ja veidi üleolev.

Hunter oli korraks jahmunud. „Kuidas palun?"

„Ma ütlesin, et *ei ole huvitatud*," kordas naine, võttes lonksu oma jooki, ikka Hunteri poole pilku heitmata.

Hunter muigas endamisi. „No mina ka mitte. Tahtsin lihtsalt juhtida teie tähelepanu sellele, et olete istunud nätsu sisse, mis on nüüd teie teksade tagumisel osal nagu mingi rohelise möksi latakas." Ta kallutas pea küljele. „See ei näe just hea välja."

Naine vaatas viimaks korraks Hunterile otsa ja siis kohe alla. Ta käänas keha kohmakalt, üritades teksade tagumist poolt näha.

„Teisel pool," noogutas Hunter.

Naine käänas keha teisele poole ja käsi liikus kohe tagumiku peale. Hoolitsetud sõrmede otsad puudutasid nätsulärakat, mis ulatus kannikalt reie ülemise osani.

„Raisk," ütles naine, tõmbas käe ära ja vaatas seda vastikustundega. „Need on Roberto Cavalli teksad."

Hunteril polnud aimugi, mis tähtsust sel on. „Kenad teksad," sõnas ta osavõtlikult.

214

„Kenad? Need maksid terve varanduse."

Hunter põrnitses naist ilmetult. „Kui te need pesumajja viite, oskavad nad selle kindlasti eemaldada."

„Raisk," kordas naine, suundudes tualettruumi poole.

„See oli küll peenetundeline," lausus Garcia, kui Hunter lauda tagasi tuli. „Mida kuradit sa talle ütlesid? Nägin vaid, et ta haaras endal tagumikust ja kihutas tualettruumi nagu rakett." Hunter võttis lonksu viskit. „Nagu öeldud, ei olnud see nii, nagu sina arvasid."

Garcia turtsatas naerma ja nõjatus tooli seljatoele. „Sa pead oma külgelöömislauseid lihvima, sõber."

Hunteri mobiil helises taskus. Ta pani klaasi lauale tagasi ja võttis telefoni. „Uurija Hunter."

Uurija Terry Cassidy kuulus röövide ja mõrvaüksusesse. Hunter oli palunud tal välja uurida nii palju kui võimalik vabadusse lastud Raul Escobedo kohta – vägistaja, kelle Nashorn enne trellide taha saatmist vaeseomaks peksis.

„Ma kuulan, Terry."

„Noh, see tüüp Escobedo, keda sa mul kontrollida palusid, on tõeline kaabakas," alustas Cassidy. „Ikka musternärukael, saad aru küll. Vägistaja, kellele meeldib ka vägivald. Arvatakse, et ta on vägistanud vähemalt kümme naist."

„Tean seda taustalugu," sekkus Hunter. „Mida sa teada said?"

„Nii, meie semul oli vanglas karm elu. Ta sai kümme aastat kolme naise eriti jõhkra vägistamise eest, sest ainult kolm olid nõus tunnistama. Kuula nüüd – kinniistumise ajal hakkas see oksekott kahetsema. Ta *leidis* jumala." Cassidy pidas vahet kas rõhutamiseks või sellepärast, et teda solvas tõsiselt Escobedosuguse väide, et ta on muutunud mees. Cassidy oli pühendunud roomakatoliiklane. „Vanglas hakkas Escobedo andunult lugema piiblit ja osales vangla pakutud teoloogiakursusel. Ta lõpetas suurepäraste tulemustega. Kui ta kaks aastat tagasi vabaks lasti ..." Veel üks kiire paus, „... arvasid ära – ta hakkas jutlustama. Peab ennast nüüd pastoriks, kes levitab head sõna ja aitab teistel patte kahetseda. Kutsub end reverend Soldadoks püha Juan Soldado järgi, keda kummardavad Mehhiko loodeosa elanikud, kust ka Escobedo suguvõsa pärit on."

„Püha sõdur?" küsis Hunter, tõlkides nime hispaania keelest inglise keelde.

„Justament," kinnitas Cassidy. „Kontrollisin üle. Pühaku tegelik nimi oli Juan Castillo Morales. Ta oli reamees Mehhiko armees. Ja kuula nüüd ... Castillo hukati 1938. aastal kaheksaaastase Tijuana tüdruku *vägistamise* ja tapmise eest. Ma ei aja jama, Robert – vägistamise. Tema jüngrid usuvad, et teda süüdistati kuriteos vääralt ja paluvad tema vaimult abi tervise, kriminaalsete, perekondlike, USA-Mehhiko piiri ületamise ja muude igapäevaelu probleemide osas." Hunter kuulis Cassidy kohmetut naeruturtsatust. „Usu või mitte, aga Escobedo võttis endale vägistajast pühaku nime. On vast jultumus, eks ole?"

Hunter vaikis. Cassidy jätkas.

„Tal on Pico Riveras oma kirik, tempel või kuidas iganes seda kutsutakse. Mina isiklikult ütleksin selle kohta sekt. Selle nimi on Jeesuse sõdurid, kujutad ette? Pigem nagu terroristlik rühmitus, eks ole? Mind ei üllataks sugugi, kui ta tegeleks sellega liitunud noorte naiste veenmisega, et nood peaksid ühinemisriitusena talle anduma, pannes neid uskuma, et see on Issanda tahe ja tema on uus Messias. Kui ta üldse vanglas midagi õppis, siis seadusest mööda hiilima."

„Kas said teada, kus ta viibis neil kuupäevadel ja kellaaegadel, mille ma sulle andsin?" küsis Hunter.

„Jah. Ehkki ma juba jälestan seda tüüpi, ei saa ta olla see, keda sina otsid. Sel esimesel sinu antud kuupäeval, 19. juunil, oli Escobedo Los Angelesest ära, pidas San Diegos jumalateenistust.

216

Ta kavatseb Jeesuse sõdureid laiendada. Teisel kuupäeval, 22. juunil, veetis ta kogu päeva kahe CD- ja ühe DVD-plaadi salvestamiseks. Müüb neid oma jüngritele. Tal on kari tunnistajaid, kes seda kinnitaksid. Escobedo on valede, haisva sita ja pühaduseteotuse solgiauk, aga ta ei ole see mõrtsukas, Robert." Hunter noogutas endamisi. Protokoll nõudis, et ta seda kontrolliks, aga ta polnud Escobedot tõsiseltvõetavaks kahtlusaluseks pidanudki. Psühholoogi ning seejärel röövide ja mõrvarühma uurijana oli Hunter uurinud, intervjueerinud ja kinni pidanud sadu mõrtsukaid ning aastate jooksul avastanud, et mõrtsukat ja tavainimest eristab väga vähe. Ta oli kohtunud mõrtsukatega, kes oli kenad, võluvad ja karismaatilised. Mõned nägid välja nagu lahke vanaisa. Isegi selliseid, kes olid meelad ja seksikad. Tegelik erinevus selgus alles siis, kui ta süvenes nende mõtetesse. Ent ka kurjategijad olid erinevad – mõrtsukad olid erinevad. Escobedo oli vägistaja – kõige madalam limukas. Jah, ta oli vägivaldne, aga tema ainus huvi oli oma lihalike himude rahuldamine. Ta ei jälitanud oma ohvreid, valis neid suvaliselt, kes parasjagu konkreetsel õhtul ette sattus. Mingit planeerimist ei olnud. Hunter teadis, et sellised kurjategijad muudavad haruharva oma teguviisi. Isegi kui motiiviks on kättemaks, oleks Escobedo tõenäoliselt oma ohvrid maha lasknud või neid pussitanud ja kuriteopaigast võimalikult kiiresti jalga lasknud, mitte kulutanud tunde nende tükeldamiseks ja grotesksete skulptuuride loomiseks – ja veel nii, et nende vari tekitaks mingeid varjatud tähendusega kujundeid. Ei, Escobedol polnud selliste kuritegude sooritamiseks teadmisi, kannatlikkust, mõistust ega julgust.

„Tubli töö, Terry, aitäh," ütles Hunter, sulges telefoni klapi ja pistis telefoni taskusse. Ta rääkis Garciale, mida oli kuulnud, ja nad jõid oma klaasid vaikides tühjaks. Kui nad lahkumiseks tõusid, tuli pikk blondiin tualettruumist välja ja suundus nende laua juurde.

„Vabandust varasema pärast," ütles naine Hunteri juurde jõudes, hääl nüüd võluv ja võrgutava alatooniga. „Ja aitäh." Garcia näoilme ütles kõik. „No ei ole võimalik," sosistas ta. „Võtke heaks," vastas Hunter. „Tean, et jätsin enne ülbe mulje," jätkas naine võltsilt naeratades. „Ma pole kogu aeg selline. Lihtsalt sellistes kohtades peab naisterahvas ennast kaitsma, eks?" „Nagu öeldud, võtke heaks." Hunter astus temast mööda. „Ilusat õhtu jätku." „Kuule," hüüdis naine, kui Hunter taas lahkuma pöördus. „Pean koju minema ja püksid ära puhastama, aga me võiksime mõni teine kord dringi teha." Ta sokutas väga osavalt Hunterile salvräti. „Sina otsustad." Ta lõpetas seksika silmapilgutusega ja lahkus baarist.

„No ei ole võimalik," sosistas Garcia uuesti.

Kuuskümmend kolm

Reede õhtul oli Airliner North Broadwayl otsast otsani inimesi täis. Ruumikas kallima otsa ööklubi ja lokaal oli kujundatud lennuki salongiks, mis ei nõudnud erilist kujutlusvõimet, ent kahtlemata pakuti seal laiemat alkoholivalikut kui ühegi Ameerika Ühendriikide lennufirma turistiklassis. Kahe suure ja hästi varustatud baari, rahvast täis tantsuplatsi, mugava istumisala ja Los Angelese mõnede populaarsemate diskoritega Airliner oli kindlasti üks parimaid LA klubisid, meelitades ligi mitmekesist klientuuri, nii Los Angelese elanikke kui ka turiste. Ja sellepärast Eddie Millsile siin käia meeldiski.

Eddie oli tühine pätt, kes oli Rendodo Beachis ringi sõites jäänud vahele pooleteist kilo kokaiiniga. Vanglas kohtus ta

Albaania mafiooso Guri Krasniqiga. Krasniqi kandis eluaegset karistust, ent juhtis oma impeeriumi vanglamüüride tagant edasi ja viis Eddie kokku oma alluvatega, kui Eddie kaks aastat tagasi Lancasteri vanglast vabanes.

Eddie seisis ülemise korruse baari juures, juues šampanjat.

Ta oli sedavõrd hõivatud tantsupõrandal särava lühikeste juustega brüneti jälgimisest, et ei pannud isegi tähele 185 cm pikkust jässakat meest, kes oli baaris tema kõrvale astunud.

„Issand!" Eddie oleks äärepealt nahast välja karanud, kui raske käsi tema paremal õlal maandus.

„Kuidas käbarad käivad, Eddie?"

Eddie pöördus paljaks aetud peaga mehe poole. „Tito?" Ta kissitas silmi, nagu ei usuks neid. „Kurat võtaks, vennas. Kuidas sul endal?" Eddie naeratas säravvalget naeratust ja ajas käed laiali.

Tito naeratas samuti ja nad embasid nagu vennad, kes pole ammu kohtunud.

„Millal sa välja said, kurat?" küsis Eddie.

„Üksteist kuud tagasi tingimisi."

„Tõsiselt?"

„Tõsiselt, vennas."

„Kuidas siis eluke veereb, semu?" Eddie taganes sammu, et sõpra silmitseda. „Pealtnäha tundub, et hästi. Kus, pagan, sa elanud oled, koogipoes või?"

„Hei, mees peab ju sööma, eks ole?"

„Jah, näha on. Mees peab nii hästi söömise lõpetama, muidu läheb lõhki."

„Käi persse. Vähemalt ei pea ma sööma seda löga, mida Lancasteris pakutakse."

„Selle terviseks." Eddie kergitas pokaali.

„Mida põrgut?" Tito grimassitas nägu. „Šampanja? Tõsiselt või? Kellelgi läheb vist hästi."

„Hei, mees, ainult parimat, semu. Võta ka." Eddie viipas baarmenile ja küsis teise pokaali.

„Sa näed vinge välja," lausus Tito toostiks pokaali tõstes. „Vabaduses olemise ja vabadusse jäämise terviseks."

Eddie noogutas. „Tänud, mees." Ta tõmbas käega mööda lipsu. „See on Armani, kas tead?" Ta nookas ülikonna poole. „Näen selles vinks-vonks välja, eks ole?"

„Jah, väga äge," nõustus Tito.

Nad lobisesid tunnikese, meenutades kinni istutud aega. Eddie rääkis Titole, et töötab välismaalaste heaks, olles selles osas võimalikult ebamäärane. Tito ei kavatsenudki peale käia. Varjamaks tegelikku põhjust, miks ta Airlinerisse tuli, mainis ta suvaliselt nimesid, küsides Eddielt, kas teine teab, mis ühest või teisest vangist saanud on – *Mäletad seda ja seda? Kuidas selle ja sellega on?* Selliselt. Tito teadis, et Eddie veetis vanglas aega Ken Sandsi seltsis. Vähehaaval liikus Tito siiski selle teema suunas.

„Kuule, Eddie, aga kuidas Keniga on?" Ta võinuks vanduda, et nägi Eddiet korraks krampi tõmbumas.

Eddie jõi pokaali tühjaks, pilk Titole kinnitunud. „Ken? Ta sai ju välja, eks? Mitte tingimisi, vaid istus oma aja ära."

„Tõesti või?" Tito teeskles teadmatust.

„Jah, umbes pool aastat tagasi."

„See tüüp oli tõeliselt hull vend." Tito naeris närviliselt. „Oled sa temaga ühendust pidanud?"

„Ei, kuulsin alles hiljuti, et ta sai välja. Tal on omad mured. Asjad, mida tahtis teha, kui välja saab, mõikad?"

„Mis asjad?"

„Kust kurat mina tean. Võib-olla tahtis kätte maksta sellele, kes ta vangi saatis, aga ma tunnen kaasa kõigile, kellega tal on kana kitkuda."

„Kuramuse õige. Kas ta mitte ei suhelnud tolle karmi Albaania tüübiga? Selle Guriga? Sa tead teda, eks? Nägin sind temaga mõned korrad rääkimas."

„Ma rääkisin pogris paljudega, sina samuti. Aitab aega viita." Eddie üritas sellest jätta vähem tähtsat muljet.

Tito noogutas. „Mis sa arvad, kas Ken ärib jälle? Enne kinnikukkumist ju äris, eks? Võib-olla lõi albaanlastega kampa. Neil olevat kuuldavasti kõva äri."

Eddie silmitses Titot kahtlustavalt. „Kuule, semu, otsid tööd või? Või narkotsi?"

„Ei, pole vaja." Tito tõmbas käega üle paljaks aetud pea. Eddie noogutas. „Ahah. Miks sa siis Keni kohta pärid? Kas ta jäi sulle raha võlgu? Kui nii, siis unusta ära, vennas. See pole seda väärt, mõikad?"

„Ei, niisama küsin, tead."

„Jah, selge see, aga liiga palju pärimine võib kehvasti lõppeda."

Tito tõstis käed alla andes üles. „Niisama ajan juttu, semu, ei muud. Mul kama kaks, kuidas tal läheb."

Eddie vaikis, aga paistis end ebamugavalt tundvat. Tito oli kindel, et teine teab rohkem, kui välja näitab ja talle sellest piisas. Ta edastab selle info neile kahele neetud võmmile, kes tema peo ära rikkusid. Las pinnivad Eddiet ise. Tema enamat ei suuda.

„Võtame veel ühe pudeli," ütles Eddie, viibates juba baarmenile.

„Kuule, mees, šampanjast ma küll ära ei ütle, mõikad? Käin enne kusel."

Kui Tito tualettruumi poole läks, suundus Eddie trepist alla suitsetamisalasse, kus oli kõige vaiksem koht, kust helistada.

221

Kuuskümmend neli

Kell oli palju ja Tito oli Airlineris koos Eddiega ära joonud veel kaks pudelit šampanjat. Selleks ajaks, kui ta jõudis tagasi oma korterisse Bell Gardensis, oli hommikune põrgulik pohmakas garanteeritud. Tito komberdas koduuksest sisse. Šampanja tegi ta kiiresti purju, aga tõtt-öelda meeldis talle purjus olla. Ja kellegi teise ostetud kallist šampanjast nina täis tõmmata oli veelgi parem. Keel oli siiski natuke paks.

Tito avas köögis külmikuukse, valas endale suure klaasitäie apelsinimahla ja jõi selle korraga ära. Ta läks elutuppa ja lasi oma raskel kerel vajuda vanale kastanpruunile diivanile, mis haises nagu tuhatoos. Ta istus seal paar minutit ja otsustas siis, et talle kuluks ära väike ergutus, mis vere taas käima paneks. Ta avas alumise sahtli, võttis sealt väikese hõbedase karbi ja ruudukujulise raamita peegli ning läks nendega söögilaua taha. Karbist võttis ta käsitsi kokkumurtud ümbriku. Tito saputas peeglile paraja doosi valget pulbrit ja lükkas selle žiletitera kasutades pikaks peenikeseks ribaks. See oli eriline kraam, väga kvaliteetne pulber. Parim Colombia kraam, mida ta ei jaganud kunagi räpaste odavate hooradega, keda koju tõi. Ei, see oli ainult talle endale nautimiseks.

Tito kobas taskuid, kas tal on uuemat rahatähte, mida saaks kasutada. Tal oli ainult üks viiedollariline, mis polnud väga uus, aga sellega pidi hakkama saama. Ta oli liiga jokkis, et midagi muud otsima hakata. Tito keeras rahatähe toruks, nii hästi-halvasti kui sai, ning tõmbas pool riba ühte ninasõõrmesse ja pool teise.

Ta vajus toolileenile, silmad kinni, pigistades tugevasti nina.

„Jah, seda ma silmas pidasingi," pomises Tito läbi hammaste. Just seda ta vajaski. Ta kallutas pea kuklasse ja istus hetke, silmad ikka suletud, nautides seda vinget tunnet, kui narkootikum ja alkohol veres kokku põrkasid.

Tito oli sedavõrd tugeva laksu all, et ei kuulnud välisukse avanemist. Ta oli liiga purjus, et mäletada võtit lukuaugus keerata. Pea ikka kuklasse kallutatud, avas Tito viimaks silmad, aga lae asemel nägi kellegi nägu end vaatamas. Ja ta oli neid silmi varem näinud.

Kuuskümmend viis

Hunter istus hommikul oma laua taga, lugedes öö jooksul saabunud meile. Ta oli jõudnud töö juurde vara, kõigest viis minutit pärast Garciat. Kumbki polnud hästi magada saanud. Hunter oli kiskunud pilgu arvutiekraanilt ja hakanud märkmeid lehitsema, kui Alice uksele koputas. Naine ei oodanud vastust, vaid avas ukse ja astus sisse. Väsinud silmad andsid mõista, et ka tema polnud kuigivõrd magada saanud. Alice läks Hunteri laua juurde ja pani sellele kolmeleheküljelise väljaprinditud nimekirja. Hunteri pilk kandus tema näole.

„Raamatute nimekiri, mida Sands Lancasteri vangla raamatukogust laenutas," teatas naine kergelt võidukal hääletoonil.

Hunter vaatas talle endiselt otsa.

„Pidin kohale minema ja selle hankima," selgitas Alice.

„Mis asja?" küsis Garcia.

„Nende süsteem ei ole digitaliseeritud, mitte midagi pole veel arvutis ja raamatute andmebaasi ei ole. Sealses raamatukogus kasutatakse vana raamatukogukaartide süsteemi ja neil on oma kummaline arhiveerimismeetod. Kui ma poleks sinna läinud, oleks kulunud mitu päeva või isegi nädalat, enne kui oleksime selle saanud."

Hunter vaikis, näol küsiv ilme.

„Olin eile natuke rahutu," tunnistas Alice. „Teie olite kogu päeva ära. Tüdinesin netis tühja tuhnimises. Võtsin mõned kõned ja ringkonnaprokurör Bradley leppis vangladirektoriga kokku, et ma saan raamatukogus käia. Mul kulus mitu tundi, et see nimekiri saada."

Hunter võttis viimaks nimekirja.

„Ken Sands luges põhimõtteliselt läbi kõik Lancasteri vanglaraamatukogu teosed," sõnas Alice. „Aga oli mitu sellist raamatut, mida ta laenutas rohkem kui korra. Osasid ikka *päris palju* rohkem kui korra. Keskendusin nendele."

Hunter libistas pilgu üle nimekirja.

„Nagu näed, on esimesed kakskümmend neli raamatut meditsiinialased," jätkas Alice. „Neist pooled on selles raamatukogus ainult tänu sellele, et need olid Sandsi omad. Ta sai need seoses õendus- ja hoolduseriala õppimisega. Uurisin natuke nende sisu. Vähemalt viies neist on pikad ja põhjalikud peatükid tugeva verejooksu peatamise kohta, juures detailsed selgitused ja joonised, kuidas artereid sulgeda ja suuri veene ligeerida, sealhulgas käte- ja reieartereid."

Hunteri pilk kandus taas Alice'ile.

Naine kehitas õlgu. „Ma lugesin lahkamisaruandeid."

Garcia tuli oma laua tagant Hunteri laua juurde. „See pole midagi uut. Me juba teadsime, et Sandsil on meditsiinialased teadmised," ütles ta.

„Jah," nõustus Alice. „Aga see kinnitab, et tal olid tõenäoliselt ka spetsiifilised teadmised, mida oli vaja mõlema ohvri kehaosade amputeerimiseks ja verejooksu ohjeldamiseks."

Hunter vaikis endiselt, lugedes raamatute loetelu.

„Juhul, kui Sands on mõrtsukas," jätkas Alice, „hakkas ta minu arvates oma kättemaksuplaani hauduma kinni istudes, aga see ei juhtunud kohe. Selline plaan peab saama mõtetes settida. Ja kui see polnud seotud mitte ainult tema enda, vaid ka Alfredo Ortegaga – kes, nagu te mäletate, oli Sandsile venna eest –, hakkas plaan tekkima alles siis, kui Ortega surmanuhtlus viis aastat tagasi täide viidi."

„Kõlab loogiliselt," nõustus Garcia, olles natuke endamisi asja kaalunud.

Hunter vaatas, mis kuupäevadel raamatud olid laenutatud, ja keeras siis lehte.

„Keerulisemate meditsiinialaste raamatute laenutuskuupäevi pole kirjas," ütles Alice, aimates, mida Hunter otsib. „Põhjus on selles, et need raamatud ei olnud algselt raamatukogus. Need olid vangla vastutulek Sandsile, et aidata teda õpingutes. Ta küsis neid ja tal lubati neid kuni kooli lõpetamiseni kongis hoida. Kui ta vabanes, viidi raamatud raamatukogusse. Ja kui sa mu eelmisi raporteid mäletad, alustas ta mõlema kaugõppekraadi omandamist alles pärast Ortega hukkamist."

Hunter jätkas nimekirja lugemist.

Alice jälgis endiselt tema pilku. „Järgmised raamatud on kõik psühholoogia-alased – tema teine kolledžikraad. Jällegi lubas vangladirektor Sandsil õpingud lõpetada, aga minu tähelepanu köitis ennekõike üks raamat. Miski, mis polnud mulle pähegi tulnud, kuni ma seda nägin."

Hunteri pilk peatus lehekülje poole peal. Alice taipas, et mees oli selle ära tabanud.

Kuuskümmend kuus

Hunteri selja taga seisev Garcia luges nii kiiresti kui sai, aga midagi ei hakanud silma. „Olgu, mis mul märkamata jääb?"

Hunter kopsis sõrmega üht pealkirja – „Principles of Rorschach Interpretation."

Gracia grimassitas nägu. „Vabandage mu rumalat küsimust, aga mis asi on Rorschach?"

„Hermann Rorschach oli Šveitsi psühhiaater ja psühhoanalüütik," selgitas Hunter. „Ta on kõige paremini tuntud oma psühholoogilise projektiivtesti, Rorschach *tindiplekitesti* järgi." Nad peaaegu kuulsid Garciat mõtlemas. „Pagan võtaks. Kas see on see napakas test, mille käigus näidatakse inimesele valget kaarti, millel on suur tindilärakas? Ja siis küsitakse, mis see tema arvates on. Natuke nagu vaataks taevas pilvi."

„Kokkuvõtlikult on see selline test jah," kinnitas Hunter.

„Ja milline see test *mitte*kokkuvõtlikult on?" ei andnud Garcia alla.

Hunter jättis nimekirja lauale ja naaldus toolileenile. „Ametlikult koosneb see kümnest kaardist. Igaühel neist on tindiplekk, mis on peaaegu täiuslikult bilateraalselt sümmeetriline. Viis tindiplekki on musta, kaks musta ja punase tindiga ning kolm mitmevärvilised. Ent psühholoogid on aastate jooksul testi muutnud, lisades oma kaardid oma tindiplekkidega. Osad ei kasutagi enam plekkide esialgset bilateraalset sümmeetrilisust."

„Hästi, aga mille kuradi jaoks see vajalik on? Mida see uurib?"

Hunter kallutas pea kergelt küljele, nagu poleks päris kindel. „Test *peaks* hindama isiksuseomadusi ja psühholoogilisi probleeme nagu madal enesehinnang, depressioon, toimetulekuraskused, probleemilahenduse oskuse puudulikkus ..." Ta vehkis käega, andes mõista, et loetelu läheb edasi. „Põhimõtteliselt üritab test hinnata inimese intellektuaalset funktsioneerimist ja sotsiaalset integratsiooni."

„Tindipleki järgi?" küsis Garcia.

Hunter kehitas õlgu ja noogutas samal ajal. Ta sai paarimehe skeptilisusest täielikult aru.

„Jah, aga unustage, mida test peaks hindama," sekkus Alice, „ja mõelge, mida me teame. Skulptuuride tekitatud varjud võivad olla Sandsi isiklik tindiplekitest."

Hunter raputas veendunult pead. „Mõrtsukas paneb meid küll kindlasti proovile, aga mitte tindiplekkidega."

„Kuidas sa saad selles kindel olla?" „Nagu Garcia ütles, on tindiplekid lihtsalt plärakad, mil pole kindlat kuju. Mõrtsukas on meile andnud aga täiusliku kujutise. Koiott ja ronk esimesel korral ning ehkki me pole veel teises kujutises päris kindlad, ei ole see ka kindlasti vormitu plekk."

„Hästi, ma olen sellega nõus, aga kõik sõltub ikkagi tõlgendusest, eks ole? Mida me enda arvates näeme," vaidles Alice.

„Enamik inimesi seda ei tea, aga mütoloogias tähendavad koiott ja ronk koos petist, valetajat."

„Ka meie ei teadnud seda," lausus Hunter. „Kuni sina selle välja uurisid, mäletad? Teatud piirini on enamik kujutisi tõlgendamise küsimus. See, kuidas inimene mingit kunstiteost näeb, võib olla sootuks erinev sellest, mida kunstnik silmas pidas."

„See pole kunst, Robert." Alice osutas skulptuuri koopiale.

„Meie jaoks mitte, aga mõrtsuka jaoks ...?" Hunter jättis lause korraks õhku rippuma. „See on tema töö, tema looming, tema kunst, mis siis, et võigas. Ja ma olen kindel, et ta nägi seda tehes midagi sootuks muud kui meie näeme. Teistsugune meeleolu paneb nägema teistsuguseid asju."

Alice põrnitses skulptuuri. „Teistsugune meeleolu?"

Hunter tõusis ja läks fototahvli juurde. „Tõlgendamine on inimese meeleoluga otseselt seotud. Sama kujutist vaadates võib inimene näha kahte täiesti erinevat asja olenevalt tema tujust tol hetkel. Ja see ongi Rorschachi testi miinuseks."

„Kuidas saab sama inimene näha kahte eri asja?" Alice'i pilk oli kandunud varju fotole. „Ma näen seda vaadates iga kord täpselt sama asja – saatana kujutist vaatamas oma võimalike ohvrite peale."

„Sel juhul ei suhtu sa sellesse avatult," väitis Hunter. „Oletame, et sa näed vormitut kujutist, mis meenutab ammuli suuga nägu. Seejärel näitad sa seda kellelegi, kes on tol hetkel rõõmus. See inimene võib tõlgendada seda kui valjusti naerva inimese kujutist."

Garcia sai asjale kohe pihta. „Aga kui sama inimene oleks mingil põhjusel halvas tujus, võiks ta samas kujutises näha piinatult kisendavat nägu."

„Õigus. Meeleolu muudab suhtumist ja see on algusest peale olnud kõige tõsisem Rorschachi testi vastane argument. Paljude väitel hindab see ennekõike subjekti meeleolu mingil konkreetsel hetkel kui midagi muud, aga ma olen sinuga nõus, Alice. Mis iganes nende kujutiste varjatud tähendus on ..." Hunter osutas varju fotole, „... see on seotud sellega, kuidas *meie* seda tõlgendame ja see ongi selle pusle lahendamise võtmeks. Kui me seda valesti tõlgendame, kui me ei ürita välja selgitada täpselt seda, mida mõrtsukas meile nende varjudega öelda üritab ..." Hunter raputas pead, „... ei suudagi me teda tabada."

Kuuskümmend seitse

Naine oli kogu õhtu närviline olnud, ihates doosi rohkem kui toitu. Regina Camposel oli kama kaks, mida ta võtab, peaasi, et millestki kaifi saaks – millest iganes. Tal polnud raha, aga see polnud mingi eriline takistus. Ta teadis täpselt, mida teha, et doos kätte saada. Regina oli kuueteistkümnendaks eluaastaks selgeks saanud, et kõik mehed sulavad nagu vaha, kui tead, mida voodis teha.

Regina oli kõigest kaheksateist ja kui küsida nendelt vähestelt inimestelt, kes teda tundsid, kirjeldaksid nad teda tõenäoliselt keskmisena. Ta oli keskmist kasvu, keskmise kehaehituse ja keskpärase välimusega. Teiste inimeste keskel ei pööraks keegi talle tähelepanu. Tema juuksed olid keskmise pikkusega ja keskkoolis oli ta olnud keskmine õpilane, kuni kooli pooleli jättis. Aga ta oli võluv ja oskas inimestelt kätte saada seda, mida tahtis. Reginal oli olnud hulk kasutuid armukesi ja juhusuhteid. Tegelikult oli neist armukestest ühes asjas kasu ka – narkots. Tema viimane kasutu armuke, kui meest üldse armukeseks pidada sai, oli logard, endine vang, kes elas Bell Gardensi sotsiaalkorteris. Mees oli ülekaaluline, voodis umbes sama vastupidav kui 90-aastane vanamees ja teda erutas naiste püksikute kandmine. Reginal oli täiesti savi, kuidas mees erutub. Ta teadis vaid, et saab mehe käest uimasteid.

Ta oli eile hilja õhtul mehele helistanud, meeleheitel, ent mees oli telefonis öelnud, et teda pole öö otsa kodus. Regina võib hommikul läbi tulla, kui tahab.

See oli Regina jaoks olnud pikk ootamine.

Ta jooksis kolmandale korrusele nagu maratoonar. Selleks hetkeks vajas ta narkot nii tõsiselt, et krigistas hambaid nagu jänes. Ta isegi ei mõelnud, miks korter 311 uks ei ole lukus, kuigi tema armuke ei jätnud seda kunagi lukustamata.

Regina lükkas ukse lahti ja astus haisvasse korterisse.

„Tere, musike," hüüdis ta karedal häälel. Ta oli viimasel ajal suitsetanud nii palju kräkki, et see hakkas tema häälepaelu kahjustama.

Vastust ei tulnud.

Ta kavatses hakata korterist meest otsima, kui nägi midagi ahvatlevamat – hõbedast karpi väikesel söögilaual. Selle kõrval oli ruudukujuline peegel ja selle peal nägi Regina valge pulbri jääke. Tema väikesed pruunid silmad lõid särama nagu taevas iseseisvuspäeva ilutulestikust.

„Musike?" hüüdis ta uuesti, aga seekord palju vaoshoitumalt. Keda huvitab, kus mees on, kui tema tasu oli juba siinsamas, ootas teda?

Regina läks laua juurde ja tõmbas keskmise sõrmega piki peegli ääri, nii et pulbrijäägid jäid sõrmeotsa külge. Ta pistis sõrme kähku suhu ja hõõrus igemeid ning lakkus seda siis nagu oleks see mee sisse torgatud. Igemed tõmbusid kohe tundetuks ja ta vabises naudingust uimasti kanguse tõttu. See oli väga hea kraam. Ta avas karbi ja kiikas sisse. Selles oli viis käsitsi kokkumurtud paberiruutu. Regina teadis täpselt, mis nende sees on. Ta oli neid piisavalt näinud. Huuled tõmbusid laiaks naeratuseks. Jõulud olid seekord varem kätte jõudnud.

Ta võttis ühe paberiruudu, avas selle ja kopsis osa valget pulbrit peeglile. Pilk otsis laualt midagi, mida selle ninna tõmbamiseks kasutada.

Ta ei näinud midagi.

Regina taganes sammu ja vaatas ringi. Laua all oli rulli keeratud viiedollariline rahatäht.

Sellest oli kujunemas suurepärane päev.

Ta võttis rahatähe kätte, keeras tugevamini rulli ja tõstis nina juurde. Ta ei vaevunud pulbrit kitsaks ribaks lükkama, tal oli lihtsalt vaja, et osa sellest vereringesse jõuaks ja kiiresti. Regina surus ühe ninasõõrme näpuga kokku ja hingas teisega sügavalt sisse.

Narkootikumi mõju oli peaaegu kohene.

„Vau."

See oli parim, mida ta iial proovinud oli. Ei mingit torkivat ega kipitavat tunnet, ainult puhas õndsus.

Regina tõstis rullikeeratud rahatähe teise ninasõõrme juurde ja hingas teist korda sügavalt sisse.

Paradiisis on kindlasti samasugune tunne.

Ta pani rahatähe lauale ja seisis hetke paigal, nautides õnnetunnet. Väljas oli juba 30 kraadi sooja. Regina tundis, et higipiisad hakkavad laubale kogunema. Narkots tõstis ka kehatemperatuuri. Ta avas pluusi ülemise nööbi, aga pidi külma veega nägu pesema. Ta pöördus ja suundus vannitoa poole. Ukse juurde jõudes tabas teda veider tunne, nagu midagi roniks kuklal. See ajas ta värisema.

Käsi peatus korraks uksenupul ja ta vaatas ringi, peaaegu tunnetades kellegi kohalolekut.

„Musike, oled sa seal?" hüüdis ta nägu uksele lähemale viies.

Ikka vaikus.

Kihelev tunne kuklas kulges nüüd mööda selga alla, levides kõikjale.

„Vau, see on tõeliselt hea kraam," sosistas ta endamisi.

Regina keeras uksenuppu ja lükkas ukse lahti.

Paradiisist sai põrgu.

Kuuskümmend kaheksa

Selleks ajaks, kui Hunter ja Garcia Bell Gardensisse korter 311 juurde jõudsid, olid kriminalistid juba tööhoos. Neli valges kapuutsiga kaitseülikonnas inimest toimetasid kitsukeses korteris, tehes oma tööd. Elutoas võttis noor kriminalist puidust puhvetkapilt sõrmejälgi. Käsitolmuimejaga naine kogus põrandalt kiude ja karvu. Üks vanem kriminalist otsis söögilaual olevalt hõbedaselt karbilt verepiisku, kasutades pihustipudelit ja kaasaskantavat ultraviolettlampi. Samal ajal pildistas kriminalistide fotograaf kõike.

Uurija Ricky Corbí ja tema paariline uurija Cathy Ellison seisid koridoris korteri ees. Kolm mundris politseinikku tegelesid tavapärase ukselt uksele küsitlusega.

„Kas teie olete uurija Corbí?" küsis Hunter halvasti valgustatud trepilt ukse juurde jõudes.

Pikk mustanahaline mees pöördus Hunteri poole. Ta oli umbes viiekümneaastane, morni näo ja lühikeste halliseguste juustega. Tal olid ninal sarvraamidega prillid, seljas pruun ülikond ning tema füüsise järgi otsustades oli ta nooremana Ameerika jalgpalli mänginud ja oli endiselt väga sportlik.

„Mina jah," vastas mees baritonhäälel. „Ja tundub, et teie olete eriüksusest." Ta sirutas käe. „Arvatavasti uurija Hunter."

Hunter noogutas. „Öelge mulle Robert." Corbí käepigistus oli tugev. Tema peopesa oli pööratud veidi allapoole, mis Hunteri kogemuse järgi tähendas enamasti autoriteetset inimest või võimukat isiksust. Corbí andis kohe mõista, et tema on siin otsustaja. Hunter ei kavatsenudki sellele vastu vaielda.

„Ütle mulle Ricky. See on minu paariline uurija Cathy Ellison."

Ellison astus lähemale ning surus Hunteri ja Garcia kätt peaaegu sama tugevasti kui Corbí. Naine oli umbes 168 cm pikk, sale, aga veidi kühmus, lühikeste tumedate juustega, mis olid lõigatud järgulisse soengusse. Tema pilk oli nagu inimesel, kes suhtub oma töösse väga tõsiselt. „Öelge mulle Cathy," ütles ta uurijaid silmitsedes.

„Nagu ma telefonis ütlesin, helistasin teile sellepärast, et leidsime selle ohvri elutoast," sõnas Corbí, nõksatades peaga kergelt korteri poole ja ulatas Hunterile visiitkaardi. „See on teie oma, eks?"

Hunter noogutas.

Corbí võttis pintsaku rinnataskust märkmiku. „Thomas Lynch, paremini tuntud kui Tito. Pääses Lancasterist tingimisi vabadusse. Oli olnud väljas üksteist kuud. Tema toimikust selgus ..." Corbí pöördus Gracia poole, „ et sina olid seitse aastat tagasi see, kes ta vahistas, ja ka see, kes temalt ülestunnistuse kätte sai." Corbí pidas vahet ja kaalus, mida öelda. „Või peaksin ütlema, et sa veensid teda kokkulepet sõlmima. Kui peaksin oletama, siis pakuksin, et temast sai pärast vabanemist teie informaator."

„Tegelikult mitte," vastas Garcia.

Corbí puuris teda läbitungiva pilguga. „Sõber?"

„Tegelikult mitte."

Corbí noogutas, võttis prillid eest, hingas klaaside peale ja puhastas neid sinise lipsu otsaga. „Kas tahate heita valgust sellele, kuidas ta selle visiitkaardi sai? Väga puhta ja uue moega visiitkaardi."

Viimase lause ajal oli uurija hääles kerge irooniline varjund.

Garcia vaatas Corbíle otsa. „Võtsime temaga hiljuti ühendust, vajasime teavet – aga ta polnud informaator," lisas ta, enne kui Corbí midagi öelda jõudis. „Ta oli lihtsalt isik, kes ühes nimekirjas esile kerkis."

Ricki Corbí oli piisavalt kogenud teadmaks, et Garcia ei puikle niisama. Ta avaldas lihtsalt nii palju infot, kui hetkel sai. Polnud mõtet pinda käia. Corbí noogutas vaevumärgatavalt.

„Kas te saaksite öelda, millal te teda viimati nägite?" küsis Ellison.

„Eile pärastlõunal," vastas Hunter.

Corbí ja Ellison vahetasid kiire pilgu.

„Koroneri sõnul tapeti teie sõber millalgi eile öösel," jätkas Corbí, pannes prillid ninale tagasi. „Või tõenäolisemalt varastel hommikutundidel. Nad valmistuvad surnukeha ära viima, kui tahate enne pilgu peale heita ..."

Hunter ja Garcia noogutasid.

233

„Mul pole aimugi, kelle ta eile õhtul välja vihastas," lisas Corbí, ulatades uurijatele kummikindad ja kilesussid. „Aga kes iganes see oli, ta tegi tolle Titoga hulle asju. Meil on seal tõeline kunstiteos."

Kuuskümmend üheksa

Corbí ja Ellison sisenesid korterisse 311, Hunter ja Garcia nende kannul. Koos nelja kriminalistiga meenutas ülerahvastatud elutuba konservikarpi.

„Mis selles on?" küsis Hunter, noogates söögilaual oleva hõbedase karbi poole.

„Praegu mitte midagi," vastas Corbí. „Aga selles olid uimastid – täpsemini kokaiin. Väga kvaliteetne. Labor kinnitab seda. Esialgu tundub, et see, kes ta tappis, võttis ka kokaiini kaasa."

„Arvate, et see oli uimastivargus?" küsis Garcia.

„Praegu ei oska öelda," vastas Ellison.

„Kes sellest teatas?"

„Keegi surmani hirmunud tüdruk. Ei öelnud oma nime. Tundus väga noor."

„Millal see oli? Millal ta helistas?"

„Täna hommikul. Kontrollisime salvestust. Ta ütles, et tuli sõbrale külla. Tõenäoliselt tuli narkotsi saama. Ukselt uksele küsitlus pole selgust toonud, kes see olla võis." Ellison kergitas kulme. „Inimesed õieti ei teadnudki, kes see üürnik on. Mitte keegi ei räägi. Ja sellises majas üllataks mind, kui teaksid. Kriminalistid leidsid mitu erinevat sõrmejälge. Kes teab, äkki meil veab."

Hunter libistas pilgu mõne sekundiga üle toa – verd polnud kusagil. Elutuba oli segamini, aga eilsega võrreldes, kui nemad

Titol külas käisid, polnud midagi muutunud. Mingit silmaga nähtavat erinevust ei olnud. Uksekett ja uksepiit olid terved. Miski ei viidanud sissemurdmisele.

„Kas te olete siin lõpetanud?" küsis Corbí kriminalistide juhilt, viidates väiksele koridorile, mis viis vannituppa ja magamistuppa.

„Jah, kõik on olemas. Võite sinna minna."

Nad läksid läbi elutoa.

„Me kõik sinna ei mahu," ütles Corbí vannitoa ukse juurde jõudes. „Ma ei uskunud, et minu omast väiksemat vannituba on olemas. Ma eksisin. Minge teie. Me oleme seda juba näinud." Corbí ja Ellison taganesid, lastes Hunteril ja Garcial sisse astuda.

Hunter avas aeglaselt ukse.

„Oh, raisk." Sõnad pudenesid üle Garcia huulte.

Hunter vaikis, silmitsedes kõike.

Tillukese vannitoa põrand, seinad ja kraanikauss olid täis verepritsmeid. Arteriaalne veri, mida pritsib, kui nuga üle inimese kõri või keha tõmmatakse. Tito oli alasti, istus verise dušinurga põrandal. Selg oli vastu plaaditud seina, jalad enda ees sirgu, käed lõdvalt külgedel. Pea oli kuklas, nagu vaataks midagi laes, aga tal polnud silmi. Need olid vajutatud pealuusse, kuni vajusid sisse. Üks silmamuna tundus olevat silmakoopas lõhkenud. Silmakoobaste nurkadest oleks nagu verd voolanud, kõrvadest mööda ja kiilaks aetud pea külgedelt alla. Suu oli lahti ja poolenisti paksu hüübinud verd täis. Keel oli suust välja rebitud.

„Leidsime keele vetsupotist," ütles Corbí ukselt.

Tito kõri oli kogu ulatuses läbi lõigatud ning veri oli mööda rinda sülle ja jalgadele voolanud.

„Kriminalistide sõnul ei ole kehal nähtavaid vigastusi, mis tähendab, et teda ei pekstud," selgitas Ellison. „Ta toodi vannituppa ja tapeti nagu looma. Mujal korteris verd ei olnud."

„Uimastatud?" küsis Garcia.

„Peame lahkamise tulemusi ootama, aga mind ei üllataks, kui ta oli tapmise ajal laksu all. Elutoa laual oli väikesel ruudukujulisel peeglil kokaiinijälgi."

„Magamistuba on põrgulikult sassis," jätkas Corbí. „Ja seal haiseb mustade riiete, pesemata kehaosade ja kanepi järele. Ülejäänud korterit arvestades polnud see vist midagi erilist. Ta elas vabast tahtest nagu siga. Leidsime magamistoast ka kilojagu marihuaanat, lisaks mõned kräkipiibud. Kui mõrtsukas midagi otsis, oli see arvatavasti olnud elutoas hõbedases karbis, olgu selleks siis uimastid või midagi muud." Ta ootas, et Hunter ja Garcia vannitoast välja tuleksid. „Ma ei küsi, mis infot te sellelt Titolt saada tahtsite. See on teie asi ja ma tean, et teiste politseinike juurdlusse nina ei topita, aga kas te oskate öelda ohvri kohta midagi, mis võib aidata kaasa *meie* juurdlusele?"

Hunter teadis, et ei saa Corbíle ja tema paarilisele Ken Sandsi nime öelda. Corbí hakkaks teda otsima, küsimusi esitama. Politseinikud asuksid Sandsi avalikult jahtima ning ta võib suurema tõenäosusega sellest teada saada ja kaduda. Hunter ei saanud sellega riskida. Ta pidi valetama.

„Kahjuks ei ole mul sulle midagi öelda," vastas ta.

Corbí silmitses Hunteri nägu ega näinud seal mingit valskust. Kui see oli pokkerinägu, siis oli see parim pokkerinägu, mida Corbí oli eales näinud. Seejärel vaatas ta Ellisoni poole, kes kehitas õlgu.

„Olgu pealegi," ütles Corbí. „Ega mul teile siin muud näidata olegi."

Seitsekümmend

Väljas kõrvetas päike ühtmoodi nii inimesi kui autosid. Garcia võttis särgitaskust päikeseprillid ja tõmbas käega üle kaela. Käsi sai märjaks. Ta vaatas juhiukse kõrval seistes üle oma Honda Civicu katuse Hunterit.

„Kui Sands Tito tappis, ei ole sedamoodi, et tema on meie otsitav mõrtsukas, ega?"

Hunter silmitses teda. „Miks nii?"

„Esiteks täiesti teine tegevusmeetod. Jah, ta rebis ohvril keele suust, aga võrreldes eelmise kahe kuriteopaiga amputeerimiste ja muude õudustega on see, mis siin juhtus nagu morsipidu. Ja skulptuuri ja varjunukke polnud."

Hunter toetas küünarnukid autokatusele ja põimis sõrmed vaheliti. Sel hetkel oli ta valmis Garciaga nõustuma, ent lahtisi otsi oli liiga palju ja miski ütles talle, et Ken Sandsi kahtlusaluste nimekirjast praegu välja jätta oleks suur viga. „Kas sa ei arva senise informatsiooni põhjal, et Sands on piisavalt nutikas, et mitteseotud kuriteo puhul teguviisi muuta?"

„Mitteseotud kuriteo?" Garcia avas auto kesklukustuse ja istus sisse.

Hunter tegi sama.

Garcia käivitas mootori ja lülitas konditsioneeri tööle. „Mis mõttes mitteseotud kuriteo?"

Hunter naaldus vastu kõrvalistujaust. „Oletagem korraks, et meil on seni kõiges õigus olnud ja Ken Sands on tõepoolest meie otsitav mõrtsukas."

„Olgu."

„Üks meie eeldusi on, et Sands maksab ohvritele kätte mitte ainult iseenda, vaid ka oma lapsepõlvesõbra Alfredo Ortega eest, eks ole?"

Garcia noogutas. „Jep."

„Kuidas Tito tema kättemaksuplaani sobitub?"

Garcia oli hetke mõtlik.

„Mäletad, Tito ütles, et nad ei suhelnud vanglas. Seega polnud nende vahel Lancasteris istumise ajast mingit vaenu." Garcia pigistas alahuult. „Ta ei sobi mustrisse."

„Ei, ei sobi. Kui Sands on mõrtsukas ja ta Tito tappis, siis mitte sellepärast, et Tito oli tema esialgse plaani osa. Tõenäoliselt oli asi selles, et Tito hakkas tema kohta valesti või valele inimesele küsimusi esitama."

„Aga mõrtsukad ei muuda üldiselt oma teguviisi, kui nende tapatööd just ei eskaleeru." Garcia osutas maja peale. „See on vastupidine. Ta on läinud absurdselt groteskselt üle ..." Ta üritas õiget sõna leida, „... lihtsalt jõhkrale, ütleksin ma selle kohta."

„Ja kõik see taandub asjaolule, et Tito polnud esialgse plaani osa. Mõtle ise, Garcia. Selle mõrtsuka jaoks on teguviis ääretult oluline – see, kuidas ta ohvreid tükeldab, kuidas ta nende kehaosad hoolikalt uuesti kokku sätib, luues skulptuuri, mis tekitab iga kord seinale erineva varju. Tema jaoks on see kohustuslik, mitte valikuline, mitte asi, mida ta teeb lõbu pärast. See on sama tähtis kui tapatöö ise ja ohvri valimine. See on osa tema kättemaksust. Ja ma olen täiesti kindel, et skulptuuri, varju ja konkreetse ohvri vahel on seos. Ta valis põhjusega Nicholsoni jaoks koioti ja ronga ning Nashornile vanakuradit meenutava kujutise, kes vaatab veel nelja kuju."

„Ja Tito polnud kuidagi selle osa," nentis Garcia.

Hunter noogutas.

„Aga me ei tea ikka täpselt, mida need varjud tähendavad," jätkas Garcia. „Ja kui sul on õigus ja kõikidel kujutistel on otsene seos konkreetse ohvriga, siis ei saa ma ühest asjast aru."

„Millest?"

„Esimese varju puhul pööras mõrtsukas väga suurt tähelepanu üksikasjadele, nikerdades ohvri kehaosasid nii, et meile ei jääks mingit kahtlust. Sa ütlesid ise, et nikerdatud kobakas nokk linnu kujutisel välistab mitmed võimalused, jättes meile ainult mõned alternatiivid. Aga teise varju puhul polnud üksikasjadele nii suurt tähelepanu pööratud. Selle puhul pole selgelt aru saada, kas tegemist on sarvedega inimnäoga, kuradi, jumala või mingi loomaga. Kaks püsti seisvat kuju koos maas lamavatega võivad olla inimesed, aga ei pruugi olla. Miks mõrtsukas nii tegi? Oli esimese varjupildiga nii detailne, aga teisega mitte?"

Hunter hõõrus kätega nägu. „Mina näen siin ainult ühte põhjust – olulisus."

Garcia grimassitas nägu ja pööras peopesad ülespoole. „Olulisus?"

„Arvan, et mõrtsukas pööras esimesele varjupildile nii suurt tähelepanu sellepärast, et see oli *tähtis*. Ta ei tahtnud, et me selle tuvastamisel eksiksime. Ta ei tahtnud, et me arvaksime, et ta andis meile koera ja tuvi või rebase ja öökulli."

Garcia pidas korraks aru. „Aga teise puhul polnud see nii tähtis."

„Mitte sama tähtis," kinnitas Hunter. „Teise kujutise detailide tähtsus ei ole nii suur. Arvatavasti pole ka sel tähtsust, kas sarvedega nägu on inimene või mitte. Mõrtsukas ei taha, et me seda näeksime."

„*Mida* ta siis tahab, et me näeksime?"

„Ma ei tea ... veel." Hunter vaatas aknast välja kõiki politseisõidukeid, mis seisid Tito sotsiaalmaja ees. „Aga ma usun, et Ken Sands on piisavalt nutikas, et muuta oma teguviisi ainult meie eksitamiseks."

Seitsekümmend üks

Õhtu hakkas kätte jõudma, kui psühholoog Nathan Littlewood istus oma laua taga, kuulas viimase patsiendi seansi salvestust ja tegi märkmeid. Tema vastuvõtt asus Silver Lake'is.

Littlewood oli 52-aastane, 180 cm pikk, klassikaliselt kena välimusega ja heas füüsilises vormis, mida aitas säilitada tervislik toitumine ja kolm korda nädalas jõusaali külastamine. Ta tegi oma tööd hästi, isegi väga hästi. Littlewoodi patsientideks olid kõik, teismelised ja pensionärid, vallalised, abielupaarid ja lihtsalt koos elavad paarid, tavalised inimesed ja mõned B-kategooria staarid. Igal nädalal puistasid kümned patsiendid talle südant ja avaldasid oma mõtteid.

Tema selle päeva viimane patsient oli lahkunud pool tundi tagasi. Naise nimi oli Janet Stark, 31-aastane näitleja, kel oli tõsiseid probleeme oma elukaaslasega. Nad olid viimasel ajal palju tülitsenud ja Janet oli kindel, et mees petab teda. Häda oli selles, et Janet kahtlustas, et teise mehega.

Janet ise oli maganud paljude naistega ja magas endiselt. Ta ei peljanud seda tunnistada, aga tema meelest oli naiste biseksuaalsus vastuvõetav, meeste oma aga mitte.

Ta oli seni käinud Littlewoodi juures kuuel korral. Kaks korda nädalas viimased kolm nädalat ja flirtimine algas peaaegu kohe. Pärast esimest seanssi oli Janet hakanud riietuma provoka-tiivsemalt — lühemad seelikud, sügava dekolteega pluusid, *push-up* rinnahoidjad, seksikad kingad, mida iganes, et Nathani tähelepanu köita. Täna oli naisel olnud seljas lühike suvekleit, mustad lahtise ninaga Christian Louboutini madalad saapad, meik, mis justkui ütles „ma tahan sind kohe saada", aluspesu polnud. Kui Janet diivanile heitis, kerkis kleit mööda reisi ülespoole ja ta sättis jalad nii, et mitte midagi ei jäänud silma eest varju.

Littlewood jumaldas naisi ning mida litsakamad ja mida suuremate veidrustega, seda parem, aga ta teadis, et patsientidega ei tohi tekkida mitte mingisuguseid suhteid. Sellised asjad ei jää kunagi saladuseks. Ja Los Angelese suguses linnas piisas vaid kõlakast, et selline saast leviks nagu kulutuli. LA-s oli mahlakal kuulujutul võim karjääre hävitada. Littlewood oli targem. Ta otsis rahuldust mujalt ja maksis selle eest suuri summasid. Littlewood oli lahutatud. Ta oli abiellunud kahekümnendate eluaastate keskel, aga abielu kestis vähem kui viis aastat. Probleemid algasid peaaegu kohe pärast laulatustseremooniat. Pärast neli ja pool aastat kestnud tülisid, ebakõlasid ja tõsist seksuaalset rahuldamatust vajus nende abielu sellisesse depressiooni, et mõlemad said sellest psühholoogilise põntsu. Lahutus oli ainus väljapääs.

Neil oli üks poeg, Harry, kes õppis nüüd Las Vegases juurat. Pärast abielu ning pikka ja vaevarikast lahutusprotsessi tõotas Littlewood endale, et ei abiellu enam kunagi. Talle polnud kordagi tulnud mõtet seda tõotust rikkuda.

Littlewoodi laual pirises telefon. Ta pani diktofoni seisma ja vajutas sisetelefoni nuppu.

„Räägi, Sheryl."

„Küsin ainult, kas sul on täna veel midagi vaja."

Littlewood vaatas kella. Tööaeg oli läbi. Ta oli unustanud, et Janet Starkile meeldis seansse võimalikult hilisele ajale panna.

„Oh, palun vabandust, Sheryl, oleksid pidanud tund aega tagasi koju minema. Kaotasin ajataju."

„Pole midagi, Nathan." Littlewood tahtis, et Sheryl kasutaks tema eesnime. „Jääksin meelsasti. Oled kindel, et mind pole rohkem vaja? Võin jääda, kui tahad."

Sheryl oli olnud Littlewoodi büroojuht-sekretär veidi üle aasta ning seksuaalne pinge nende vahel võinuks arvatavasti väiksemat sorti linna põlema süüdata. Ent Littlewood suhtus temasse samamoodi nagu oma patsientidesse, kuigi oli selge, et nende vahel on külgetõmme. Sheryl aga oleks professionaalsuse hetkega kõrvale heitnud ja temaga voodisse hüpanud kiiremini kui keegi jõuaks öelda „mustikakook," kui ainult selleks võimaluse saaks.

„Ei, pole vaja, Sheryl. Teen veel märkmeid. Lähen ise ka varsti minema. Maksimaalselt pool tundi veel. Mine koju ja homme näeme."

Littlewood naasis salvestuse ja märkmete juurde. Tal kulus kolmkümmend viis minutit, et kõik saaks tehtud nii, nagu ta tahtis. Kui ta oma kontorihoone all olevasse parkimismajja jõudis, oli seal veel vaid kolm autot. Ta oli parkinud auto kaugemasse otsa, väreleva lambi alla.

Ehkki tema vastuvõtul läks hästi, sõitis Littlewood 1998. aasta hõbedase Chrysler Concorde LX-ga. Ta ise ütles selle kohta uunikum, aga sõbrad pilkasid, et kuigi auto on vana, ei tee see sellest veel uunikumi.

Ta avas võtmega ukse ja istus juhikohale. Kõht oli kohutavalt tühi ja talle kuluks ka kange naps ära. Päev otsa seksuaalsete vihjete vahel laveerimist oli tekitanud veel ühe tahtmise ja ta teadis täpselt, kuhu selle rahuldamiseks minna.

Littlewood keeras süütevõtit. Mootor turtsus ja kähises nagu surev koer, aga ei käivitunud. Vahel oli tema vana Chrysler tujukas.

„Käivitu, kullake." Ta patsutas armatuurlauda.

Ta vajutas kolm korda gaasipedaali ja üritas uuesti.

Veel turtsumist ja kolinat – aga ei midagi.

Võib-olla oli aeg see uuema mudeli vastu välja vahetada.

Veel üks kord.

„Käivitu ometi."

Ei miskit.

„Jäta jama, kuramus."

Veel pedaali pumpamist.

Tshh, tshh, tshh, tshh, tshh.

Littlewood virutas rusikatega vastu rooli ja kirus endamisi, sulges siis silmad ja lasi peal istme peatoele vajuda. Tundus, et ta peab täna taksot kasutama. Ja siis koges ta midagi, mida polnud kunagi varem kogenud. Mingi kuuenda meele hoiatus, mis kerkis sügavalt tema seest, tarretades peaaegu vere soontes, nii et kõik kehakarvad kerkisid. Ta tõstis vaistlikult pilgu tahavaatepeeglisse. Tagaistme hämarusest vaatas talle vastu kaks kõige õelamat silma, mida ta eales oli näinud.

Seitsekümmend kaks

Hunter istus tööruumis täielikus pimeduses näoga fototahvli poole. Tal oli käes taskulamp, mida ta suvaliselt sisse-välja plõksutas, üritades aju petta.

Kui valgus silmani kandub ja silma fotoplaati ehk võrkkesta tabab, on tekkinud kujutis pahupidi, aga aju tõlgendab seda õigetpidi. Kui lasta sel kujutisel võrkkestale tekkida vaid murdosa sekundiks ja siis valgusallikas kustutada, peab aju tõlgendama ainult seda, mida mäletab, võttes moodsa meditsiini termineid kasutades appi lühiajalise ehk kiirmälu.

Kui kujutiseks on ajule tuntud vorm, näiteks tool, kompenseerib pikaajaline mälu automaatselt üksikasjad, mida aju ei suutnud lühikese valguse ajal registreerida – aju arvab, et „see oli tooli moodi," nii et otsib mälupangast tooli pildi. Ent kui kujutis on aju jaoks tundmatu, ei ole sel kuskilt abi võtta. Sel juhul kompenseerib aju selle, nähes rohkem vaeva, püüdes tuvastada esialgse kujutise detaile. Seda Hunter teha üritaski, sundida aju nägema midagi, mida see varem polnud näinud. Seni polnud sellest kasu olnud.

„Kas see on sinu arusaam diskotuledest?"

Hunter pöördus hääle suunas ja lülitas taskulambi põlema.

Alice seisis ukse juures, portfell käes.

„Ma ei teadnud, et sa veel siin oled," ütles Hunter.

„Arvasid, et sina oled siin ainus töönarkomaan?" Naine naeratas.

Hunter niheles.

„Kas ma tohin tuled põlema panna?"

„Lase käia." Hunter kustutas taskulambi.

Alice vajutas lülitit ja nookas siis tahvli poole. „Said midagi uut?" Ta teadis, mida mees teha üritas.

Hunter hõõrus pöidla ja nimetissõrmega silmi, raputades pead. „Mitte midagi."

Alice pani portfelli põrandale ja toetus vastu uksepiita. „On sul kõht tühi?"

Hunter polnud söögi peale päeva otsa mõelnud ja nüüd hakkas kõht korisema. „Kohutavalt."

„Kas sulle Itaalia toit maitseb?"

Seitsekümmend kolm

Campanile oli rustikaalselt elegantne restoran South La Brea Avenue'l, meenutades oma kellatorni, purskkaevuga sisehoovi ja väikese pagaritöökojaga väikest Vahemere-äärset küla.

„Ma ei teadnud, et sulle see koht meeldib," tähendas Hunter, kui tema ja Alice hoovis laua taha istusid.

„Sa ei tea minust paljusid asju." Naine vaatas teda kerge naeratusega, aga soovimata, et Hunter tema sõnadesse süüviks, jätkas kähku. „Käisin siin tihti. Ma jumaldan Itaalia toitu ja peakokk on siin suurepärane. Arvatavasti selle kandi parim."

Hunter ei saanud sellele vastu vaielda. „Sa ei käi siin enam eriti?"

„Mitte eriti. Armastan endiselt Itaalia toitu, aga ma pole enam laps ja pean jälgima, mida söön. Lisakilodest vabanemine pole enam nii lihtne kui varem." Hunter tegi kangast salvräti lahti ja pani sülle. „Ma ei usu, et sul on vaja millestki vabaneda." Alice vaikis ja vaatas teda kummaliselt. „Kas sa tegid komplimendi?"

„Jah, ja ütlesin samas tõtt." Alice lükkas juuksed kõrvade taha ja üle vasaku õla. Kohmetu ja kergelt flirtiv liigutus. See jäi täielikult tähelepanuta.

„Kas tellime?" küsis Hunter.

„Miks ka mitte." Vastus tuli kuidagi tujutul häälel.

Mõlemad tellisid spagette. Hunter võttis Primavera kastmega ja Alice peakoka eri vürtsikate lihapallide ja päikesekuivatatud tomatitega. Nad võtsid kahe peale pudeli punast veini ja üritasid juurdlusest mitte rääkida.

„Miks sa abiellunud pole, Robert?" Küsimus kõlas söögikorra lõpus, kui kelner neile viimase veinipära klaasidesse valas.

„Nagu öeldud, olid koolis paljud minu tuttavad tüdrukud sinust sisse võetud. Olen kindel, et sul on selleks piisavalt võimalusi olnud."

Hunter silmitses Alice'it, võttes lonksu veini. Naise silmis oli siiras huvi, peaaegu nagu reporteril, kes otsib järjekordset kõmulugu. „On teatud asju, mis ei sobi omavahel. See, mida ma teen, ja abielu on kaks neist."

Alice ajas huuled torusse ja väänas need küljele. „See on maailma kõige magedam ettekääne. Paljud politseinikud on abielus."

„Jah, aga paljud neist lahutavad mingil hetkel pingete tõttu, mida politseinikutöö kaasa toob."

„Aga vähemalt nad üritavad ilma kehva vabanduse taha pugemata. Ja ütlemine „parem armastada ja kaotada, kui mitte üldse armastada"?"

Hunter kehitas õlgu. „Ma pole seda kuulnud."

„Jama jutt."

Kerge muie reetis mehe.

„Ja Carlos?" jätkas Alice. „Tema on abielus. Kas sa tahad öelda, et tema abikaasa jätab ta kunagi tema töö tõttu maha?"

„Mõnedel inimestel veab väga või vähemalt piisavalt, et leida see õige inimene, kellega nad on loodud koos elama. Carlos ja Anna on üks selline näide. Paremini omavahel sobivat paari ei ole vist võimalik leida. Otsi, palju tahad."

„Ja sina pole sellist inimest kohanud? Seda, kellega oled loodud elu lõpuni koos olema?"

Hunteri mälu vallutasid korraks kujutluspildid ühest näost … ühe nime kõlast. Ta tundis, kuidas süda rinnus soojenes, aga kui mälestused ülehelikiirusel laienesid, muutus süda jääkülmaks.

„Ei." Hunter ei pööranud pilku ära, aga oli kindel, et miski tema silmis reetis ta.

Alice nägi seda tõepoolest. Alguses midagi hella, siis midagi kalki ja jäist, midagi väga valusat, ja uudishimust hoolimata teadis ta, et tal pole õigust enam midagi pärida.

„Palun vabandust." Ta pööras pilgu mujale ja vahetas teemat, enne kui vaikus jõudis liiga kohmetuks muutuda. „Nii et sa ei saanud teise varjupildi kohta midagi uut teada?"

„Ei."

„Mis sa arvad, kas me panime esimesega pihta? Selle tõlgendamisega siis – et mõrtsukas ütles meile, et tema meelest oli Derek Nicholson petis ja valevorst." Alice tõstis käe, et takistada Hunterit liiga kiiresti vastamast. „Tean, et me ei tea midagi kindlalt enne, kui mõrtsukas on tabatud, aga kas see tundub sulle õige?"

Hunter sai juba aru, kuhu naine sihib. „Jah."

„Aga sa kahtled teise varjupildi tõlgenduses."

„Jah."

Alice rüüpas aeglaselt veini. „Sina, Carlos ja mina oleme tundide kaupa seda inimskulptuuri ja selle tekitatud varjupilti uurinud, püüdes selle tähendusest sotti saada. Ma ei usu, et sealt veel midagi leiame peale selle, mida alguses nägime. Isegi kapten on sama meelt. Miks sa arvad, et me sellega eksime? Miks ei võiks mõrtsukas selle kujutisega meile öelda, et ta jahib veel kahte ohvrit?"

Kelner tuli nende lauda koristama. Hunter ootas, kuni mees eemaldus, nõud kätel.

„Minu meelest on see tõlgendus esimesega võrreldes liiga kauge. See ei ole loogiline."

Alice'i silmad läksid suureks. „Loogiline? Mis selles juhtumis üldse loogiline on, Robert? Meil on tegemist ülbe maniakiga, kes tükeldab inimesi ja teeb neist skulptuure, et anda meile hullumeelseid pusletükke. Kus, pagan, selles loogika on?"

Hunter vaatas kähku ringi, et näha, kas keegi kuulis Alice'i sõnu. Naise hääl oli erutatult mõned detsibellid kerkinud. Kõik olid siiski oma toidust ja veinist rohkem huvitatud kui nende vestlusest. Ta pöördus uuesti Alice'i poole.

„See ei ole loogiline, sest me ei tea veel vastust, aga mõrtsuka jaoks on see vägagi loogiline. Sellepärast ta seda teebki."

Alice kaalus neid sõnu vaikides. „Seda sa oledki üritanud teha, eks? Mõelda nagu mõrtsukas. Näha loogikat, mida ainult tema näeb."

„Sellest on möödas täpselt nädal ja seni olen ma haledalt ebaõnnestunud."

„Ei ole." Alice pani ühe käe lauale ja tema sõrmeotsad puudutasid Hunteri käeselga. „Sa oled teinud paremat tööd kui keegi oleks tahta saanud. Ilma sinuta vahiksime ikka neid skulptuure, püüdes aru saada, mida need tähendavad."

Hunter vaikis ja silmitses Alice'it. „Kas sa tegid mulle komplimendi?"

„Ei, konstateerisin tõtt. Mida sa silmas pidasid, öeldes, et see tõlgendus on esimesega võrreldes liiga kauge?"

„Kas te soovite magustoidumenüüd?" Kelner oli tagasi nende laua juures.

Alice ei vaadanud tema poolegi, raputas vaid pead. Hunter naeratas osavõtlikult.

„Pingutasime vist pearoaga üle. Kõht on väga täis, aga aitäh."

„*Prego**," vastas kelner ja lahkus.

„Kuidas kauge?" küsis Alice alla andmata.

„Kui me esimest varjukujutist õigesti tõlgendasime, avaldas mõrtsukas meile *oma* arvamuse Derek Nicholsoni kohta, eks ole? Ta pidas teda valetajaks."

Alice naaldus toolileenile, hakates taipama.

„Aga kui meil on ka teise kujutise tõlgenduse osas õigus, ei avaldanud mõrtsukas meile oma arvamust Andrew Nashorni kohta."

Alice taipas. „Kui meil on õigus, avaldas ta meile oma arvamuse *enda* kohta – vihane saatan, kes vaatab oma ohvreid."

Hunter noogutas. „Jah, ja ma ei näe põhjust, miks ta seda tegema peaks. See tundub vale. See mõrtsukas tahab, et me näeksime midagi tema vaatevinklist. Ta tahab, et me mõistaksime, miks ta seda teeb. Miks ta neid inimesi tapab. Öelda meile, et ta pidas Nicholsoni valetajaks, et Nicholson ehk reetis ta, tundub loogiline."

„Aga öelda meile, et ta on vihane kättemaksuhimuline kurat, ei tundu?"

„Kas sulle tundub?"

---

*   it k. Võtke heaks.

Alice kergitas korraks kulme. „Ei," tunnistas ta siis. „Sa siis arvad, et ta üritab teise kujutisega öelda meile midagi Nashorni kohta?"

„Võib-olla."

„Jah, aga mida? Et ta pidas Nashorni saatanaks? Sarvedega inimeseks? Ja mis värk on nende nelja kujuga, kellest kaks seisid ja kaks lamasid? Mida põrgut need tähendavad?" Hunter ei osanud vastata.

Seitsekümmend neli

Mehe silmalaud võbelesid nagu liblikatiivad – väga katkised liblikatiivad. Need kaalusid justkui terve tonni ning Nathan Littlewoodil kulus mitu sekundit tohutut pingutust, et need paokile kangutada ja nii hoida. Valguse killud torkisid silmamunadest läbi. Ta tõmbas sügavalt hinge ja kopsudes kõrvetas, nagu oleks õhk väävelhape. Talle kaela süstitud aine mõju hakkas taanduma.

Lõug vajus rinnale, pea tundus liiga raske, et seda tõsta. Littlewood püsis selles asendis mitu sekundit. Alles siis taipas ta, et on alasti, välja arvatud nahale kleepunud higist märjad bokserid. Tal kulus veel hetk aega, et oma asendist sotti saada. Ta istus mugaval nahast kontoritoolil. Käed oli üle tooli käetugede selja taha tõmmatud. Randmed olid kinni seotud millegi kõva ja peenikesega, mis tungis talle ihusse. Jalad olid samuti tahapoole tõmmatud ja tooli all paari sentimeetri kõrgusel põrandast kinni seotud. Keha valutas, nagu oleks ta tugevasti peksa saanud, ja valu kolbas ähvardas mõistuse röövida.

Miski sikutas suunurki ja järsku tabas teda meeletu soov öökida. Rinnust kerkis köha uskumatu jõuga, aga õhu liikumist takistas osaliselt tugevasti suhu topitud tropp, mis ainult võimendas öökimistungi. Littlewood tundis suus sapi ja vere maitset ning köhimine läks kiiresti üle võitluseks mitte surnuks lämbuda.

Hinga nina kaudu, oli ainus mõte, mis pähe tuli. Ta üritas sellele keskenduda, aga tundis liiga metsikut hirmu ja oli valust liiga uimane, et aju oleks suutnud sel hetkel teda kuulata. Ta vajas rohkem õhku, meeleheitlikult, ja ahmis instinktiivselt uuesti suu kaudu sügavalt hinge. Sapi ja vere segu, mis oli keele all, liikus kurku ja takistas hapniku liikumist veelgi.

Totaalne paanika.

Silmad pöördusid peas pahupidi ja maosisu lahvatas sisemuses, paiskudes läbi rinna ja söögitoru nagu rakett, ehkki Littlewoodi jaoks toimus kõik aegluubis. Keha hakkas lõtvuma. Elu hääbus temas kiiresti.

Ta tundis suus okse kirbet maitset murdosa sekundit enne seda, kui see täitus sooja tükilise vedelikuga. Sel hetkel andis suutropp järele, vajudes suust välja nagu oleks keegi selle tagant lahti löönud.

Ta oksendas endale sülle, aga hea oli see, et ta sai jälle hingata.

Olles tükk aega kuivalt köhinud ja sülitanud, hakkas Littlewood õhku ahmima, püüdes kopsudesse hapnikku saada ja samal ajal end rahustada. Ta hakkas värisema, taibates tõmmeldes kahte asja – esiteks, ta oleks äärepealt hinge heitnud, ja teiseks, ta oli ikka tooli külge seotud ja tal polnud aimugi, mis toimub.

Vasakul tekkis mingi liikumine. Littlewood nõksatas pea ehmunult sinnapoole. Siin oli keegi, aga ta ei näinud hämaruses kedagi.

„Halloo?" ütles ta nii nõrgalt, et polnud kindel, kas keegi peale tema enda seda kuulis.

Ta hingas mõned korrad meelt heites, et end rahustada.

„Halloo?" üritas ta uuesti.

Ikka vaikus.

Littlewood vaatas ringi. Ta nägi suurt raamaturiiulit, mis oli täis nahkköites raamatuid, põrandalampi suure laua kõrval vastasseinas – ruumi ainus valgusallikas. Pilk kandus paremale ja ta nägi mugavat nahast tugitooli. Paari meetri kaugusel selle ees oli psühholoogi diivan – tema diivan. Ta oli tagasi oma kabinetis.

„Saan su näoilme järgi aru, et sa oled taibanud, kus oled." Seda ütles rahulik hääl. Keegi oli varjudest välja tulnud ja seisis pooleteist meetri kaugusel tema ees, nõjatudes vastu tema lauda. Littlewoodi pilk koondus pikale kogule ja segadus kasvas. „See on sinu kabinet. Neli korrust tänavast kõrgemal. Paksud aknaklaasid. Paksud seinad. Ja su aken on kõrvaltänava poole. Ukse taga on suur ooteruum ja alles siis tuleb uks, mis viib väliskoridori." Vaikus ja õlakehitus. „Karju kui tahad, aga mitte keegi ei kuule piuksugi."

Littlewood köhis taas, üritades jälki maitset suust ära saada. „Ma tunnen sind." Hääl oli kähe ja hädine. Hirm peegeldus igast sõnast.

Naeratus ja õlakehitus. „Aga mitte nii hästi kui mina sind."

Littlewoodi pea oli ikka veel liiga uimane, et nägu ja nime kokku viia. „Mis asja? Mida see tähendab?"

„Noh, sa ei tea minu kohta seda, et ma olen ... kunstnik." Tahtlik paus. „Ja ma tulin siia, et sinust kunstiteos teha."

„Mis asja?" Littlewood märkas viimaks, et inimesel tema ees oli seljas läbipaistev kapuutsiga paksust kilest kombinesoon ja käes kummikindad.

„Aga sel pole tähtsust, kes ma olen. Oluline on see, mida ma sinu kohta tean."

„Mis asja?" Segaduseudu tihenes ja Littlewood hakkas arutlema, kas see on äkki halb unenägu.

„Näiteks tean ma, kus sa elad," jätkas kunstnik. „Tean su ammusest kohutavast abielust. Tean, kus su poeg õpib. Tean, kus sa käid, kui tahad auru välja lasta. Tean, mis sulle seksi juures meeldib ja kust sa seda saad. Mida räpasem, seda parem, eks ole?" Littlewood köhis taas. Sülge nirises mööda lõuga alla.

„Aga parim on see ... *et ma tean, mida sa tegid.*" Kunstniku häälde tekkis varjamatu viha.

„Ma ... ma ei tea, millest sa räägid."

Kunstnik astus sammu vasakule ja põrandalambi valgus langes millelegi Littlewoodi töölaual. Ta ei saanud aru, mis see on, aga nägi, et seal on mitu metallist eset. Hirm kandus vabisedes läbi keha.

„Pole midagi. Ma tuletan seda sulle öö jooksul meelde." Põlglik naeruturtsatus. „Ja sinu jaoks saab see olema pikk-pikk öö." Kunstnik võttis laualt kaks eset ja tuli Littlewoodi juurde.

„Oota. Mis su nimi on? Kas ma saaksin palun natuke vett?"

Kunstnik seisatas Littlewoodi ees ja turtsatas sapiselt naerma.

„Sa tahad minu peal oma psühholoogi-jura katsetada? Mis see võiks olla? Vaatame ... ah jaa ... *Rõhu ründaja inimlikule poolele, küsides lihtsaid asju, näiteks vett või luba tualetti minna. Kaastunne hädasolijate suhtes on enamike inimeste jaoks loomulik.* Sa tahad mu nime kasutada? Kes teab, võib-olla kasutan ma sinu nime ... *mis muudab ohvri ründaja silmis inimlikumaks, muutes ohvri pelgalt ohvrist inimolendiks, kel on nimi, tunded, süda. Keegi, kellega ründaja ehk samastuda suudab. Keegi, kes väljaspool antud olukorda võiks olla samasugune kui ründaja, kel on sõbrad, perekond ja igapäevamured.*" Taas naeruturtsatus. „*Rõhu tema inimloomusele, eks ole? Väidetavalt on inimestel tuttavatele keerulisem viga teha. Algata vestlus. Ka kõige lihtsam jutuajamine võib ründaja psüühikale tugevat mõju avaldada.*"

Littlewood põrnitses teda, õudus pilgus.

„Just nii. Ma lugesin samu raamatuid, mida sina. Tunnen pantvangi-olukorra psühholoogiat. Oled ikka kindel, et tahad minu peal seda saasta katsetada?"

Littlewood neelatas.

„See hoone on tühi. Meil on homse hommikuni aega, enne kui keegi su uksest möödub. Võib-olla saame lobiseda, kuni ma töötan, mis sa arvad? Tahad proovi teha? Võib-olla minus kaastunnet äratada?"

Littlewoodile tulid pisarad silma.

„Mina ütlen, et hakkame pihta."

Midagi rohkem lisamata võttis kunstnik metallist meditsiiniliste tangidega Littlewoodi rinnanibust kinni ja väänas seda, tõmmates seda kehast eemale sellise jõuga, et nahk peaaegu purunes.

Littlewood karjatas piinatult. Ta tundis, et okse hakkab taas kurku kerkima.

„Ma loodan tõepoolest, et sul pole midagi valu vastu. See nuga pole kuigi terav." Kunstnik oli võtnud laualt ka väikese sakilise servaga noa. See tundus vana ja nüri.

„Kui valus on, võid vabalt karjuda."

„Oh jumal, pa ... pa ... palun, ära tee seda. Ma anun sind. Ma ..."

Littlewoodi järgmiste sõnade asemel kõlas järsku verdtarretav karjatus, kui kunstnik hakkas aeglaselt tema nibu küljest nüsima.

Littlewood kaotas peaaegu teadvuse. Ajul oli tõsiseid raskusi. Ta tahtis meeleheitlikult uskuda, et see, mis temaga toimub, pole päriselt. Ei saa olla päriselt. Ta pidi olema mingi ajuvaba unenäo haiges maailmas. See oli ainus loogiline seletus, aga valu, mis tema okse ja verega kaetud rinnast ülespoole sööstis, oli vägagi tõeline.

Kunstnik pani nüri noa käest ja vaatas natuke aega, kuidas Littlewood verd jookseb, oodates, et ta hinge tõmbaks ja jõudu koguks.

„Ehkki see oli nauditav," ütles kunstnik viimaks, „tahan vist nüüd midagi muud katsetada. See võib rohkem haiget teha."

253

Need sõnad paiskasid Littlewoodi säärase talitsematu hirmu keerisesse, et kogu tema keha tõmbus pingule. Ta tundis, et käte ja jalgade lihased tõmbuvad nii tugevasti krampi, et see halvas ta. Kunstnik astus lähemale. Littlewood sulges silmad ja ehkki ta polnud usklik inimene, avastas ta nüüd end jumalat palumas. Paar sekundit hiljem tundis ta lõhna. Midagi kohutavalt vänget ja vastikut. Midagi, mis otsekohe tekitas tahtmise oksendada, aga maos polnud enam midagi. Lõhnale järgnes otsekohe metsik valu. Alles siis taipas Littlewood, et tema nahk ja liha põlevad.

Seitsekümmend viis

Hunteri mobiil helises keskhommikul, kui ta parasjagu autosse istus. Ta oli äsja käinud uuesti mõlemas kuriteopaigas – Nicholsoni kodus ja Nashorni paadis, otsides midagi, mille olemasolus üldse kindel polnud.

„Carlos, mis uudist?" küsis Hunter, tõstes telefoni kõrva juurde.

„Leidsime järgmise."

Selleks ajaks, kui Hunter Silver Lake'i neljakorruselise kontorihoone juurde jõudis, meenutas see mingi kontserdi toimumispaika. Politseilindi ümber oli kogunenud suur rahvahulk ja mitte keegi polnud nõus sentimeetritki liigutama, kuni vähemalt korraks midagi morbiidset näeb.

Reporterid ja fotograafid nuuskisid ringi nagu näljane hundikari, kuulates iga kõlakat, kogusid iga infokildu ja täitsid tühikud oma loos kujutlusvõime abil.

Politseisõidukeid oli täis kogu tänav ja kõnnitee, põhjustades liikluskaose. Kolm patrullpolitseinikku üritasid närviliselt midagi korraldada, ärgitades jalakäijaid edasi minema, öeldes, et näha pole mitte midagi, ja andsid autodele märku edasi liikuda, kui need tempot aeglustasid, et samuti midagi kas või vilksamisi näha. Hunter keris akna alla ja näitas ühele politseinikule oma ametimärki. Noor korrakaitsja võttis mütsi peast, kissitades lõõskava päikese käes silmi, ning kuivatas käega laubalt ja kuklalt higi. „Võite sõita maja küljele ja parkida maa-alusesse parklasse, uurija. Kriminalistid ja teised uurijad parkisid oma bussid ja autod sinna."

Hunter tänas ja sõitis edasi.

Maa-alune parkla oli piisavalt suur, ent väga pime ja sünge. Kui Hunter auto Garcia auto kõrvale manööverdas, nägi ta kolme läbipõlenud lambipirni. Ta ei näinud kusagil turvakaameraid, isegi mitte sissepääsu juures. Ta parkis auto, astus välja ja vaatas kähku ringi – lihtne betoonkarp, parkimiskohtade jooned maas ja kõikjal pimedad nurgad. Selle keskel oli laia metalluksega ruudukujuline betoonplokk, kust pääses trepitasandile. Sealt võis minna liftiga või trepist üles. Hunter läks trepist. Teel neljandale korrusel möödus ta veel neljast vormiriietes politseinikust.

Trepiuksest pääses Hunter pikka koridori, kus kihas elu – veel vormi- ja tavariietes politseinikke ning kriminaliste.

„Robert," hõikas Garcia umbes poole koridori pealt, tõmmates kaitseülikonna kapuutsi peast.

Hunter läks tema juurde, kortsutades koridoris nii suurt hulka inimesi nähes kulmu. „Mida see tähendab? On siin pidu või?"

„Sama hästi võiks olla," vastas Garcia. „Kogu see asi on üks täielik kaos."

„Näen jah, aga miks?"

„Ma alles jõudsin kohale, aga esimene kõne ei tulnud meile."

Hunter hakkas kaitseülikonda selga ajama. „Kuidas nii?"

Garcia tõmbas kaitseülikonna luku lahti ja võttis pintsakutaskust märkmiku. „Ohver on Nathan Francis Littlewood –

viiekümne kahe aastane, lahutatud. See siin on tema psühholoogi vastuvõtt. Tema büroojuhi-sekretäri Sheryl Sellersi, kes täna hommikul surnukeha leidis, jutu järgi jäi Littlewood tööle, kui Sellers eile õhtul pool kaheksa koju läks."

„Pikk päev," tähendas Hunter.

„Mina mõtlesin sama. Põhjus oli selles, et Littlewoodi viimane patsienti lahkus kell seitse. Preili Sellers ütles, et ta oli alati tööl seni, kuni viimane patsient oli ära läinud."

Hunter noogutas.

„Ta leidis surnukeha, kui täna hommikul poole üheksa paiku tööle tuli. Häda on selles, et loomulikult sattus ta sellist vaatepilti nähes paanikasse. Mõned selle korruse kontorite inimesed olid juba tööle jõudnud. Nad kuulsid karjumist ja jooksid kohale. Groteskne või mitte, aga meie kuriteopaigast sai enne politseinike kohalejõudmist varahommikune tõmbenumber."

Hunter tõmbas kaitseülikonna luku kinni. „No tore."

„Nagu öeldud, ei helistatud esimesena meile," jätkas Garcia. „Silver Lake kuulub keskbüroo haldusalasse – kirdepiirkond. Kohale saadeti kaks nende uurijat. Kui doktor Hove siia jõudis ja sündmuspaika nägi, helistas ta meile. Nii et põhimõtteliselt on terve rügement inimesi sellest üle käinud."

„Kus doktor Hove on?"

Garcia kallutas pea kabineti poole. „Sees, töötab sündmuspaigal."

„Nii et see on siis teie paarimees?" Küsimuse esitas mees, kes oli tulnud Garcia selja taha. Ta oli peaaegu 180 cm pikk, lühikeste mustade juuste, lähestikku asuvate silmade ja nii paksude ja kohevate kulmudega, et need meenutasid karvaseid röövikuid.

„Jah," Garcia noogutas. „Robert Hunter, see on uurija Jack Winstanley keskbüroo kirdepiirkonnast."

Nad vahetasid käepigistuse.

„Hunter …" ütles Winstanley, laup korraks kipras. „Teie olete need, kes selle politseiniku mõrva uurivad, eks? Seda, mis paar päeva tagasi sadamas toimus. Ta töötas lõunapiirkonnas, eks?" „Andrew Nashorn," vastas Hunter. „Jah." Winstanley masseeris nimetissõrmega kohta oma röövikukulmude vahel. Hunter ja Garcia teadsid täpselt, mida ta nüüd küsib.

„Kas jutt käib samast mõrtsukast? Kas ta oli samamoodi tükkideks lõigutud nagu see tüüp siin?"

„Ma pole veel sündmuspaika näinud," vastas Hunter.

„Ärge ajage mulle seda paska. Kui te tulite siia *minu* mõrvapaika üle võtma, siis teate, millest ma räägin. See seal on puhas kurjus." Winstanley viipas psühholoogi kabineti poole. „Ohver oli tükkideks lõigutud nagu kanahautis. Ja mis kuradi väärakas asi see tema lauale jäeti? On need tema kehaosad?"

Hunter ja Garcia vahetasid kiire pilgu. Polnud mõtet seda eitada.

„Jah," vastas Hunter. „See on tõenäoliselt sama mõrtsukas."

„Issand halasta."

Seitsekümmend kuus

Ehkki esimene ruum oli põhimõtteliselt ooteruum, oli see sisustatud nagu elutuba – mugav diivan, kaks mugavat tugitooli, madal klaasist ja kroomist diivanilaud, kohev ovaalne vaip ja seintel raamitud maalid. Administraatori laud oli poolenisti varjatult nurgas, sätitud osavasti nii, et see ei torkaks silma. Kaks kriminalisti tegutsesid seal vaikides. Hunter pani tähele, et uksel polnud valvet ja ei tundunud ka sedamoodi, et see oleks jõuga lahti murtud – turvakaameraid polnud näha. Vaibal jalajälgi polnud. Ta läks koos Garciaga vastasseinas oleva ukse juurde, mis jäi lauast paremale.

Nagu eelmise kahe kuriteopaiga puhul, nii märkas Hunter ust lahti lükates ka siin esimese asjana verd – suuri loike, mis katsid suure osa vaibast, ja peenikesi arteriaalse vere pritsmeid, mis olid risti-rästi seinal ja mööblil. Hunter ja Garcia seisatasid korraks uksel, nagu oleks nende ees avanev õudus tekitanud jõuvälja, takistades neid sisse astumast.

See, mis Littlewoodi tükeldatud kehast alles oli, istus verest läbiimbunud, ratastega kontoritoolil, mis paiknes pooleteist meetri kaugusel suure tumedast puidust laua ees. Käsi ja jalgu polnud. Ainult moonutatud torso ja pea, kaetud kleepuva tume-punase verega. Suu oli lahti, tardunud karjes, mida mitte keegi ei kuulnud. Kuivanud tumeda vere hulga järgi, mis oli tema suust voolanud ning nüüd lõual ja rinnal korpas, taipas Hunter, et keel oli ära lõigatud. Torso oli täis sügavaid haavu – selged piinamise tundemärgid. Vasak rinnanibu oli ära lõigatud. Hunter ei saanud kogu selle vere tõttu päriselt aru, aga talle tundus, et parema rinnanibu ümbruse nahk oli kuidagi teistsugune. Silmad olid lahti. Parem silm vahtis õuduses otse ette, aga vasakut silma polnud, ainult tühi pime moonutatud auk. Ehkki ruumis oli palav, tõmbus Hunteri sisemus külmaks.

Tema pilk kandus pikkamööda üle surnukeha ja laua vahele jääva ruumi. Arvutimonitor, raamatud ja kõik muu, mis oli laual olnud, oli nüüd põrandal korratus kuhjas. Lauast oli saanud mõrtsuka järjekordse eemaletõukava skulptuuri pjedestaal.

Littlewoodi mõlemad käed olid küünarliigese kohal küljest lõigatud ja asetatud laua vastasotstesse, üks põhja ja teine lõuna suunas. Randmed olid ilmselgelt murtud, ent küljest neid raiu-tud polnud. Mõlema käe nimetissõrm ja keskmine sõrm olid laiali tõmmatud, et tekitada V-tähe kujuline märk. Ülejäänud sõrmed, pöidlad välja arvatud, olid küljest lõigatud.

Mõlema nimetissõrme nukid olid nihestatud, tekitades jõleda kühmu, mis punnitas käeseljast välja nagu kasvaja. Randmed olid väänatud nii, nagu üritaksid peopesad puudutada käsivarte sisekülge. Vasakul käel olid V-tähe kujuliselt sätitud sõrmed sirged, nende otsad puudutasid lauda. Eemalt meenutas see seda, kuidas lapsed sõrmedega mööda lauda kõndides mängivad. V-kujuliselt sätitud sõrmed meenutasid jalgu, käsi oli nagu keha. Vasak pöial oli nihestatud ja kergelt ülespoole lükatud.

Parema käe „kõndivad sõrmed" puudutasid samuti lauda, aga nende otsad olid esimese lüli juurest ära lõigatud, nii et meenutasid lühikesi jalgu. Ka selle käe pöial oli nihestatud ja ülespoole lükatud, ent selle ots oli murtud, kuna osutas kohmakalt lae poole.

Hunter vaatas samuti lakke, kontrollides, kas ots osutab millelegi konkreetsele. Mitte midagi. Laes olid mõned verepritsmed, aga see oli ka kõik.

Littlewoodi jalad polnud laual, vaid põrandal arvutimonitori kõrval – ilma labajalgadeta, ainult moonutatud köndid. Osa parema reie lihast oli ära lõigatud. Jalad ei paistnud olevat laual oleva skulptuuri osa, aga seekord oli midagi teisiti. Skulptuur polnud tehtud ainuüksi kehaosadest. Mõrtsukas oli kasutanud oma teose loomiseks ka kontoritarbeid. Mõne sentimeetri kaugusel ühest lauanurgast, umbes meetri kaugusel Littlewoodi vasakust käest, mille sõrmed „kõndisid," vedeles maas kõvade kaantega raamat. See oli paks. Raamatu lehed olid verest läbi imbunud. Kaas oli lahti. Raamatu sisse oli kohmakalt sätitud kolm Littlewoodi äralõigatud sõrme.

Hunter kortsutas kulmu. Midagi oli valesti.

Ta hakkas laua poole minema ja taipas, et see polnudki raamat, vaid üks selline salalaegas, mis on raamatu moodi. Kohast, kust tema vaatas, oli see tundunud vägagi usutav.

Kui Hunter laua juurde jõudis, nägi ta, et raamatukarpi pandud sõrmed olid lõigutud ja väänatud. Kaks ulatusid üle servade. Kolmas oli tagumise serva juures, ots ülespoole. Karp oli seest verd täis.

Laua kaugemas otsas oli Littlewoodi parem käsi, millel olid lühemad „kõndivad sõrmed," sätitud veidra nurga all, suunaga nurgas oleva raamaturiiuli poole. Reieliha tükid olid käest mõnekümne sentimeetri kaugusele asetatud.

Doktor Hove ja kriminalistide juht Mike Brindle seisid lauast paremal. Nad arutasid vaikselt midagi, kui uurijad sisse astusid.

Hunter peatus lauale lähemale jõudes. Nagu kahe eelmise skulptuuri puhul, oli kehaosade ja vere segapundar arusaamatu. Igapäevaste kontoritarvete kasutamine ajas asja veel segasemaks. Ta astus sammu paremale ja kummardus raamatukarpi lähemalt uurima.

„Sama mõrtsukas," tähendas doktor Hove. „Ja tal oli sellele ohvrile varuks midagi täiesti uut."

Hunter silmitses endiselt skulptuuri.

„Mis mõttes?" küsis Garcia.

Doktor astus lauast eemale. „Esimese ohvri pumpas ta täis ravimeid, mis stabiliseerisid südame tööd ja verevarustust, et ohver liiga kiiresti verest tühjaks ei voolaks, aga tuimestavat ainet ei kasutanud. Mõrtsukas üritas teda võimalikult kaua elus hoida, aga kuna ohver oli niigi nõrga tervisega, suri ta üsna kiiresti. Teise ohvri puhul kasutas mõrtsukas teistsugust meetodit, nagu te isegi mäletate."

„Läbilõigatud seljaaju," ütles Garcia.

„Just. Mõrtsukas võttis meelega ohvrilt tundmismeele, tuimestades tema valu. Ohvri piinad olid teistsugused – psühholoogilised. Ta pidi vaatama, kuidas tema enda kehaosi küljest lõigatakse. Ta nägi, et on suremas, aga ei tundnud seda."

„Ja kolmanda ohvri puhul?" uuris Hunter.

Doktor Hove pööras pilgu ära, nagu kardaks selle peale mõeldagi.

Seitsekümmend seitse

Mike Brindle tuli ümber laua uurijate juurde. Ta oli ligi viiekümnene, kõhn ja pikk, halliseguste paksude juuste ja terava ninaga. Ta oli töötanud Hunteri ja Garciaga lugematute juhtumite juures. „Me oleme väga kindlad, et see ohver suri enne, kui teda tükeldama hakati, Robert," sõnas Brindle, võttes jutujärje doktor Hove'ilt üle.

Hunteri pilk kandus tagasi moonutatud torsole nahast toolil. „Tahtlikult?"

Brindle noogutas. „Tundub nii."

Garcia oli korraks segaduses.

„Kohapealse vaatluse järgi otsustades piinas mõrtsukas teda enne jäsemete amputeerimist ja tugeva verejooksu põhjustamist võimalikult pikalt. Torsol ja kätel-jalgadel on mitmeid väiksemaid haavu. Piisavalt sügavad, et haiget teha, aga mitte piisavalt, et tappa. Vasak rinnanibu nüsiti ilmselt üsna nüri esemega küljest. Parem rinnanibu on tugevasti põletada saanud."

Hunter taipas, et sellepärast parema rinnanibu ümbrus teistsugune oligi. Nahkjas ihu – põletusjäljed, aga need ei olnud leegi tekitatud.

„Verejooks viitab sellele, et väiksemad haavad põhjustati ohvri eluajal," jätkas Brindle.

„Aga siin on nii palju verd," tähendas Garcia, vaadates ruumis ringi. „See ei ole ju pärit väikestest haavadest."

„Ei," kinnitas doktor Hove. „Lahkamine näitab, milles järjekorras kõik käis, aga kui peaksin pakkuma, ütleksin, et mõrtsukas lõbutses pikalt, enne kui esimese jäseme küljest lõikas, milleks oli arvatavasti parem jalg. Süda lõi siis veel tõenäoliselt. Ent kui mõelda eelmistele ohvritele, üritas mõrtsukas verejooksu ohjeldada – ravimite, looduslike vahenditega, artereid

261

sulgedes ..." Ta raputas pead, kui pilk langes toolil olevale surnukehale. „Siin mitte."

„Esimesel kahel ohvril sooritatud amputeerimised olid väga hoolikad," selgitas Brindle. „Need siin mitte. Naha servade ja selle järgi otsustades, mida me luude uurimise põhjal teame, olid amputeerimiseks tehtud sisselõiked jõhkrad, hoolimatud. Mõlema käe omad ..." Ta vaikis ning tõmbas kindas käega üle nina ja suu. „Tundub, et ta nüsis need peaaegu läbi, kaotas kannatuse ja rebis siis lihtsalt keha küljest ära."

Garcia silmad läksid pisut suuremaks.

„Olen kindel, et ohver oli selleks ajaks juba surnud," lisas doktor Hove.

Hunteri pilk koondus põrandale ja mitmetele jalajälgedele. Need olid peamiselt ukse juures. „Kas midagi on puututud?"

Doktor Hove kehitas vaevumärgatavalt õlgu. „LAPD on üritanud tuvastada kõik selle hoone uudishimulikud kontoritöötajad, kes otsustasid siia sisse kiigata. Seni on kõik öelnud, et nad ei puutunud midagi ning siin käinud uurijad ja politseinikud ka mitte, aga kes teab." Ta pöördus uuesti skulptuuri poole. „Me ei tea, mis see olla võib või mida kujutama peaks. Me ei tea, kas pärast skulptuuri tegemist on midagi liigutatud." Tema hääletoonis olev äraootav toon ei jäänud Hunterile märkamata. „Ma pole taskulampi kasutanud," jätkas naine. „See on teie *show*."

Garcia vaatas Hunteri poole, nagu küsides *Kuidas sa seda teha tahad?*

Hunter teadis, et nad ei saa skulptuuri laualt ära võtta ilma, et selle osad paigast läheksid. Nagu ta Alice'ile oli öelnud, oli mõrtsukas esimese skulptuuriga väga peent tööd teinud, kuid teisega mitte nii väga. Hunteril polnud aimugi, mida mõrtsukas kolmandaga öelda tahab, aga miski ütles talle, et neil hakkab aeg otsa lõppema – ja varsti. Nad ei saa jääda kriminalistidelt uut koopiat ootama. „On meil taskulampi?" küsis ta.

„Siin," vastas Brindle ja ulatas talle keskmise suurusega võimsa taskulambi.

„Vaatame siis," sõnas Hunter seda vastu võttes. Ta vaatas Littlewoodi toolil olevate jäänuste poole. Teises kuriteopaigas oli ohvri mahavõetud pea pandud täpselt selle koha peale, kust mõrtsukas tahtis, et nad taskulambiga valgust näitaksid, et ta kätetööd nähtaks nii nagu tema seda tahtis. Littlewoodi üks silm oli välja torgatud, ent teine vaatas otse skulptuuri poole. See pidi olema vihje. Hunter uuris veel põrandat.

„Kas kõik on üles pildistatud, doktor?" Ta ei saanud asendit, et vaadata, kuhu Littlewood üks silm vaatas, kuidagi sisse võtta, ilma et astuks vere sisse ja võib-olla peab ka surnukehaga tooli natuke tahapoole veeretama.

Doktor Hove ei pidanud küsima. Ta järgnes Hunteri pilgule ja taipas, mida uurija kavatseb. „Jah, kõik on tehtud," vastas ta. Kardinad olid juba ette tõmmatud. Brindle kustutas võimsad prožektorid ja Hunter seisis surnukeha ette, asetades taskulambi Littlewoodi silma kõrgusele.

Kõik tõmbasid justkui korraga hinge.

Hunter pani vaimu valmis ja lülitas taskulambi põlema.

Seitsekümmend kaheksa

Kõik teised läksid Hunteri juurde. Garcia seisis temast paremal, doktor Hove ja Brindle vasakul. Nad vaatasid skulptuuri taha seinale projitseeritud kujutisi. Brindle tammus närviliselt jalalt jalale.

„See on kõhe," sosistas ta nõrgalt. Kui doktor Hove talle skulptuuride tekitatud varjudest rääkis, oli Brindle kujutanud ette midagi väga õudset, aga kohapeal olla ja seda oma silmaga näha oli midagi sootuks muud. Ta polnud ammu end kuriteopaigas nii ebamugavalt tundnud.

Kõik kissitasid kujutisi uurides tahtmatult silmi, aga mitte keegi ei pidanud küsima. Need olid seni kõige selgemad kujutised – mitte mingid loomad ega sarvedega olevused. Littlewoodi vasaku käe „kõndivad sõrmed" moodustasid kujutise, mis oli püsti seisva inimese moodi. Pöial oli käe tekitamiseks natuke ülespoole lükatud. Nihestatud sõrmenukk tekitas peakuju. Kokku andis see kõik inimese, kes kõndis või seisis paigal ning osutas millelegi enda ees. Lahtine raamatukarp tekitas varju, mis meenutas mingit suurt avatud kaanega kasti.

Kuna varjukujutiste puhul on ruumilisus sama hästi kui olematu, tundus lahtine raamatukarp, mis paiknes umbkaudu meetri kaugusel käest, sellega samal kõrgusel olevat. Kokku jättis see mulje, nagu seisaks keegi suure kasti ees ja osutaks sellele.

Keerulisemaks läks asi sõrmedega, mis olid lõigutud ja raamatukarpi pandud. Varjud tekitasid uue kujutise, mis kummalisel kombel sarnanes kastis lebava inimesega. Ühe sõrme vari tekitas pea, mis toetus ühe otsa vastu. Ülejäänud kaks sõrme, mis ulatusid üle karbi serva, moodustasid justnagu käe ja jala. Keha näha polnud, nagu oleks see karbi sees. See kujutis meenutas Hunterile inimest, kes lesib vannis, üks käsi üle serva rippu, üks jalg serva peal ja pea toetatud vanni ühele otsale.

Garcia avas esimesena suu. „See on nagu keegi, kes osutab kellelegi, kes lebab kastis või … vannis või midagi."

Brindle noogutas pikkamööda. „Jah, mulle tundub ka nii. Aga miks ta sellele osutab?"

„See on pusle osa," vastas Garcia. „Peame leidma kujutise vaatamiseks õige nurga ja lisaks kujutist ka õigesti tõlgendama."

„Kas see ütleb sulle midagi?" küsis doktor Hove Hunterilt.

„On see kuidagimoodi seotud sellega, mis teil juba olemas on?"

Hunter silmitses endiselt varjupilti. „Ma pole kindel ja ma ei tahaks oletusi teha, kuni olen seda põhjalikumalt uurinud."

„See on lausa hüpnotiseeriv," tähendas Brindle, kallutades pead ühele ja teisele küljele, nagu üritaks kujutist erinevate nurkade alt vaadelda.

„Ja ma olen kindel, et just see oligi mõrtsuka eesmärk," lausus Garcia. „Niisiis peame tegema sama, mida tegime Nashorni paadis, ja pildistama varju. Peame suunama kriminalistide lambid samamoodi nagu taskulampi, sest siis pole vaja kasutada fotoaparaadi välku."

„Saab tehtud," vastas Brindle ja hakkas minema nurgas oleva kriminalistide põrandalambi poole.

„Oota," ütles Hunter kulmu kortsutades. Midagi oli valesti. Ta kustutas taskulambi ja pöördus, libistades pilgu maast laeni üle ruumi.

„Mis viga?" küsis Garcia.

„See ei tundu õige."

„Mis asi?"

„Kujutis, see on poolik."

Garcia, doktor Hove ja Brindle vahetasid uudishimuliku pilgu. Keegi neist ei saanud aru, millele Hunter viitab.

„Kuidas poolik?" küsis doktor Hove.

Hunter lülitas taskulambi uuesti põlema. Varjukujutis tekkis skulptuuri taha seinale. „Mida te näete?"

„Sama, mida nägin hetk tagasi," vastas naine. „Seda, mida Carlos kirjeldas. Keegi nagu seisaks kasti ees, milles on keegi teine. Või vanni ees. Mis siis, mida sina näed?"

„Sama."

Teiste näol peegeldus üllatus.

„Miks sa siis ütled, et midagi on puudu?" küsis Garcia. Ta oli harjunud sellega, et Hunter näeb asju, mida teised ei näe – kahtleb asjades, milles teised ei kahelnud. Hunteri aju polnud

265

justkui kunagi rahul. Ta pidi edasi uurima, isegi kui kujutised olid selgelt silme ees.

„Kasti kujutise tekitab ilmselgelt laual olev raamatu moodi karp ja inimese kujutise selle sees katkised sõrmed."

„Jah," kinnitas Garcia. „Ja selle ees seisva inimese kujutise tekitab käsi."

„Olgu," sõnas Hunter. „Aga selle nurga alt ei tekita teine käsi midagi."

Ülejäänud kolm vaatasid ohvri paremat kätt suure laua teises otsas. Seda, millel olid lühemad „kõndivad sõrmed." Selle ette oli mõrtsukas sättinud mitu Littlewoodi reiest lõigatud tükki.

„Käed on teineteisest liiga kaugel," jätkas Hunter. „Valguskiir pole piisavalt lai."

„Võib-olla ei ole see skulptuuri osa," pakkus Brindle.

Hunter raputas pead. „Nõustuksin sellega, et jalad ja äralõigatud jalalabad ei ole skulptuuri osa. Need on jäetud vedelema laua kõrvale, aga käsi mitte. See on mingil põhjusel laua peal." Ta vaatas taas aeglaselt ruumis ringi. Pilk jäi pidama paksudel köidetel lauast vasakule jäävas raamaturiiulis ja ta peatus korraks. Alt kolmandale riiulile, umbkaudu lauaplaadi kõrgusele, oli mõrtsukas hoolikalt sättinud riiulis pikali oleva raamatu peale Littlewoodi silmamuna. Silm vaatas veidra nurga alt teise skulptuuri poole.

„Kaks erinevat kujutist," nentis Hunter.

Kõigi pilgud järgnesid tema omale.

„Kuradi raibe," pomises Garcia.

Hunter läks raamaturiiuli juurde, hoidis taskulambi verise silmamuna kõrgusel ja lülitas selle põlema.

Seitsekümmend üheksa

Neil kulus vähem kui viis minutit, et kriminalistide lambid ümber sättida ja teha kahest skulptuurist kaks eraldi fotot – või siis ühe skulptuuri kahest osast, olenevalt sellest, kuidas võtta. Keha ja küljest lõigatud jäsemeid pandi juba minemaviimiseks valmis. Hunter ja Garcia jätsid doktor Hove'i ja Mike Brindle'i oma tööd tegema ning läksid ise sama koridori järgmisesse kontorisse. See kuulus ühele raamatupidajale, aga praegu kasutasid seda politseinikud. Littlewoodi büroojuht Sheryl Sellers, kes oli samal hommikul ülemuse surnukeha leidnud, oli istunud seal rohkem kui tund aega, naispolitseinik tema juures. Sheryl värises ja nuttis endiselt. Naispolitseinik oli pidanud teda poolvägisi klaasitäit suhkruvett jooma sundima.

Sheryl oli vastanud uurija Jack Winstanley ja tema paarilise küsimustele, kui nad sündmuspaigale jõudsid, aga pärast seda oli ta vaikides istunud raamatupidaja kontoris, vahtides tuimalt seina. Ta oli keeldunud rääkimast politsei psühholoogiga. Ütles, et tahab ainult koju minna.

Kui Hunter ja Garcia sisse astusid, noogutas Hunter kergelt naispolitseinikule. Viimane noogutas samuti ja väljus ruumist.

Sheryl istus pruunil kulunud kahekohalisel diivanil. Põlved olid kokku pressitud, süles käte vahel oli poolik veeklaas ning tema keha tundus olevat jäik ja pingul. Naine istus diivaniserval. Pisarad olid meigi laiali ajanud ja ta polnud midagi ära pühkinud. Silmavalged olid nutmisest üleni punased, nii et valget polnud üldse näha.

„Preili Sellers," ütles Hunter, kükitades, et naise pilku köita. Ta sättis end näost allapoole, et jätaks võimalikult rahumeelse mulje.

Sherylil kulus mitu sekundit, et pilk enda ees kükitavale mehele tuua. Hunter ootas, kuni nende pilgud kohtusid.

„Kuidas teil läheb?" küsis ta.

Naine hingas nina kaudu sisse ja Hunter pani tähele, et tema käed hakkasid uuesti värisema.

„Kas te tahaksite veel klaasitäie vett?"

Sheryl ei saanud kohe küsimusest aru. Ta pilgutas silmi. „Kas teil on midagi kangemat?" Hääl oli värisev sosin.

Hunter naeratas korraks. „Kohvi?"

„Midagi kangemat?"

„Topeltkohvi?"

Naise ilme lõõgastus veidi. Teises olukorras oleks ta naeratanud. Nüüd kehitas ta õlgu ja noogutas korra.

Hunter tõusis ja sosistas midagi Garciale, kes seejärel ruumist lahkus. Hunter kükitas taas naise ette.

„Minu nimi on Robert Hunter. Olen samuti LAPD politseinik. Tean, et te olete pidanud täna juba politseinikega rääkima. Mul on juhtunu pärast siiralt kahju ja ka selle pärast, mida te täna hommikul nägema pidite."

Sheryl tunnetas tema hääles siirust. Naise pilk liikus taas käte vahel olevale klaasile.

„Tean, et te olete seda juba teinud ja palun vabandust, et palun teil seda veel korra teha, aga kas te võiksite mulle rääkida kõigest alates eilsest. Doktor Littlewoodi viimasest seansist kuni täna hommikul siia jõudmiseni."

Sheryl Sellers kirjeldas aeglaselt ja ebakindlal hääle kõike seda, mida oli juba kahele esimesele uurijale jutustanud. Hunter kuulas vahele segamata. Lugu oli sama, mida ta oli juba kuulnud.

„Ma vajan väga teie abi, preili Sellers," ütles ta, kui naine lõpetas. Vaikus ärgitas teda jätkama. „Kas tohib küsida, kui kaua te olete olnud doktor Littlewoodi büroojuht?"

Naine vaatas talle otsa. „Alustasin eelmisel kevadel. Veidi üle aasta siis."

„Kas te mäletate, kas doktor Littlewood tundus viimasel ajal mõne oma patsiendi seansi järel ärritunud või närviline?"

Sheryl pidas hetke aru. „Minu mäletamist mööda mitte. Ta oli iga seansi ja päeva lõpus ühesugune – rahulik, lõõgastunud, tegi nalja, enamasti …"

„Kas mõni tema patsient on seansi ajal vägivaldseks või vihaseks muutunud?"

„Ei, mitte kunagi. Vähemalt mitte minu siin töötamise ajal."

„Kas te teate, kas mõni tema klient on teda kuidagi ähvardanud?"

Sheryl raputas pead. „Minu teada mitte. Kui ongi, siis mulle Nathan seda ei maininud."

Hunter noogutas. „Me leidsime doktor Littlewoodi kabinetist raamatut meenutava karbi. Kas te teate, mida ma silmas pean?"

Naine noogutas, aga tema pilku ei tekkinud enam hirmu, mis ütles Hunterile seda, mida ta nagunii oli oodanud. Kui Sheryl avas sel hommikul Littlewoodi kabineti ukse, nägi ta esimese asjana toolil mehe jäsemeteta keha ja meeletut verehulka. Sellest piisas, et ta paanikasse satuks. Kõik muu tema ümber hägustus sel hetkel. Hunter kahtles, kas naine üldse lauda ja skulptuuri märkaski. Kabinetti sisenemise asemel jooksis ta abi kutsuma.

„Kas te teate, kas doktor Littlewoodil oli see kabinetis? Mustvalge, pealkirjaga „Subconscious Mind"?"

Sheryl kortsutas kulmu, pidades küsimust natuke kummaliseks. „Jah. Ta hoidis seda laua peal, aga ei kasutanud seda mingi salalaekana. Ta pani tööl olles sinna mobiiltelefoni ja autovõtmed."

Hunter kirjutas paar asja märkmikku. „Kas mul on õigus oletades, et patsiendid pidi seansi kirja panema teie kaudu?"

Sheryl noogutas.

„Uued kliendid samuti?"

Naine noogutas taas.

Nende pilgud kandusid uksele, kui Garcia kohvitopsiga tagasi tuli. Ta naeratas ja ulatas selle Sherylile. „Loodetavasti on piisavalt kange," ütles ta.

Naine võttis topsi vastu ja hoolimata sellest, kas jook on liiga kuum või mitte, jõi pika sõõmu. Kohv oli piisavalt jahe, et mitte suud kõrvetada, aga ta tundis kange maitse kohe ära ja vaatas uurijaid üllatunult.

„Üks meie poistest on iirlane," selgitas Garcia. „Oskabki ainult Iiri kohvi teha." Ta kehitas õlgu. „Palusin tal seda valmistada." Ta naeratas taas. „See rahustab närve paremini kui miski muu."

Sheryli suunurgad kerkisid umbes kolm millimeetrit. Antud olukorras ta enamaks suuteline polnud. Hunter ootas, kuni naine oli võtnud veel kaks lonksu. Käed ei värisenud enam nii tugevasti ja ta vaatas Hunteri poole.

„Preili Sellers, tean, et doktor Littlewoodil oli väga palju tööd. Kas te oskate öelda, kas ta sai viimase kahe-kolme kuu jooksul võtta juurde uusi kliente?"

Naise pilk püsis Hunteril, aga mälus sobrades muutus tema näoilme eemalolevaks. „Jah, vist kolm. Pean andmebaasist kontrollima. Ma ei ole kindel. Ei suuda praegu selgelt mõelda."

Hunter noogutas mõistvalt. „Oletan, et need andmed on arvutis."

Sheryl noogutas.

„Meil on väga oluline teada saada, mitu uut klienti doktor Littlewood viimastel kuudel juurde sai, mitu seanssi neil oli ja kes nad olid."

Sheryl kõhkles. „Ma ei saa teile nende nimesid avaldada. See informatsioon on konfidentsiaalne."

„Tean, et te olete suurepärane büroojuht, preili Sellers," sõnas Hunter rahulikult. „Ja ma tean täpselt, mida te silmas peate. Tean, et ma ei näe sedamoodi välja, aga ka mina olen psühholoog. Tunnen eetikakoodeksit ja tean, mida see tähendab. See, mida ma teilt palun, ei riku seda koodeksit. Te ei rikuks doktor Littlewoodi usaldust. Seanssidel toimuv on konfidentsiaalne ja see meid ei huvitagi. Pean teadma ainult uute klientide kohta. See on väga tähtis." Sheryl võttis veel lonksu kohvi. Ta oli eetikakoodeksist kuulnud, aga ta polnud psühholoog. Ta polnud vannet andnud. Ja kui ta saab kuidagi aidata tabada isiku, kes oli teinud Nathan Littlewoodile seda, mida ta oli äsja näinud, siis jumala nimel, ta aitab.

„Pean oma arvutisse pääsema," ütles ta viimaks. „Aga ma ei suuda sinna tagasi minna. Ma ei saa sinna ruumi siseneda."

„Pole probleemi," vastas Hunter Garciale noogates. „Me toome teie arvuti siia."

Kaheksakümmend

Kapten Blake avas Hunteri tööruumi ukse vaid mõned minutid pärast seda, kui Hunter ja Garcia tagasi jõudsid. Alice Beaumont oli juba kohal.

„Seekordne ohver oli psühholoog?" küsis kapten, lugedes paberilehelt, mis tal kaasas oli.

„Jah," vastas Garcia. „Nathan Littlewood, 52-aastane, lahutatud, elas üksi. Tema eksabikaasa elab uue mehega Chicagos. Neil oli üks laps, Harry Littlewood, elab Las Vegases. Käib seal kolledžis. Nathan ise lõpetas UCLA. Kuulus kakskümmend viis aastat Los Angelese psühholoogide assotsiatsiooni. Tema praksis asus Silver Lake'is. Ta oli seal tegutsenud 18 aastat. Elas kolmetoalises korteris Los Felizis, kuhu me läheme täna

271

pärastpoole. Psühholoogina tegeles ta peamiselt igapäevaste probleemidega – depressioon, suhteprobleemid, võimetuse-tunne, madal enesehinnang ja muu säärane."

Kapten Blake tõstis käe, segades vahele. „Pea nüüd, aga politseiga seotud töö? Kas ta aitas kunagi LAPD mõnes juurdluses?"

„Me küsisime endalt sama, kapten," vastas Garcia arvuti klaviatuuril klõbistades. „Kui oli, siis oleks see Littlewoodi seos kahe eelmise ohvriga, kinnitades tõenäolise motiivina kättemaksu. Me kontrollime seda, aga andmeid on kahekümne viie aasta kohta ja nende kättesaamine ei ole niisama lihtne. Tulime äsja kuriteopaigast, aga ma panin juba mõned inimesed selle kallal tööle."

Kapteni uuriv pilk kandus Alice'ile. Viimane ootas seda juba.

„Sain selle informatsiooni äsja," vastas ta. „Pole veel haka-nud uurima, aga kui Nathan Littlewood oli kunagi mõne politseijuurdlusega seotud, saan ma seda teada."

Kapten Blake läks fototahvli ette ja lasi pilgul aeglaselt libiseda üle uue kuriteopaiga fotode. Ta märkas kohe erinevust.

„Tema keha on täis haavu ja sinikaid. Kas teda piinati?"

„Jah," vastas Hunter. „Peame ootama lahkamise vastuseid, aga doktor Hove'ile jäi mulje, et seekord tegeles mõrtsukas ohvriga, kuni too suri, ja alles siis amputeeris."

Kapten vaatas Hunteri poole. „Miks?"

„Me ei tea."

„Aga mõrtsukas ei teinud nii kahe eelmise ohvriga. Amputeerimine *oligi* piinamine. Miks seda ohvrit teisiti kohelda?"

„Me ei tea, kapten," kordas Hunter. „Tema viha võib eska-leeruda, aga tõenäoliselt ta lihtsalt individualiseerib."

„Ja mida see tähendab?"

„Et iga ohver tekitab temas erinevaid tundeid. Neid tundeid võib muuta ohvri reaktsioon ja muudabki. Osad ohvrid ei julge midagi öelda. Teised loodavad, et kui teevad koostööd või üritavad mõrtsukat veenda, võib see neile kasuks tulla. Kolmandad üritavad vastu hakata, karjuda, midagi ette võtta ... mida iganes, peaasi et mitte alla anda. Aga üksikisikutena reageerime me hirmule ja hädaohule erinevalt."

„Ja see, kuidas viimane ohver reageeris, võis mõrtsuka tõsiselt vihaseks ajada," järeldas kapten Blake.

Hunter noogutas. „Kui selleks võimalus tekkis ja kui ta püsis rahulik, üritas Littlewood mõrtsukaga kindlasti suhelda kui psühholoog, püüdes teda ümber veenda. Kui mõrtsukas Littlewoodi hääletoonis kas või grammikese üleolekut tunnetas, oleks see tema sees vihapommi lõhanud. Me ei tea, mis seal ruumis enne mõrva toimus, kapten. Teame vaid seda, et selles mõrvapaigas oli oluliselt rohkem viha kui eelmises kahes."

„Rohkem viha?" Kapten Blake vaatas kahe varasema kuriteopaiga fotosid. „Kuidas see võimalik on?"

„Haavad ja sinikad ohvri kehal viitavad sellele, et mõrtsukas tahtis tema piinu pikendada. Ta tahtis väga aeglast surma. Sellist, mida ta ei suudaks saavutada või kontrollida, kui liiga vara amputeerima hakkab. Littlewoodi sekretär lahkus töölt poole kaheksa paiku õhtul. Me ei saa seda veel kinnitada, aga arvan, et mõrtsukas ilmus välja üsna pea pärast seda. Tal oli vähemalt kümme tundi aega segamatult ohvri seltsis veeta."

Hunter osutas fotole, millel oli Littlewoodi surnukeha. „Ja ta piinas ohvrit suure osa sellest ajast."

„Ja mitte keegi ei kuulnud piuksugi?"

„See on väike hoone täis väikeseid kontoreid," vastas Garcia. „Peaaegu kõik olid juba koju läinud. Viimasena lahkus graafikadisainer, kelle kontor asub esimesel korrusel. Tema läks ära veerand üheksa. Majal pole turvakaameraid."

„Ja kui doktor Hove'i oletused on õiged," jätkas Hunter, „muutis mõrtsukas ka amputeerimise meetodit."

273

„Mis mõttes?"

„Esimesel kahel ohvril olid sisselõiked väga professionaalsed," selgitas Garcia. „Kolmandal mitte. Doktor Hove ütles, et surnukehal oli viiteid nüsimise ja rebimise kohta. Nagu lihunik, mitte nagu arst."

Kapten Blake hingas murelikuna välja. „Olgu, aga mida põrgut see uus skulptuur meile siis ütleb? Oletan, et see tekitas jälle mingi varjukujutise."

„Ei," vastas Garcia.

„Mis asja?"

„See skulptuur tekitas kaks kujutist."

Kaheksakümmend üks

Kapten Blake vaatas uurijate poole, ent tema pilgus polnud üllatust. Pärast kõike, mida see mõrtsukas oli teinud, ei üllatanud teda enam suurt miski.

„Me pole kindlad, kas mõrtsukas jättis meile kaks erinevat skulptuuri või ühe kaheosalise skulptuuri," jätkas Garcia. „Ta tegi seekord midagi teisiti. Kasutas oma teoses kontoritarbeid." Garcia kirjeldas, mida nad olid Nathan Littlewoodi laualt leidnud. Kapten Blake ja Alice silmitsesid samal ajal vaikides fotosid. Kui Garcia ütles, et mõrtsukas oli ohvril silma peast välja urgitsenud, viidates samal ajal skulptuuri sellele osale, mida vaadata, tundis Alice, et kõhus hakkab keerama.

„Keskendusime kõigepealt skulptuuri sellele osale," sõnas Garcia, viidates ühele tahvlil olevale fotole. „Ja saime selle." Ta kinnitas tahvlile esimese varjukujutise foto selle tekitanud skulptuuri foto alla.

Kapten Blake ja Alice astusid lähemale, et paremini näha.

„Mis, kurat, see siis nüüd on?" küsis kapten ärritunult. „Keegi vaatab kedagi teist vanni võtmas? Kas see mõrtsukas on nüüd perverdiks muutunud?"

„Või kedagi kastis," pakkus Hunter.

„Seda ma tahtsingi pakkuda," lausus Alice Hunteri poole vaadates. „Saan aru, mida sa silmas pidasid, öeldes, et teine skulptuur on esimesest madalamal, aga see on ikkagi kõrgel." Ta osutas uue varjukujutise fotole. „See pole vann. Sel on kaas." Ta võrdles seda skulptuuri fotoga. „Kui mõrtsukas tahtis, et me peaksime seda vanniks, oleks ta võinud karbil kaane küljest rebida."

Hunter oli täpselt sama mõelnud. Kui see oli kujutise osa, siis oli sel põhjus.

„Nii et ta vaatab siis kedagi, kes lamab kastis," parandas kapten ennast. „Kas teil on aimu, mida see tähendada võib?"

„Veel mitte," vastas Hunter.

„Nii et järjekordne mõttetu vihje. Veel üks tükk selles lõputus pusles?"

Hunter oli vait.

Kapten taganes niheldes. „Milline see teine kujutis siis on?"

Garcia selgitas kuriteopaiga fotode abil, et skulptuurid olid asetatud laua vastasotstesse. Ohvri pea ja välja urgitsetud silma abil oli mõrtsukas varjukujutisi paljastava valguskiire suuna paika pannud nagu filmirežissöör.

„Selle saime teisest skulptuurist." Garcia kinnitas tahvlile teise varjukujutise foto.

Kuna teine käeskulptuur sarnanes väga esimesega, ei olnud üllatav, et nende tekitatud varjud olid peaaegu identsed. Mitte keegi ei kahelnud, et ka see kujutab inimest, aga kuna mõrtsukas oli tekitanud esimese lüli äralõikamisega „kõndivad sõrmed," tundus see olevat väga lühike või põlvitav inimene. Pöial oli sätitud nii – ettepoole, murtud ots üles suunatud –, et see meenutas ülestõstetud käega inimest osutamas taeva poole. Kuju ees maas olid millegi arusaamatu suured kamakad. Nende varjud tekitasid ohvri reie küljest lõigatud tükid.

„Mida põrgut? Ta mängib meiega, vaat mis," sõnas kapten Blake ebamugava vaikuse järel. „Mis kuradi asi see on? Kääbus? Laps? Keegi põlvitab? Palvetab? Osutab taevasse?" Tema pilk kandus eelmise varjukujutise fotole. „Nii et keegi vahib kedagi kastis ..." Ta suskis sõrmega tahvlile viimasena kinnitatud fotot, „... ja kääbus, laps või põlvili palvetav inimene. Kuidas see kõik on ohvriga seotud?"

Kõik teadsid, et see on retooriline küsimus.

„Teate, mis ..." jätkas kapten, andmata neile võimalustki vastata, „... mitte kuidagi. Ta mängib meiega, annab meile loomi, sarvedega koletisi, seinasõnumeid, rokilugusid ja nüüd selle saasta. Ta raiskab meie aega, sest teab, et me kulutame tunde selle jama tähenduse väljanuputamisele." Blake tegi käega ringikujulise liigutuse, mis hõlmas kogu fototahvlit. „Tema aga jalutab samal ajal ringi, kavandab järgmist mõrva, jälitab järgmist ohvrit ja naerab meie kõigi üle. Varjunukud? Meie oleme tema marionetid ja ta teeb meiega täpselt seda, mida ise tahab."

Kaheksakümmend kaks

Päeva teises pooles osales Hunter koos Garcia ja kapten Blake'iga pressikonverentsil, mis meenutas pigem hukkamiskomando ees seismist. Reporterid olid rääkinud Nathan Littlewoodi kontorihoones kõigiga ja kuulnud lugusid tükeldamisest, pea mahavõtmisest, rituaalsest tõelise voodoo-nuku loomisest ja kannibalismist. Üks naisajakirjanik mainis koguni sõna „vampiir".

Hunter, Garcia ja kapten Blake andsid endast parima, üritamaks ajakirjanikele selgeks teha, et ükski neist lugudest pole tõsi, aga üks oli kindel – uudis järjekordse sarimõrvari kohta saab peagi avalikuks. Pärast pressikonverentsi asusid Hunter ja Garcia tööle nimede kallal, mille olid saanud Littlewoodi sekretärilt. Viimase kolme kuu jooksul oli Nathan Littlewood juba niigi tiheda töö" graafiku tõttu saanud võtta juurde vaid kolm uut klienti – Kelli Whyte, Denise Forde ja David Jones.

Kelli Whyte ja Denise Forde olid alustanud teraapiaseansse eelmisel kuul ning kummalgi oli neli tehtud. David Jones oli helistanud ja küsinud nõustamise kohta kaks nädalat tagasi. Ta oli nädala alguses esimesel seansil käinud. Sheryli sõnul oli Jones suurt kasvu mees, umbes 190 cm pikk, laiade õlgade ja keskmise kehaehitusega. Büroojuht ei osanud Hunterile siiski tema välimuse kohta midagi täpsemat öelda. Teadis vaid, et Jones oli paar minutit hilinenud ja üritanud oma välimust igati maskeerida. Mehel olid ees päikeseprillid ja nokkmüts oli sügavalt silmile tõmmatud. Sheryli sõnul polnud see aga sugugi ebatavaline käitumine, ennekõike Hollywoodi inimeste puhul.

Hunter selgitas välja, et Kelli Whyte oli 45-aastane hiljuti lahutatud naine, kes elas Hancock Parkis. Ta oli LA finantskeskuses investeerimisfirma juhataja ja pool aastat tagasi toimunud lahutuse järel oli tal eluga toimetulekuga probleeme.

Denise Forde oli 27-aastane süsteemianalüütik, kes elas üksinda South Pasadenas ja töötas Silver Lake'is tarkvarafirmas. Nad olid seni tema kohta teada saanud vaid seda, et ta oli väga häbelik, ebakindel ja tal polnud palju sõpru.

Kelli ja Denise ei tundunud Hunterile potentsiaalsed kahtlusalused. David Jones aga oli salapäraseks osutunud. Tema aadress Sheryli andmetes oli vale. See osutus väikeseks võileivakohvikuks West Hollywoodis. Mobiiltelefoni number, mille ta oli andnud, aina kutsus vastamata. Ja David Jones oli liiga levinud nimi, et selle omanikku oleks lihtne leida. Kiire otsing andis pelgalt Los Angelese kesklinnas 45 vastet. Hunter oli nagunii veendunud, et see on valenimi. Ta oli kindel, et mõrtsukas oli enne mõrvapäeva Littlewoodi vastuvõtul käinud. See mõrtsukas oli liiga põhjalik, et eelnevalt mitte natuke maad kuulata. Mõrtsukas teadis, et Littlewoodi kontorihoone on õhtuti tühi. Ta teadis, et hoones puuduvad peaaegu igasugused turvameetmed, öist valvurit ja turvakaameraid ei ole. Teadis, et hoonesse pääsemine on lapsemäng. Aga ennekõike teadis ta, et ei pea kaasa tooma väikest karpi, et oma skulptuur valmis saada. Ta teadis, et Littlewoodi laual on raamatukarp. See mõrtsukas oli liiga julge, liiga üleolev. Ta oleks tahtnud Littlewoodiga tema kabinetis vastamisi istuda juba enne tema tapmise päeva. Võib-olla lihtsalt naljapärast. Ja mis oleks selleks parem viis kui klienti teeselda? Anonüümsust on väga lihtne saavutada. Võib-olla oli kapten Blake'il õigus – mõrtsukas mängis kõigiga nagu marionettidega.

Kaheksakümmend kolm

Aeg oli hiline, kui Hunteri lauatelefon helises. Ta kiskus vastumeelselt pilgu fototahvlilt ja sirutas käe.

„Robert, mul on sulle mõnede analüüside vastused," kõlas doktor Hove'i väsinud hääl.

Hunter vaatas kella ja üllatus, nähes, kui palju see näitas. Ta oli taas ajataju kaotanud. „Sa oled ikka tööl, doktor?" Ta andis Garciale märku oma lauatelefoni toru võtta.

„Jajah, vaat kes räägib. Olen kindel, et ka Carlos on alles seal."

„Jah, siin olen," sõnas Garcia grimassitades.

„Te ei leia seda meest, kui teil juhe kokku jookseb, Robert. Sa tead seda."

„Jah, hakkasimegi just lõpetama."

„Muidugi hakkasite."

Hunter muigas. „Mis sul siis meile on?"

Hunter ja Garcia kuulsid lehekülgede keeramise krabinat. „Nagu ma arvasin, olid kõik haavad ja sinikad ohvri kehal tekitatud tema eluajal. Surma aeg on kusagil kolme ja viie vahel hommikul."

„Seega oli mõrtsukal vähemalt kolm tundi aega skulptuuri teha," nentis Hunter.

„Jah," kinnitas doktor Hove. „Nagu eelmised kaks ohvrit, nii suri ka kolmas tähtsamate elundite, peamiselt südame ja neerude puudulikkuse tagajärjel, mille põhjustas tugev verekaotus. Ohvril oli ka põletushaavu paremal rinnanibul, ülakehal, käsivartel, suguelunditel ja seljal. Olen kindel, et need tehti lokitangidega."

„Mis asja?" küsis Garcia.

„Täpne nimetus oleks juuksesirgendaja."

„Jah, ma tean, mis see on, doktor. Oled kindel?"

„Nii kindel, kui olla saan. Põletushaavad on väga ühetaolised, asümmeetrilise sirge servaga. Rinnanibu vigastused olid need, mis sellele viitasid. Nibu ots ei ole põletatud. Haavad algavad paari millimeetri kaugusel sellest kummalgi pool, nagu oleks nibu kehast eemal tõmmanud ja siis tulikuumade tangide vahele võetud."

Garcia surus hambad kokku ja pani vasaku käe üle rinna.

„Põletushaavad olid tehtud kolm sentimeetrit laiade plaatidega, millimeeter või paar siia-sinna, mis on juuksesirgendajate tavaline laius. Kui mõrtsukas oli piinamise lõpetanud, asus ta amputeerima. Esimesena amputeeris ta vasaku jala. Ohver oli veel elus, aga tõenäoliselt hädavaevu. See on vastus küsimusele,

279

miks kuriteopaigas oli nii palju verd. Nagu öeldud, ei tegelenud mõrtsukas seekord verejooksu ohjeldamisega. Ta ei olnud suuremaid artereid ega suuri veene ja veresooni sulgenud. Lasi ohvril verest tühjaks joosta ja sel põhjusel arvan ma, et me ei saa seekord toksikoloogia analüüsist mingeid erilisi vastuseid. Või vähemalt mitte südame tööd aeglustavate ravimite kohta."

„Aga võib-olla mingi muu ravimi?" küsis Hunter, tunnetades doktor Hove'i kõhklevat häületooni.

„Võimalik. Leidsin torkejälje ohvri kaela paremal küljel. Tundub, et mõrtsukas süstis talle midagi, aga me ei tea veel, mida."

Hunter kritseldas midagi paberilehele.

„Meil oli õigus ka selles osas, et mõrtsukas ei teinud seekord amputeerimisel täpseid sisselõikeid," jätkas doktor Hove. „Ta kasutas sama abivahendit ..."

„Elektrilist kööginuga," torkas Garcia vahele.

„Mhmh, ent seekord pigem nagu lihunik, raiudes ja käänates seda nagu lihakäntsakat tükeldades. Ka ei leidnud ma lõikekoha märgistusi, mis olid olemas eelmisel kahel ohvril. Mõrtsukat ei huvitanud õige lõikekoht."

„Ta on hakanud seda liiga palju nautima," tähendas Garcia.

„Leidsime randmetelt, käsivartelt ja pahkluudelt ka sidumisjälgi. Vastupidiselt eelmistele oli see ohver kinni seotud. See tähendab järjekordset kõrvalekallet algsest teguviisist. Me ei leidnud kuriteopaigast sidumiseks kasutatud nööri." Veel lehekülgede keeramist. „Skulptuuri tegemiseks kasutati samasugust traati, mida eelmiste puhul, ja sama sideainet – kiirliimi. Nagu arvata oli, leidsid kriminalistid kabinetist ja ooteruumist mitmeid sõrmejälgi."

„Koristaja käis kaks korda nädalas," sõnas Hunter. „Viimane kord oli kaks päeva tagasi. Ta pidi minema uuesti homme varahommikul. Kontrollime igal juhul sõrmejälgi, aga ma olen kindel, et need kõik kuuluvad klientidele."

Doktor Hove ohkas. „Muud ma lahkamise põhjal teile öelda ei oska."

„Aitäh, doktor."

„Kas varjukujutiste osas on mingeid edusamme toimunud? Mingeid seoseid eelmise kahega?"

„Me alles uurime neid, doktor," vastas Hunter. Seekord kõlas ka tema hääl väsinult.

„Küsin ainult uudishimust, aga andke teada, kui midagi avastate, eks?"

„Ikka. Muide, Littlewoodi sekretär ütles, et ta kasutas raamatukarpi autovõtmete ja mobiiltelefoni hoidmiseks, kui tööl oli. Kas kriminalistid leidsid need?"

„Oota korra." Möödus viisteist sekundit. „Ei, neid ei ole kirjas. Vaatan seda loetelu praegugi, aga nad leidsid tema viimased mobiiliarved. Ta hoidis neid lauasahtlis."

„Sellest võib abi olla. Kas saaksid need meile saata?"

„Ikka, saate need kohe hommikul. Nii, ma lähen nüüd koju ja puhkan, sest seda on hädasti vaja, ja võtan klaasikese veini," sõnas doktor Hove.

„Tundub hea mõte," vastas Garcia, puurides Hunterit pilguga.

„Jah, sul on õigus, doktor," nõustus Hunter Garciale noogutades. „Peame puhkama, enne kui juhe kokku jookseb."

„Saadan teile lahkamise vastused kohe ja laborianalüüside vastused siis, kui need minuni jõuavad, aga sa tead, et selleks võib kuluda paar päeva ka juhul, kui tegemist on kiirtööga."

„Pole hullu, doktor. Aitäh, et selle prioriteediks võtsid."

Kaheksakümmend neli

Eleesha Holt ärkas koidu ajal. Äratuskella polnud vaja. Tema peas olev kell oli sama täpne kui mõni Šveitsi ajanäitaja. Aga täna hommikul lesis Eleesha veel kümme minutit voodis, mitte ei tõusnud kohe nagu tavaliselt, vahtides väikeses magamistoas lakke. Mõtted seoses eesootava pika päevaga kihutasid läbi pea ning järsku tabas teda kohutav kurbus ja abitusetunne. Ta ajas end aeglaselt voodist välja, läks vannituppa ja sooja duši alla. Pärast duši all käimist mässis Eleesha rätiku ümber pea ja tõmbas selga helekollase hommikumantli. Ta nühkis uduse peegli keskele ümmarguse puhta laigu ja vaatas tükk aega oma peegelpilti. Aukuvajunud silmad, tuhm jume ja pehmed igemed olid alkoholi ja uimastitega hävitatud nooruspõlve tagajärg. Arm vasakul põsel oli paljude meeste ja naistega seksimise tagajärg – osad neist võisid vägivaldseks muutuda ja muutusid ka. Tume nahavärv varjas hästi tumedaid silmaaluseid. Juuksed olid kaotanud loomuliku läike ja elujõu, aga mõningaste pingutuste ja väga kuuma sirgendaja abil õnnestus tal need ikka veel vajadusel ilusaks teha.

Eleesha astus peeglist sammu eemale, avas hommiku-mantli vöö ja lasi rõivatükil põrandale vajuda. Ta tõmbas ette-vaatlikult käega üle kõhu, lastes sõrmeotstel puudutada kolme pussitamisarmi. Pisarad hakkasid silma tungima ja ta võttis kähku hommikumantli, tõrjudes oma varasema elu mälestused.

Pärast kerget hommikusööki läks Eleesha tagasi magamis-tuppa, meikis end veidi, pani jalga teksad ja mugavad iga-päevased kingad, selga pikkade varrukatega pluusi ja suundus metroopeatusesse. Norwalkist, kus ta elas, oli vaid neli peatust Comptonisse, ümberistumisega Imperial/Wilmingtonis.

Sellisel kellaajal polnud Norwalki peatuses veel väga palju inimesi. Eleesha teadis, et kui ta üritaks kodust tööle sõita hommikuse tipptunni ajal, ootaks teda ees põrgulik reis – ülerahvastatud metroopeatus, ülerahvastatud rong ja poleks lootustki istuma saada. Ei, Eleesha oli pigem nõus varem tööle minema, kui tipptunni ajal ühistranspordiga sõitma. Tal oli alati kontoris midagi teha.

Eleesha polnud kolledžis käinud. Ta oli kooli kaheksandas klassis pooleli jätnud, aga varasem elu tegi temast oma ala asjatundja. Eleesha oli Los Angelese sotsiaalameti tugiteenuste osakonna töötaja. Tugiteenuste osakond oli loodud abistamaks kõiki, kel on kokkupuuteid koduvägivalla, uimastite tarbimise, vaimse tervise probleemide, naiste vastu suunatud vägivalla ja purunenud perekondadega.

Eleesha töö puudutas ainult selliseid naisi, kel oli probleeme narkootikumide tarbimise ja koduvägivallaga, ning prostituute, kes tahtsid sellest elust loobuda. Tema päevad olid rasked, pikad ja täis kurbust, pahameelt ja teiste inimeste kannatusi. Ta oli enda arvates aidanud paljusid naisi, aga paar kuud hiljem naasid nad endise elu juurde. Aeg-ajalt õnnestus Eleeshal siiski mõni naine tänavaelu juurest lõplikult minema aidata. Ta oli näinud naisi, keda tema oli aidanud, leidmas hea töökoha, loomas peret ja alustamas uut elu, eemal kõigist kannatustest ja sõltuvusest. Need hetked tegid tema töö vaeva vääriliseks.

Eleesha astus vagunisse ja istus tagumisse otsa. Kaks kohta temast paremale istus kena kolmekümnendates eluaastates tumesinises ülikonnas mees, käes papist kohvitops, kuhu mahtus arvatavasti mitu liitrit kohvi. Mees noogutas vagunisse astudes südamlikult. Eleesha noogutas samuti ja naeratas. Ka mees kavatses naeratada, aga märkas siis tema vasakul põsel olevat armi. Selle peale pööras mees kähku pea ära ja teeskles, et otsib midagi portfellist.

Eleesha naeratus kustus. Ta oli kaotanud arvepidamise, mitu korda ta oli täpselt samas olukorras olnud. Ta tegi näo, et teda ei huvita, aga sügaval niigi klohmida saanud ego sees tekkis järjekordne arm.

Järgmises peatuses Lakewoodis tuli peale mitu inimest. Umbes 25-aastane naine istus Eleesha vastu. Naisel oli seljas helepruun pükskostüüm, jalas beežid madalad samsskingad ja käes advokaadile omane nahast portfell. Mees Eleeshast paremal oli kohvi ära joonud ja olles lipsu kohendanud, naeratas noorele naisele meeldivalt. Naine isegi ei märganud teda, vaid istus ja võttis portfellist ajalehe. Eleesha muigas sisimas.

Kui naine istme seljatoele naaldus ja ajalehte lugema hakkas, köitis Eleesha pilku miski esilehel. Ta kissitas silmi. Pealkiri oli järgmine: „SKULPTORIST SARIMÕRVAR NÕUDIS KOLMANDA OHVRI". Eleesha kummardus ettepoole ja kissitas ajalehte silmitsedes veel rohkem silmi. Artikli esimene lõik kirjeldas, kuidas mõrtsukas oli rebinud ohvritel käed ja jalad küljest, et teha neist kuriteopaika jäetud groteskne inimlihast skulptuur. Artikkel tegi oletusi kannibalismi ja võimalike musta maagia rituaalide kohta. Eleesha grimassitas vastikustundest nägu, aga luges edasi. Järgmine rida paiskas mälestused keerisesse nagu tornaado.

Ei, mõtles ta, *see ei saa sama olla.*

Alles siis tabas tema pilk fotosid artikli all. Süda jättis löögi vahele, kui kahtlused kiiresti kadusid.

Kaheksakümmend viis

„Kas te olete seda paska näinud?" pahvatas kapten Blake Hunteri ja Garcia tööruumi tormates, käes LA Timesi hommikune number.

Hunter, Garcia ja Alice Beaumont olid artiklit lugenud. Kõmuajakirjanduse parimatele traditsioonidele truuks jäädes oli

LA Times mõrtsukale hüüdnime välja mõelnud. Nad kutsusid teda sobivalt Skulptoriks.

Kokku oli artikli juures neli fotot. Ühel oli hoone, kust leiti Nathan Littlewoodi surnukeha. Ülejäänud olid kolme ohvri portreefotod. Artikkel lõppes lausega, et ehkki Los Angelese üks kohutavamaid mõrtsukaid oli nõudnud juba kolme „kogukonna lugupeetud liikme" elu (California osariigi prokurör, kel oli diagnoositud viimase staadiumi vähkkasvaja, politseinik ja psühholoog), ajas LAPD endiselt ainult oma saba taga nagu rumalad krantsid. Neil polnud olulisi niidiotsi.

„Jah, me oleme seda näinud," vastas Hunter.

„Rumalad krantsid?" Kapten virutas ajalehe Hunteri lauale.

„Kuradi raibe. Kas nad ei kuulnud sõnagi, mida me eilsel pressikonverentsil ütlesime? See jätab meist käpardlike klounide mulje. Ja hullem on see, et neil on õigus. Kolm ohvrit kahe nädalaga ja meil pole sittagi, välja arvatud varjunukud."

Kapten pöördus Alice'i poole. „Ja kui teil on teise skulptuuri tähenduse osas õigus, oli see tema järjekordne ohver. See tähendab, et ainult üks on veel jäänud." Blake lükkas juuksed mõlemat kätt kasutades kõrvade taha ja tõmbas sügavalt hinge. „Kas te olete suutnud viimase ohvri eelmise kahega seostada?"

„Ei," vastas Alice veidi löödult. „Ma ei leidnud midagi, mis seostaks Nathan Littlewoodi ühegi politseijuurdlusega. Ta ei ole LAPD-d juhtumitega aidanud. Ta pole kunagi kohtus tunnistusi andnud ega ka vandemehena tegutsenud. Ma töötan nii kiiresti, kui suudan. Praegu üritan välja selgitada, kas ta on mõne kuriteo ohvri nõustaja olnud. Mõtlesin, et äkki ta aitas ohvrit mõnes juhtumis, millega olid seotud Nicholson või Nashorn. Kui nii, siis võib see juhtum olla kuidagi seotud Ken Sandsiga, aga Littlewoodi endiste klientide kohta informatsiooni saamine on osutunud keerulisemaks, kui ma arvasin. Ent kuigi me pole seost veel leidnud, ei tähenda see, et Nathan

Littlewood ei olnud kuidagi Ken Sandsi või Alfredo Ortega juhtumiga seotud."

„No suurepärane," kähvas kapten. „Nii et kui see ohver ei ole kuidagi seotud ainsa teooriaga, mida te kõik olete seni suutnud välja mõelda – Ken Sandsi kättemaks –, ei ole meil mitte muhvigi." Kapten Blake pöördus Hunteri poole. „Võibolla on aeg, et su võimas aju midagi uut välja mõtleks, Robert. Politseiülem ja linnapea tegid mulle paarkümmend minutit tagasi korraliku peapesu. Neil on kõrini sellest, et „Skulptor" linna terroriseerib ja meie üle naerab. Ringkonnaprokurör Bradley peab juba kogu seda juurdlust fiaskoks ja ma ei hakka kordama, mida ta seda juhtivate uurijate kohta ütles. See artikkel tegi seda kõigi eest. Kui me järgmise 24 tunni jooksul midagi käegakatsutavat ei leia, võetakse juurdlus meil käest ära."

„Mis asja?" Garcia hüppas peaaegu toolilt püsti.

„Kuulge, me oleme praegu kaelani mülkas. Esimesest mõrvast on möödas kaksteist päeva ja ehkki oleme kõik pidevalt tööd rabanud, ei tea me midagi olulist. Kui me homme hommikuks midagi konkreetset ei leia, palub ringkonnaprokurör juurdluse FBI-l üle võtta. Meie ülesandeks jääb neid siis ainult abistada."

„Abistada?" kordas Garcia. „Mida tehes? Nende tagumikku pühkides? Kohvi keetes?"

Hunter oli korra varem, mitu aastat tagasi, FBI-ga koos töötanud ja seda vihanud. Ta hoidis suu kinni, aga ta ei kavatsenud mitte mingil juhul födedele lapsehoidjaks hakata ega oma juurdlust hõbekandikul neile üle anda.

„Kuna lugu jõudis ajalehtedesse, võtsid föded ise politseiülema, linnapea, ringkonnaprokuröri ja minuga ühendust, pakkudes abi. Nad ütlesid, ja ma tsiteerin: „Pidage meeles, et me oleme olemas, kui teil meid vaja peaks minema." Ja meist neljast olin mina ainuke, kes arvas, et ei lähe."

„See on üks tõsine pasalasu, kapten."

„Tooge mulle midagi käegakatsutavat või harjuge sellega, sest 24 tunni pärast oleme meie need, kes on kaelani selle sees ja kühveldame seda jamahunnikut födedele."

Kaheksakümmend kuus

Õhtupoolikuks oli sinine taevas Los Angelese kohal tõmbunud ähvardavalt tumedalt pilve. See andis teada, et suve esimene äike on tulekul.

Hunter jõudis East Hollywoodist põhjas asuvasse künklikku Los Felizi parasjagu siis, kui esimest korda müristas. Garcia oli läinud Nathan Littlewoodi kontorisse. Ta tahtis veel korra rääkida inimestega, keda oli juba küsitlenud, ja uuesti kuriteopaiga üle vaadata.

Littlewoodi korter asus 14-korruselise maja kümnendal korrusel Los Feliz Boulevardi ja Hillhurst Avenue nurgal. Hunter oli tema sekretärilt võtmed saanud. Maja vestibüül oli suur, hästi valgustatud, väga puhas ja meeldiv. Uksehoidja, umbes kuuekümnene hoolikalt pügatud kitsehabemega mustanahaline meesterahvas, istus poolringikujulise laua taga. Ta tõstis pilgu pehmete kaantega raamatult, kui Hunter sisse astus ja liftinuppu vajutas.

„Külastate kedagi?" küsis mees püsti tõusmata.

„Täna mitte, söör," vastas Hunter ametimärki näidates. „Tööasjad."

Uksehoidja lasi raamatu alla, muutudes uudishimulikuks.

„Kas siin on toimunud sissemurdmine, millest ma teadlik ei ole?" Ta hakkas sobrama paberites, mis olid tema napi ruumiga laual. „Kas keegi kutsus politsei?"

„Ei, sissemurdmist ei ole olnud, söör. Mitte keegi ei kutsunud politseid. See on vaid kontrollkäik." Muud Hunter ei lisanud, kui liftiuksed avanesid ja ta sisse astus.

Kümnenda korruse koridor oli pikk, lai, hele ja seal oli meeldiv eksootiline õhuvärskendaja lõhn. Seinad oli koorekarva, helepruunide liistudega, vaip kolmnurkse mustriga ja beež. Korter 1011 asus koridori lõpus. Sekretär oli öelnud Hunterile, et Littlewoodil polnud kodus valvesüsteemi. Hunter avas ukseluku ja vajutas aeglaselt linki. Uks avanes pimedasse esikusse. Ta lülitas taskulambi põlema ja vaatas koridorist väikest ruumi. Poole seina peal oli keskmise suurusega peegel, selle all kitsas läbipaistev laud, mille peal oli tühi puidust kauss. Arvatavasti pani Littlewood koju jõudes sinna võtmed. Peeglist vasakul oli seinal kolm puidust nagi. Viimase küljes rippus hall pintsak.

Hunter lükkas ukse lõpuni lahti, astus sisse ja pani tule põlema. Esikust pääses väiksesse kööki otse ees ja keskmise suurusega elutuppa vasakul.

Ta kontrollis halli pintsaku taskuid, leides sealt vaid Hiina restorani krediitkaardikviitungi. See oli nädalatagune. Aadressi järgi võttes asus see järgmises tänavas.

Hunter pani kviitungi tagasi pintsakutaskusse ja läks ettevaatlikult elutoa poole, libistades pilgu üle kõige. Toa keskpunktiks oli suur plasmateler läikival mustal kapil lõunaseinas. Selle all riiulis oli DVD-mängija ja satelliidiboks. DVD-mängijast paremal oli väike muusikakeskus. Peale nende oli läikival kapil CD-sid ja DVD-sid. Lisaks kapile oli toas söögilaud neljale, pehme must nahkdiivan, kaks samasugust tugitooli, klaasist diivanilaud, puidust kummut ja tohutu raamaturiiul, mis oli raamatuid otsast otsani täis. Tuba polnud segamini, aga ka mitte päris korras. Midagi naiselikku polnud kusagil näha, aga ka mitte ülemäära mehelikke detaile. „Neutraalne" ja

„keskmine" olid sõnad, mis Hunterile pähe tulid. Kardinad olid ette tõmmatud, nii et tuba oli hämar.

Elutoas nägi Hunter ainult ühte raamitud fotot, mis oli läikival kapil CD-de taga poolenisti nurgas peidus. Fotol oli Littlewood, käsi kõige enam 18-aastase poisi ümber. Poisil oli seljas keskkooli lõpetamise rüü ning tema ja Littlewoodi näol oli uhke lai naeratus. Hunteril oli kodus kaks sarnast fotot endast ja oma isast – üks pärast keskkooli ja teine pärast ülikooli lõpetamist.

„Mida paganat sa otsid, Robert?" sosistas ta endamisi.

Kaheksakümmend seitse

Välk lõi tumeda taeva heledaks. Murdosa sekundit hiljem kärgatas kõu nii, et maja värises. Sadas paduvihma, mis peksis aknaklaase.

Hunter veetis veel paar minutit elutoas, vaadates läbi sahtleid ja raamaturiiuleid, aga ei leidnud midagi huvitavat. Köögis polnud ka midagi erilist – erinevad taldrikud ja söögiriistad, kõige enam neljale inimesele, ja pooltühi külmik. Väike koridor ühendas elutuba ülejäänud korteriga. Vasakul oli üks tuba poole koridori peal ja teine koridori lõpus paremal. Vannituba jäi paremale esimese toa vastu.

Hunter läks edasi. Ta otsustas alustada magamistoast. See oli suur ja mugav, omaette vannitoaga. Lai puidust peatsiga voodi oli lükatud vastu seina. Seal oli ka väike töölaud, sisseehitatud riidekapp ja kõrge kummut. Jällegi ei mingeid naiselikke esemeid ega pildiraame – ei midagi erilist ega mälestusi. Hunter vaatas kõik hoolega läbi. Kapp oli väga korras – ülikonnad ja särgid võtsid enda alla pool kapi ruumist. Jalanõusid oli neli paari, kaks neist tossud. Lipsudel ja püksirihmadel oli oma väike nurgake. Hunter katsus kõikide pintsakute taskud läbi – ei midagi.

Vihm muutus tugevamaks, pekstes aknaid nagu üritaksid kurjad vaimud sisse tungida. Välk sähvis iga paari minuti järel siksakis üle taeva.

Hunter jätkas toa uurimist. Kummutisahtlites olid T-särgid, teksad, sviitrid, aluspesu, sokid ja kaks pudelit Davidoffi lõhna Cool Water.

Ta kontrollis Littlewoodi laua kõrval maas olevat prügikorvi. Seal polnud muud kui rämpspost ja mõned šokolaadibatoonide ümbrised. Laual olev sülearvuti oli salasõnaga kaitstud. Hunter polnud kindel, kas nad leiavad Littlewoodi kõvakettalt midagi juurdluse jaoks kasulikku, aga hetkel tasus kõike proovida. Ta annab sülearvuti IT-üksuse juhi Brian Doyle'i kätte. Vannitoa sisustus oli veelgi tagasihoidlikum kui magamistuba.

Hunter seisatas akna all ja vaatas natuke aega Los Angelest vemmeldavat vihma. Taevast lõhestas järjekordne välgunool, hargnedes viies suunas. Tundus, et ta peab veel mõnda aega siin veetma.

Hunter väljus magamistoast ja läks tagasi koridori, astudes vannitoa vastas olevasse tuppa. See oli väike, aga korras. Ilmselgelt oli tegemist külaliste jaoks mõeldud magamistoaga. Selles toas oli üheinimesevoodi, mille metallist peats oli lükatud vastu seina. Voodist paremal oli väike öökapp. Idaseina võttis enda alla sisseehitatud riidekapp. Kardinad olid ka siin ette tõmmatud, aga need olid teistsugused kui elutoas. Siin olid need paksemad ja raskemad. Valgust ega varje sisse ei paistnud.

Hunter ei puutunud neid ja läks voodi juurde, tõmmates käega üle voodipesu. See tundus ja lõhnas puhtalt – hiljuti pestud. Ta vaatas öökapisahtlisse. Ei midagi. Täiesti tühi. Hunter sulges sahtli ja läks riidekapi juurde, lükates liuguksed lahti.

Kapis oleks nagu toimumas väiksemat sorti garaažimüük. Kõik siin oli vana – tolmuimeja, raamatud, ajakirjad, lambid, mõned vanad mantlid, kunstkuusk ja mõned pappkarbid.

„Vau," ütles Hunter sammukese taganedes. „Littlewood ei visanud vist suurt midagi minema." Ta keskendus paremas seinas üksteise otsa kuhjatud pappkastidele, tõmmates alumise välja. See oli üsna raske. Hunter pani selle voodile ja tegi lahti. Kast oli täis vanu vinüülplaate. Ta vaatas uudishimust mõned läbi – Mötley Crüe varasemad plaadid, New York Dolls, Styx, Journey, .38 Special, Kiss, Led Zeppelin, Rush ... Hunter naeratas. *Littlewood oli noorena olnud heavy metal'i fänn.*

Ta peatus, siis tuli talle üks mõte ja ta lappas kiiruga kõik plaadid läbi. Faith No More'i plaati looga „The Real Thing," mille mõrtsukas oli jätnud mängima Nashorni purjekas, ei olnud.

Hunter läks tagasi riidekapi juurde ja võttis sealt järgmise kasti. See oli triiki fotosid täis – väga vanu. Ta tõstis mõned välja ja hakkas neid lappama. Ja muigas taas. Nathan Littlewood oli neil väga nooruke – hilisteismeline ehk, mitu kilo kergem ja üle pea kammitud õlgadeni juustega. Ta nägi välja nagu garaaži-*rock*bändi heidik.

Hunter võttis kasti põhjast veel käputäie fotosid. Seekord olid tegemist pulmafotodega. Littlewoodil oli seljas elegantne tume ülikond ja ta tundus kõikidel fotodel siiralt õnnelik. Pruut oli temast kümmekond sentimeetri lühem, selliste silmadega, mis sundisid peatuma ja neid tükk aega vaatama. Naine oli pruutkleidis vapustav. Ka tema tundus olevat joovastuses.

Järgmine patakas polnud pulmafotod, aga Littlewood näis sama noor. Hunter lappas läbi mitu fotot, kui miski tema tähelepanu köitis.

„Pidage nüüd." Ta tõi foto silmadele lähemale ja vaatas kissitades, tõsiselt keskendudes, mälu töötas nagu arvuti, otsides viimase kahe nädala jooksul nähtud kujutiste andmebaasist vastet. Kui ta viimaks seose leidis, paiskus adrenaliin kõikidesse kehaosadesse.

Kaheksakümmend kaheksa

Müristamine raputas taevast veel korra, nii et Alice võpatas toolil. Talle ei meeldinud vihm ja ta vihkas troopilisi äikesetorme. „Issand jumal." Ta pani käed kokku, tõi need suu juurde ja hakkas pöialdele puhuma, nagu oleksid need vile. Alice tegi nii alati, kui midagi kartis. See harjumus oli talle lapsepõlvest jäänud.

Alice oli istunud pärastlõuna Hunteri tööruumis, tuhnides innukalt andmebaasides ja häkkis sisse internetisüsteemidesse, otsides mingisugustki seost kolme ohvri vahel. Ta polnud veel midagi leidnud. Samuti polnud tal õnnestunud seostada Littlewoodi Ken Sandsiga, aga Alice oli sellist tööd pikalt teinud. Ta teadis, et kuigi ta polnud veel seost leidnud, ei tähenda see, et seda ei ole.

Taevas sähvis taas välk ja Alice pigistas silmad kõvasti kinni, hoides ka hinge kinni. Välk teda ei hirmutanud, aga ta teadis, et pärast välku tuleb müristamine ja see võttis ta hirmust kangeks.

Hetk hiljem kostiski kõmin ja see ei tahtnudki lakata, kestes mitu sekundit. Alice ei saanud enam kuidagi mälestusi vältida. Talle tulid pisarad silma.

Ta oli 11-aastasena vanavanemate juures Oregonis olles jäänud metsiku äikesetormi kätte.

Vanavanemad elasid Cottage Grove'i lähedal talus. See koht oli imeilus nagu üks suur rahvuspark, rahulik, kaetud metsade ja järvedega. Alice jumaldas õues mängimist. Talle meeldis aidata vanaisal loomadega tegelda, eriti kui vanaisa lehmi lüpsis, kanalast mune korjas või sigu toitis. Aga ennekõike meeldis talle vanavanemate juures käies mängida vanaema kolmeaastase mustvalge hagija Noseyga. Suur osa Oregonis veedetud ajast kulus Nosey kallistamisele, poputamisele ja temaga väljas ringi jooksmisele. Tol juunikuu päeval olid Alice'i vanemad koos vanaisaga linna poodi läinud. Alice jäi vanaemaga koju. Kuni vanaema Gellar õhtusööki valmistas, läksid Alice ja Nosey õue mängima. Mõlemale meeldis mängida „puhmas puude" juures, nagu Alice kutsus jalakate salu maja lähedal orus. Ehkki vanemad olid korduvalt keelanud tal sinna üksinda mängima minna, oli väike Alice kangekaelne tüdruk ega pööranud nende sõnadele erilist tähelepanu.

Alice'il polnud aimugi, kui kaua ta oli Noseyga puude vahel jooksnud, aga ilmselt tükk aega, sest taevas oli tõmbunud süsimustaks ja ainult siin-seal piilusid tumesinised laigud pilvede vahelt välja. Alice ei pannud tähele ka vänget märja mulla lõhna, mis oli vähehaaval nendeni kandunud.

Esimene välgusähvatus tarretas ta paigale. Alles siis sai ta aru, et tõusnud oli kohutavalt tugev tuul ja järsku oli väga külmaks läinud. Kui pea kohal kärgatas kõu, nii et maapind vappus, hakkas Alice nutma ja Nosey läks pööraseks, haukudes nagu marutõbine ja tormas siia-sinna, nagu oleks ta arust ära.

Alice ei teadnud, mida muud teha, kui nutta ja esimese ettejuhtuva puu alla kerra tõmmata. Ta kutsus Noseyt enda juurde, aga koer ei kuulanud. Loom tormas ühe puu juurest teise juurde, aga siis sööstis järjekordne välk maapinna poole nagu kurjuse haamer. Selle sihtmärk – Nosey kaelarihma küljes olev suur metallist plaat. Alice'i silmad oli pärani, parem käsi välja sirutatud, kutsudes väikest koera enda juurde, aga Noseyl ei olnud mingit lootust. Välk haaras Noseyst kinni ja hoidis teda justkui terve igaviku. Väike koer paiskus õhku nagu põrkav pinksipall. Maha kukkudes ei liigutanud ta enam. Silmad olid piimjalt valged ja elutult suust välja rippuv keel süsimust. Paduvihmast hoolimata nägi Alice Nosey kehalt kerkivat suitsu.

Õudusunenäod kestsid peaaegu aasta – Alice kartis siiamaani kohutavalt äikesetorme. Isegi fotoaparaadi välk tekitas ebamugava tunde. See meenutas taevast tulevat välku.

Troopilised äikesetormid kestsid Los Angeleses üldiselt kolmveerand tundi kuni tunni, aga see oli varsti kestnud juba poolteist tundi ega kavatsenudki lõppeda.

Alice'il oli palju tööd, aga ta ei suutnud praegu arvuti taga istuda, sest sõrmed lihtsalt ei liikunud. Ta otsustas hoopis paberitööd teha. Kõneeristusega telefoniarved, mille kriminalistid Nathan Littlewoodi kabinetist leidsid, olid toodud paar tundi tagasi. Need olid esimene asi, mida Alice oma laual nägi.

Ta oli tegelenud kümme minutit Littlewoodi kõige sagedamini kasutatud numbrite tuvastamisega, kui märkas midagi, mis sundis teda väljas möllava maru unustama.

„Oot-oot," ütles Alice endamisi ja hakkas laual olevas paberikuhjas sobrama. Kui ta oli otsitava leidnud, keeras ta lehte ja luges iga rida.

Seal see oligi.

Kaheksakümmend üheksa

Vihm oli tund aega tagasi viimaks lakanud. Pilved olid laiali läinud, aga taevas oli õhtu saabudes tume.

Hunter sai aru, et pappkastis on liiga palju fotosid, et ta need kõik Nathan Littlewoodi korteris põhjalikult läbi vaadata jõuaks. Üks foto oli juba tema südame kiiremini põksuma pannud.

Ta pidi minema tagasi politseimajja ja kasti fotodega kaasa võtma.

Enne Littlewoodi korterist lahkumist vaatas Hunter ka ülejäänud kahte pappkasti külaliste magamistoa riidekapis – neis olid killud Littlewoodi minevikust, aga ei midagi Hunteri meelest olulist.

Kui Hunter tagasi jõudis, istus Garcia oma laua taga. Alice'it polnud näha.

„On kõik korras?" küsis Hunter, tajudes paarimehes väsimust.

Garcia ajas põsed punni ja hingas siis välja. „Mulle helistas uurija Corbí lõunaringkonnast."

„Tito mõrva juhtivuurija?"

„Seesama. Ja tead, mis? Nad said DNA-analüüsi vastuse vannitoast leitud ripsmekarvale. Klapib Ken Sandsi DNA-ga."

Hunter pani kasti fotodega oma lauale. „Ripsmekarv?"

„Just. Ja ma tean, et see kahjustab veidi teooriat, et Ken Sands võiks olla Tito tapja ja Skulptor. Skulptor on jätnud meile kolm verd ja siseelundeid täis kuriteopaika, aga ta ei jätnud maha midagi, mida ei tahtnud maha jätta. Isegi mitte tolmu-kübet. Nii et kui Ken Sands on tõepoolest mõlemat, kuidas ta siis Tito korteris nii lohakas oli?" Garcia ei oodanud Hunteri vastust. „Häda on selles, et ta ei pruukinud lohakas olla. Ta võis tõepoolest eksida."

Hunteri huvi kasvas.

„Ripsmed ei tule niisama lihtsasti ära kui muud karvad. Ma kontrollisin," selgitas Garcia. „Inimene kaotab päevas 40–120 karva, aga ripsmed langevad välja keskmiselt iga 150 päeva tagant. Kurjategijaid ei mõtle enamasti selle võimaluse peale, ükskõik kui ettevaatlikud nad on. Nii et kui Tito tapja ei kandnud kaitseprille, oli see tahtmatu viga."

„Mida sa Corbíle ütlesid?"

„Mitte midagi. Ei öelnud, et Sands on Skulptori juhtumis huvipakkuv isik. Palusin siiski tal mind uute avastustega kursis hoida, aga sellest pole enam pääsu. Ka nemad hakkavad Sandsi otsima."

Hunter noogutas sellest aru saades. „Jah, aga sa ju mäletad Tito korterit, eks? See oli räpane. Seda polnud mitu kuud koristatud. Nii et ehkki ripsmekarv võib ju tähendada, et Sands seal käis, siis ilma tunnistajateta, kes kinnitaksid, et ta viibis seal mõrvaõhtul, pole võimalik süüdimõistvat otsust saavutada, kui ta just ise end süüdi ei tunnista. Sandsil pruugib vaid öelda, et ta käis Titol külas millalgi enne mõrvaõhtut."

Garcia teadis, et Hunteril on õigus.

„Kas sa said Littlewoodi kontorihoonest midagi uut teada?"

Garcia lükkas kätega juuksed laubalt. „Mitte muhvigi." Ta vaatas käekella ja pigistas paar korda ärritunult ninaselga.

Hunter sai tema pahameelest aru. „Kus Alice on?"

„Pole aimugi. Teda polnud, kui ma tagasi tulin. Mis see on?" Garcia nookas pappkasti poole, mille Hunter oli oma lauale pannud.

„Võtsin kaasa Littlewoodi korterist. Vanad fotod."

Garcia kergitas kulmu.

Hunter läks fototahvli juurde. Seekord keskendus ta ainult kehaosadest skulptuuride ja mahalõigatud jäsemete fotodele. Ta silmitses neid hetke nii, nagu näeks neid esimest korda.

„Midagi huvitavat?"

Vaikus.

„Robert," hõikas Garcia. „Kas sa leidsid Littlewoodi korterist midagi? On selles kastis midagi?"

Hunter võttis ühe foto tahvlilt ära. „Peame minema kapteni juurde, enne kui ta koju läheb."

Üheksakümmend

Kapten Blake lõpetas telefonikõnet, kui Hunter ja Garcia tema uksele koputasid.

„Sisse," hõikas Blake, olles pannud käe telefoni mikrofoni peale. Kui uurijad sisse astusid, andis ta neile märku istet võtta. Kumbki ei istunud.

„Mul kama, kuidas sa seda teed, Wilks, aga aja see joonde. Sa oled juhtivuurija, nii et juhi, pagan võtaks." Kapten lõi telefoni hargile ja pigistas ninaselga, sulgedes korraks silmad.

Hunter ja Garcia ootasid sõnatult.

„Nii." Kapten vaatas nende poole ja ohkas raskelt. „Öelge, et teil on vähemalt sutsuke midagi uut."

Hunter võttis rinnataskust vana 15×10 cm foto ja pani selle kapteni lauale.

„Mis see on?"

„Sutsuke midagi uut," vastas Hunter täielikult ilma iroo-niata. „Leidsin selle Nathan Littlewoodi korterist."

Garcia astus lähemale ja käänas kaela.

Kapten Blake võttis foto kätte ja silmitses seda mitu sekun-dit. „Mida kuradit ma siin nägema peaksin, Robert?"

„Kas ma tohin vaadata, kapten?" küsis Garcia kätt ette sirutades.

Blake andis foto talle ja naaldus oma pöördtooli seljatoele.

Foto ei olnud just suurepärase kvaliteediga, aga sel oli selgelt näha napilt kahekümneaastane kõhn noormees, kes seisis puu kõrval, õllepudel käes. Oli hele päikseline päev ja tal polnud särki seljas. Juuksed olid tumedad ja lokkis. Ta naeratas. Paremas käes olev õllepudel oli kallutatud kaamera poole, nagu ütleks ta toosti. Garcia tundis ta kohe ära.

„See on väga noor Nathan Littlewood," ütles ta.

Kapten Blake vaatas Hunterit ilmetult. „See pole ju üllatus, sest sa leidsid selle tema korterist."

„Mitte tema," sõnas Hunter. „Teine isik fotol."

Kapten Blake vaatas veel korra Garcia käes olevat fotot ja siis Hunterit, nagu oleks viimane mõistuse kaotanud. „Kas me räägime ikka *sellest* fotost? Sest kui nii, siis peaksid silmaarsti juurde minema, Robert. Seal on ainult üks inimene."

Garcia otsis juba taustalt teisi inimesi. Ta tundis Hunterit piisavalt hästi teadmaks, et paarimees oli näinud midagi, mida enamik inimesi ei näe, ent ta ei leidnud kedagi. Littlewood seisis puu kõrval üksinda. Taustal polnud ka mitte kedagi.

„Vaadake hoolikamalt," soovitas Hunter.

Siis märkas Garcia foto paremas serval kellegi vasaku käsivarre osa. Kuna see oli objektiivile väga lähedal, oli see udune, aga selge oli see, et käsi oli küünarnukist kõverdatud. Suurem osa käsivarrest oli kaadrist väljas.

„Käsivars?" küsis Garcia.

Hunter noogutas. „Uuri lähemalt." Ta jälgis, kui Garcia uuesti fotole keskendus. Paarimehe ilme väljendas segadust, kahtlust, üllatust ja siis ta taipas.

„Olgu ma neetud," ütles Garcia, vaadates Hunteri poole.

„Ei, olgu *mina* neetud," sõnas kapten, puurides uurijaid nagu laserpilguga. Tema hääl kerkis pisut. „Kas te näete mind siin istumas? *Mis* selle käega on?"

Garcia seisis tema laua ette ja näitas fotot. „See pole lihtsalt kellegi käsi." Ta pöördus Hunteri poole. „Sellepärast sa üleval fotosid uuesti uurisidki."

Hunter nõustus ja pani kapteni lauale fototahvlilt võetud foto. Sel olid kehaosad roostevabast terasest laual kõrvuti. Ta osutas ühele kahest käsivarrest. Täpsemini kohale triitsepsi ülemisel osal.

„Näete neid?" küsis ta.

Kapten kallutas pea ettepoole ja kissitas silmi. „Näen jah. Mis need on?"

„Neevused," vastas Garcia, pannes teise foto selle kõrvale, mida kapten vaatas. „Sünnimärgid." Ta viitas kuuele väiksele kummalise kujuga tumepunasele sünnimärgile selle inimese triitsepsil, kes oli tahtmatult fotole jäänud. Ehkki käsi oli udune, olid need selgelt näha. Need olid täpselt samasugused.

Üheksakümmend üks

Kapten Blake istus natuke aega liikumatuna, pilk laual olevatel fotodel. Ta teadis, et sünnimärgid on sama ainulaadsed kui sõrmejäljed. Võimalus, et kahel inimesel on täpselt ühesugused sünnimärgid, oli üks 64 miljonist. Isegi identsetel kaksikutel pole ühesuguseid sünnimärke. Seega oli võimatu, et kahel inimesel on täpselt ühesugused kuus sünnimärki sellises väikeses kobaras.

„See tähendab, et see mees oli ..." Ta suskis sõrmega udust käsivart Littlewoodi korterist toodud fotol.

„Andrew Nashorn," vastas Garcia. „Mõrtsuka teine ohver."

Kapteni pilgus lõi miski särama. „Nii et nad tundsid teineteist?"

„Tundub nii," vastas Hunter. „Vähemasti kunagi ammu."

Blake pööras foto teistpidi – ei midagi. „Millal see tehtud on?"

„Võime selle laborisse analüüsi saata, aga arvestades seda, kui noor Nathan Littlewood siin on ja et ta abiellus kakskümmend seitse aastat tagasi ning sel fotol pole tal abielusõrmust, ütleksin, et see foto on 27–30 aastat vana."

Garcia nõustus.

Kapten Blake naaldus taas toolileenile, ilmselgelt millegi üle juureldes. Ta tõstis pilgu, kallutas keha paremale ja vaatas uurijatest mööda kabineti ukse poole. „Kus see prokuratuuri tüdruk on?"

Garcia kehitas õlgu.

„Ma pole teda täna hommikust saadik näinud," vastas Hunter.

„Noh, tundub, et tal võis õigus olla." Kapten Blake tõusis. „Sel mõrtsukal võib olla kindel plaan. Seda ju see tüdruk teisest mõrvapaigast leitud skulptuuri tekitatud varjukujutise järgi oletas, eks ole? Kaks ohvrit surnud, kaks veel." Ta tuli oma tumedast puidust laua ette. „No nüüd on kolmas surnud. Me teame, et kaks neist tundsid teineteist. Nende ametite tõttu olen ma kindel, et Derek Nicholson ja Andrew Nashorn olid vähemalt tuttavad. Kas meil on mingit aimu, kas Nashorn tundis kolmandat ohvrit? Kas ta kuulus aastaid tagasi samasse sõpruskonda?"

Hunter tõstis vasaku käe, et kaela masseerida. „Sattusin selle info otsa alles tund aega tagasi, kapten. Ma pole jõudnud veel uurima hakata, aga me loomulikult teeme seda. Mul on üleval kontoris kast vanade fotodega, mis võivad meile veel mingit infot anda. Aga nüüd on meil vähemasti uus uurimissuund."

„Ütleksin, et see on kahtlemata sutsuke, kapten," sõnas Garcia.

Kapten näis end ikka ebamugavalt tundvat, aga Garcial oli õigus, neil oli midagi uut. Blake vaatas kella ja avas ukse. „No hakake siis uurima ja andke teada kohe, kui midagi leiate. Pean nüüd politseiülema ja Los Angelese ringkonnaprokuröriga vestlema."

Üheksakümmend kaks

Hunteri öö kulus pappkastis olnud fotode hoolikale läbivaatamisele. Ta leidis veel pulmafotosid, vanu puhkusepilte, mitu fotot Nathan Littlewoodist sõprade ja sugulaste seltsis ning tohutul hulgal fotosid Littlewoodi ainukesest pojast Harryst – lapse sünd, esimesed sammud, esimene koolipäev, kooli lõpetamine, esimene koolipidu. Põhimõtteliselt kõik olulised sündmused kuni kodust lahkumiseni. Littlewood oli kahtlemata uhke isa.

Olles mitu tundi fotosid uurinud, oli Hunter kindel, et Andrew Nashorni ühelgi neist ei ole. See oli kõik, mis neil oli – udune käsivars vana foto servas, tuvastatav ainult väikese sünnimärkide kogumi järgi triitsepsil.

Hunter oli luubiga kõiki fotodel olevaid nägusid uurinud. Ta oli üsna kindel, et ükski neist pole Derek Nicholson, aga siiski mitte täiesti kindel. Ta peab võtma ühendust Nicholsoni tütarde Olivia ja Allisoniga ning küsima neilt, kas neil on võrdlemiseks anda fotosid oma isast kahekümnendates eluaastates. Võib-olla oli Nicholson üks sellistest inimestest, kelle välimus vanemaks saades drastiliselt muutus.

Hunter uinus viimaks natuke enne kella viit hommikul. Ta ärkas 8.22. Arm kuklal sügeles hullumoodi. Ta käis pikalt duši all, lootes, et soe vesi, millel ta lasi viis minutit järjest kuklale voolata, leevendab seda sügelust.

Ei leevendanud.

Kui ta tund aega hiljem töö juurde jõudis, istus Garcia oma laua taga klaviatuuri kohal kühmus ja luges midagi tähelepanelikult arvutiekraanilt. Ta tõstis pea, kui Hunter fotode kasti oma lauale pani.

„Leidsid midagi?" küsis Garcia lootusrikkalt, noogates kasti poole.

„Ei, mitte midagi. Vaatasin läbi kõik fotod, kõik näod. See pargis tehtud foto on ainus. Kui Nathan Littlewood Derek Nicholsoni tundis, siis selles kastis selle kohta tõendeid ei ole."

„Jah, aga see ei tähenda, et ei tundnud. Lasin neljal inimesel sellega tegelema hakata, kaevata nagu napakad mutid, et leida midagigi, mis seostaks Nicholsoni Littlewoodiga, otsida 25–30 aasta tagusest ajast."

Hunter noogutas.

Garcia tõusis ja läks kohvikannu juurde ruumi nurgas. „Et täiesti kindel olla, palusin ühel IT-mehel võrrelda Littlewoodi korterist leitud fotol olevaid sünnimärke lahkamisfotodel olevatega. Ei mingit kahtlust. Mõõdud, vahed, muster, kõik on sama. See on Nashorni käsi."

Garcia ei pidanud seda küsima, sest nägi paarimehe näost, et viimane polnud eriti maganud, valas kohvi kahte kruusi ja ulatas ühe Hunterile.

„Teate, mis," sõnas Alice uksest sisse astudes, uhke naeratus näol.

Hunter ja Garcia pöördusid korraga tema poole.

„Nad tundsid teineteist."

Üheksakümmend kolm

Meigist, korralikult kammitud juustest ning laitmatult triigitud seelikust ja pluusist hoolimata tundus Alice väsinud olevat. Silmad reetsid seda. Nad peaaegu nägid magamatusest tulenevat kurnatust.

Hunter ja Garcia ei öelnud sõnagi.

Alice pani portfelli lauale. „Nad tundsid teineteist," kordas ta. „Andrew Nashorn ja Nathan Littlewood tundsid teineteist."

Hunter polnud näinud Alice'it eilsest hommikust saadik. Naine polnud pärast lõunat tagasi tulnud. Hunter teadis ka, et temalt naine seda ei kuulnud, ning kuna Alice ütles seda praegu talle ja Garciale, ei teadnud ka naine mitte midagi fotost, mille Hunter oli Littlewoodi korterist leidnud.

„Me juba …" alustas Garcia, aga Hunter segas vahele.

„Kust sa seda tead?"

Alice'i uhke naeratus laienes. Ta võttis portfellist kaks paberilehte. „See on osa Nathan Littlewoodi mobiiliarvest." Ta ulatas ühe lehe Hunterile. „Need toodi eile, kui te mõlemad ära olite. See siin …" Ta andis Hunterile teise lehe, „… on Andrew Nashorni mobiilikõnede väljavõte."

Hunter ei pidanud otsima hakkama. Alice oli numbrid värviliselt alla jooninud. Sama telefoninumber oli kolm korda Nashorni ja kaks korda Littlewoodi lehel.

„See on eskordi number. Tegutseb üksinda, mitte agentuuris," selgitas Alice. „Nad mõlemad kasutasid sama eskorttüdrukut."

Uurijate näole tekkis kahtlustav ilme.

„Eskort?"

„Jah. Ta kutsub end Nicole'iks." Alice pidas vahet ja tõstis parema nimetissõrme püsti. „Ma sõnastan ümber … „Alistuv Nicole." Ta teenindab väga spetsiifilist klientuuri."

Garcia pani kohvikruusi käest. „Olgu, ma olen nõus sellega, et kui Nashorn ja Littlewood kasutasid sama prostituuti, peaksime seda asja uurima, aga see ei tähenda, et nad teineteist tundsid."

„Ta pole prostituut," parandas Alice. „Ta on alistuv eskort. Pakub väga spetsiifilist teenust. Tema sõnad, mitte minu."

„Sa rääkisid temaga?" Garcia oli siiralt üllatunud.

„Eile õhtul." Alice noogutas.

Kumbki uurija polnud seda oodata osanud.

„Kuulge, ma teadsin, et te mõlemad otsite uusi niidiotsi. Avastasin selle info eile hilja ja otsustasin ootamise asemel asja uurida. Juhtumisi õnnestus mul selle naisega eile õhtul kokku saada ja me rääkisime."

„Kuidas sa ta rääkima panid?" Garcia teadis isiklikust kogemusest, et LA illegaalse seksiäriga seotud inimesi pole lihtne rääkima saada.

„Tõestasin talle, et ma pole politseinik ega ajakirjanik ning tõotasin, et tema antud informatsioon teda mitte kunagi ei kahjusta."

„Ja see mõjus?"

„Noh, mul on kasutada erinevaid vahendeid, mida teil politseinikena enamasti ei ole."

„Sa maksid talle," järeldas Garcia.

„See toimib iga kord," nentis Alice. „Arvate, et prokuratuur hoiab informaatoreid enda juures sõõrikute ja sooja piimaga? Ta on *alistuv eskorttüdruk*. Saab raha hullemate asjade tegemise eest kui lihtsalt jutuajamine. Raha saamine vestluse eest oli arvatavasti tema seni kõige lihtsam tööots. Lisaks pakkusin ma talle abi. Ütlesin, et ta helistaks mulle, kui tal kunagi advokaati vaja peaks minema, ja tema alal on see väga ahvatlev pakkumine."

Sellele ei saanud Garcia vastu vaielda. „Millest te siis rääkisite?"

„Võite ise kuulata." Alice võttis portfellist diktofoni ja pani Hunteri lauale. „Olen sellist asja ka varem teinud." Ta pilgutas meestele silma.

Hunter ja Garcia läksid üllatunult laua juurde.

„Kõik on valmis," sõnas Alice. „Olin talle just näidanud Andrew Nashorni fotot." Ta vajutas *play*-nuppu.

„Oo jaa, Paul, tema on lausa püsikunde. Kohtun temaga umbes korra kuus. Vahel sagedamini, vahel harvemini."

Tillukesest kõlarist kostis väga naiselik ja sensuaalne, tõenäoliselt kahekümnendates eluaastates inimese hääl, ent selles oli ka karm alatoon, nagu elu näinud inimeselt oodata võis.

„Paul?" kõlas Alice'i küsimus.

„*See on nimi, mille ta mulle ütles. Tean, et ükski mu klient ei kasuta oma pärisnime. Ütles, et tema nimi on Paul ja mina kutsun teda Pauliks. Nii see käib.*" Üürike paus. „*Talle meeldivad karmid mängud.*"

„*Karmid?*"

„*Jah. Talle meeldib mind kinni siduda, tropp suhu panna, vahel ka silmad kinni siduda, natuke klohmida ... tead küll, karmi venda mängida.*" Nicole turtsatas naerma. „*Sellest pole midagi, mulle meeldib see ka.*"

Hunter oletas, et viimane lause oli öeldud sellepärast, et Alice tegi kohkunud nägu.

„*Kas ta käis teie juures?*"

„*Vahel. Mõnikord käisin tema purjekal. Vahel üüris ta professionaalse vangikongi. Neid on LA-s mõned. Varustus on parem.*"

„*Ja kui kaua ta on ... klient olnud?*"

„*Mõned aastad.*"

„*Millal te temaga viimati kohtusite?*"

„*Hiljuti.*"

„*Kas te võiksite täpsustada?*"

Tekkis lühike vaikus, mille ajal oli kuulda asjade liigutamist. Hunter oletas, et Nicole oli pistnud käe käekotti või sahtlisse.

„*Natuke rohkem kui kuu aega tagasi, 13. mail.*"

„*Aga see mees?*"

Alice pani salvestuse seisma. „Siis näitasin ma talle Nathan Littlewoodi fotot," selgitas ta ja pani salvestuse uuesti mängima.

„*Jah, kohtun ka temaga ... aeg-ajalt. Mitte nii tihti kui Pauliga. Tema kutsub end Woodsiks*.*" Seekord elavam naeruturtsatus.

---

*   *Woods* – metsad, ülekantud tähenduses ka kõva, vastupidav.

„*Mina nii ei ütleks, saad aru, mida ma silmas pean, eks, aga talle see nimi meeldib ja mina kutsun teda nii.*"

„*Kas tema oli ka … karm?*"

Nicole naeris kähedal kurguhäälel, mis kõlas tema kohta liiga vanana. „*Kõikidele mu klientidele meeldib omal moel karm. Sellepärast nad minu juures käivadki, mitte mingi odava litsi juures West Hollywoodis. Nad saavad siin seda, mille eest maksavad.*"

Alice raputas kergelt pead, suutmata ilmselgelt mõista, kuidas ükski naine suudab lasta raha eest end verbaalselt ja füüsiliselt alandada ja enamatki teha.

„*Ja millal te viimast korda temaga kohtusite?*"

Lehekülgede keeramise heli. „*Kuu alguses, 2. juunil.*"

„*Ma näitan teile veel üht fotot.*" Alice ütles Hunteri ja Garcia poole vaadates häähetult „*Derek Nicholson.*"

„*Ee, ei. Teda pole ma varem näinud.*"

„*Olete kindel?*"

Mitu sekundit vaikust. „*Jah, kindel.*"

„*Nii et ta polnud klient?*"

„*Ma just ütlesin ju seda.*"

„*Olgu, üks asi veel. Kas te teate, kas Paul ja Woods tundsid teineteist? Kas nad on teiega koos seansi võtnud või midagi sellist?*"

„*Ei, ma ei tee grupiseansse. Liiga karmiks kisub. Ja mu kliendid on liiga ahned. Kui nad minu juures aja broneerivad, tahavad nad, et oleksin ainult nende päralt.*" Jälle kurguhäälne naer. „*Aga jah, nad tundsid teineteist. Niimoodi Woodsist minu klient saigi. Kui Paul aastaid tagasi minu juures käima hakkas, ütles ta, et ühele ta sõbrale meeldiks arvatavasti ka minu juures. Ütlesin, et andku sellele sõbrale mu number. Nädal hiljem Woods helistaski.*"

Üheksakümmend neli

Kui Alice diktofoni kinni pani, rääkis Hunter talle, mida oli eile Nathan Littlewoodi korterist leidnud. Naine ei suutnud pettumust varjata, et tema oluline avastus polnudki nii oluline, aga Hunter teadis, et on. Tema oli Littlewoodi korterist leitud foto järgi teada saanud seda, et Andrew Nashorn ja Nathan Littlewood tundsid teineteist umbes kolmkümmend aastat tagasi. Alice oli teada saanud, et nad olid ühendust pidanud, mis oli täiesti uus avastus. Hunter teadis, et vanade sõpradega on lihtne sidet kaotada – koolikaaslaste, ülikoolikaaslaste, naabrite või endiste kolleegidega. See, et Nashorn ja Littlewood 30 aastat tagasi pargis pärastlõunal õlut juues koos aega veetsid, ei tähendanud veel, et nad on sõbrad. Alice'i avastus tõestas, et olid seda toona ja ka hiljem.

„Vaatasin kõik kõnede väljavõtted läbi," ütles Alice. „Nashorn ja Littlewood teineteisele ei helistanud. Vähemalt mitte selle telefoniga. Aga nagu te teate, on paljudel rohkem kui üks mobiiltelefon ja vahel on teine selline, mida pole võimalik kontrollida."

„Aga Derek Nicholson?"

„Kontrollisin pool ööd tema kõnede väljavõtteid," vastas Alice. „Pool aastat enne vähidiagnoosi saamist. Nashorni ega Littlewoodi mobiili numbrit seal polnud. Tema numbrit nende väljavõtetel ka mitte."

★ ★ ★

Päeva lõpu poole sai Garcia oma uurimistiimilt esialgse raporti. Nad olid jõudnud kontrollida ohvrite keskkooli ja ülikooli andmeid ning nende varasemaid aadresse. Nad ei leidnud midagi, mis viitaks, et kõik kolm üksteist tundsid kas siis elukohast või õppeasutustest. Garcia käskis neil jätkata – spordiklubi liikmelisus, mingid muud klubid, mis iganes endast märgi maha jättis, aga ta sai aru ka sellest, et isegi kui kusagil mingi jälg oli olnud, siis on seda nüüd peaaegu võimatu leida.

Päike oli juba loojunud, sellega koos jõudnud õhtusse ka järjekordne masendav päev.

Hunter ohkas oma laua taga istudes, toetas küünarnukid lauaplaadile ja lauba peopesadele. Ta oli miljonendat korda oma märkmeid lugenud ja kuriteopaiga fotosid uurinud ning hetkel tundus see pusle keerulisem kui kunagi varem. Pea valutas tugevasti ja ta teadis, et niisama lihtsalt see ei taandu. Küsimused põrkasid ajus üksteise vastu, aga vastuseid ei olnud.

Mida nad vaatavad? Koiotti ja ronka, mis tähistavad valetajat? Saatana kuju, kes vaatab potentsiaalsetele ohvritele ülalt alla – kokku nelja? Keegi vaatab ja osutab kellelegi teisele kastis? Oli see kirst? Kas need kujundid pidi tähendama matuseid? Kas sellepärast meenutaski järgmine kujutis, mille nad avastasid, põlvili palvetavat inimest? Või oli see laps? Ja kuidas see kõik omavahel seotud on?

„Dringile?" küsis Garcia oma laua tagant.

„Hmm?" Hunter tõstis pea ja pilgutas paar korda silmi.

„Lähme dringile." Garcia vaatas käekella ja tõusis juba. „Siin ruumis on klaustrofoobne tunne, põrgulikult palav ja ausõna, ma nägin kaks minutit tagasi su kõrvadest suitsu kerkimas. Me mõlemad vajame pausi. Lähme teeme dringi, sööme natuke ja puhkame. Homme alustame värskena."

Hunter ei vaielnud vastu. Kui tal ajus mingeid korke oli, siis olid osad neist ammu välja löönud. Ta kehitas õlgu ja hakkas arvutit sulgema.

„Jah, drink kõlab hästi."

Üheksakümmend viis

Bar 107 asus politseimajast ühe tänavavahe kaugusel ja oli arvatavasti Los Angeles kesklinna kõige koledama sisekujundusega.

Neljast ruumist koosneva retrobaari istmed olid vakstukattega, sisustus kulunud ja seinad punasemad kui kommunistlik Venemaa, aga kokteilide ja Šoti viskide valik oli lai, mistõttu see sobis paljudele.

Bar 107 oli rahvast täis, aga mitte liiga. Hunter ja Garcia istusid pika lakitud baarileti taha ja tellisid kumbki kümne aasta vanust Aberlouri.

„Suurepärane valik," ütles baaridaam võluvalt naeratades. Tema heledad juuksed olid korratus krunnis, aga see, kuidas salgud lahti olid tulnud ja tema paljast kaela riivasid, oli kuidagi väga ahvatlev.

Hunter võttis lonksu viskit ja loksutas tumedat vedelikku suus, nautides Aberlouri maitsebuketti lisatud šerrit, mis võimendas maitset, aga ei lasknud veinil valdavaks muutuda.

Garcia vaatas vaikides, kuidas hästi riietatud paar sisenes baari ja mõlemad jõid kiiresti kaks pitsi tekiilat. Nende naeratus andis mõista, et nad tähistavad midagi. Mehe näol oli ilme, mis näitas, et ta ihaldab naist, kes polnud arvatavasti end kätte andnud. Võib-olla täna õhtul sel mehel veab.

„Kuidas Annal läheb?" küsis Hunter.

Garcia kiskus pilgu paarilt. „Jah, hästi. Alustas mingit järjekordset napakat dieeti. Tead küll – seda ja teist ei tohi süüa ja süsivesikuid pärast seitset õhtul ka mitte." Ta grimassitas nägu.

„Ta ei vaja seda."

„Ma tean. Korrutan seda talle, aga ta ei kuula." Garcia turtsatas naerma. „Ta ei kuula kedagi." Ta vaikis ja jõi viskit.

„Ta küsib alatasa sinu kohta, kas tead? Kuidas sul läheb ja nii."

„Käisin kolm nädalat tagasi teie juures õhtusöögil."

„Jah, aga selline ta on. Ja ta teab, et kui mina ei maga hästi, ei maga sina arvatavasti üldse. Ta hoolib, Robert. See on tal loomuses."

Hunter naeratas hellalt. „Jah, ma tean. Ütle talle, et minuga on korras."

„Ma ju ütlen seda, aga ta teab tõtt." Garcia hakkas pabersalvrätiga mängima, murdes selle servad kokku. „Tead, ta ei saa aru, miks sul elukaaslast ei ole."

Hunter sügas kohta parema kõrva all ja tundis nahal väikest valulikku mügarikku. Sinna hakkas tekkima stressivistrik. Ta jättis selle rahule. „Jah, ma tean, sest ta üritab mulle ühtelugu oma sõbrannasid kaela määrida."

Garcia naeris. „Ja sina hiilid sellest alati kõrvale. Aga tal võib õigus olla."

Hunter vaatas paarimeest imelikult.

Garcia vastas samasuguse pilguga. „Sa meeldid talle tõsiselt. Alice'ile."

„Mis asja?" Hunteril polnud aimugi, kust see nüüd tuli.

„Sa ikka tead, et meeldid talle, eks?"

Hunter silmitses Garciat hetke. „Ja kust sina seda võtad?"

„Sest mul on silmad peas. Selle taipamiseks ei pea uurija olema. Ära mängi pimedat, Robert."

Hunter vaikis ja võttis klaasi uuesti kätte.

„Tõsiselt, sa meeldid talle. See, kuidas ta sind vaatab, kui sa ei näe. See, kuidas ta vaatab sind siis, kui sa *näed*. See toob meelde keskkooliaja. Tead küll, kui oled kellestki sisse võetud, aga ei julge midagi öelda. Tean seda, sest olin ise selline häbelik. Mul kulus terve igavik, enne kui julgesin Anna viimaks välja kutsuda." Garcia tegi pausi. „Võib-olla peaksid ta dringile kutsuma või koguni õhtusöögile. Ta on tore tüdruk. Kena, intelligentne, iseteadlik ... Ma ei näe põhjust, miks vallaline mees teda välja ei võiks kutsuda. Ja ära solvu, Annal on õigus, sulle kuluks püsisuhe ära."

„Suur tänu, doktor Amor, aga mul on praegu ka hästi."

„Tean, et on. Olen näinud, kuidas naised sind vaatavad." Iga kord, kui baaridaam mööda läks, peatus tema pilk korraks Hunteril. Hunter ja Garcia olid mõlemad seda tähele pannud.

„Kuule, ära saa valesti aru, ma ei üritagi kosjamoori mängida. Ma ei oska seda üldse ja sinu isiklik elu pole minu asi. Tahan öelda vaid seda, et vii Alice sõbralikule dringile. Õpi teda väljaspool töökeskkonda tundma, sest see on ju täis surnud inimeste fotosid. Kes teab? Äkki te klapite."

Hunter loksutas klaasis viskit. „Kas tahad midagi veidrat kuulda?" küsis ta. „Me teame teineteist varasemast ajast."

„Kes? Sina ja Alice?"

Hunter noogutas.

„Mis asja? Tõesti või?"

Hunter noogutas.

„Kust?"

Hunter rääkis.

„Vau, on see vast kokkusattumus. Ta on ka geenius? Oh sa pagan, ma tunnen end nüüd päris rumalana."

Hunter naeratas ja jõi viski lõpuni. Garcia samuti.

„Ma ei taha juhtumist rääkida," ütles Garcia, „sest olen valmis koju minema, aga kas sina tahad midagi veidrat kuulda? Ma vihkan nukke, varjunukke ka. Juba lapsest saadik."

„Tõsiselt või?"

„Tean, et see on tobe, aga olen algusest peale arvanud, et neis on mingi kurjus. Mitte miski ei hirmutanud mind rohkem kui nukuteater. Ja mu viienda klassi klassijuhataja sundis meid iga kuu nukuetendust tegema. Pidin nendega kas ise mängima või istuma koos klassikaaslastega saalis ja vaatama." Garcia naeris kohmetult. „Kes teab? Võib-olla on mõrtsukas mu õpetaja, kes tuli mind kummitama."

Hunter muigas ja tõusis, valmis lahkuma. „Oleks see vaid nii. Siis oleks kõik palju lihtsam."

Üheksakümmend kuus

Hunter oli nii väsinud, et isegi insomnia poleks suutnud teda täna öösel ärkvel hoida. Kodus käis ta sooja duši all ja valas endale veel viskit. Peavalu ja väsinud lihaste korral mõjus see paremini kui ükski ravim.

Ta ei pannud elutoas tuld põlema ja läks diivani juurde. Ta ei tahtnud näha pleekinud tapeeti, kulunud vaipa ega kokkusobimatuid mööblitükke.

Hunter ei mäletanud, millal ta viimati oli teleri tööle pannud. Talle ei meeldinud telerit vaadata, aga teadis, et vajab midagi, mis mõtteid hajutaks, ükskõik kui mõttetu see on. Midagi, mis ei laseks mõtetel hulluks minna ja juhtumi juurde naasta, vähemalt sel ühel õhtul mitte – ta pidi saama end välja lülitada. Ehkki Hunter armastas lugeda, ajasid raamatud enamasti aju ärevile, samas kui televisioon lihtsalt tuimestas.

Ta otsis mõnd hilisõhtust spordikanalit või multikaid, aga kaabel- või satelliittelevisioonita oli kanalite valik kesine. Lõpuks leppis ta vanade maadlusmatšide kordustega. Meelelahutuslik, aga mitte nii palju, et uni tulla ei saaks. Keha ja meel loobusid viimaks vastupunnimisest ja vajusid rahutusse unne.

Õudusunenäod oli varsti platsis. Ja need tulid lainetena – tühi tuba, paljad tellisseinad, üksainus hämar elektripirn juhtme otsas lae keskel rippumas, nii nõrk, et nurgad olid pimedad.

312

Kõik oli nii ergas, et ta tundis lõhna – niiske hallitus, haises higi, okse ja vere järele. Unenäos oli Hunter pelgalt pealtvaataja, nägi kõike, mis toimus, aga ei saanud sekkuda.

Kõigepealt nägi ta Garciat teadvusetuna räpasel metalllaual lebamas, kui keegi teda vähehaaval kööginoaga tükeldas. Ja ehkki Hunter üritas, ei näinud ta kurjategija nägu. Ohver metall-laual muutus hetkega. Garciat polnud enam kusagil. Seekord lõikus näota mõrtsukas tema abikaasat Annat. Naise hirmunud karjed kajasid ruumis lõputuna.

Hunter tõmbles diivanil.

Stseen vahetus jälle.

Seekord oli ohvriks Alice Beaumont ja tükeldamine algas otsast peale. Ruumi põrand oli verega kaetud. Hunter oli abitu, nähes inimesi, keda tundis ja kellest hoolis, oma silme ees veristatamas nagu kehvas õudusfilmis.

Hetk hiljem hakkas mõrtsukas kehaosi kasutama nagu plastiliini, kujundades ja sättides neid groteskseks vormituks skulptuuriks. Hunter kuulis vaid aeg-ajalt mõrtsuka erutatud naeru, nagu laps, kes naudib uute mänguasjadega mängimist.

Järsku avas Hunter silmad, nagu oleks keegi ta ärkvele raputanud. Laup ja kael olid kaetud külma higiga. Ta oli oma elutoas, teler töötas, aga nüüd tuli sealt mingi mustvalge film. Talle oli õudusunenäo ajal meenunud kuidagimoodi midagi, mida Garcia talle baaris ütles ja aju tabas nüüd seose.

Hunter tõusis ja vaatas kella – 6.08. Ta oli maganud peaaegu kuus ja pool tundi. Jubedatest unenägudest hoolimata oli peavalu kadunud ning aju tundus värske ja puhanud, aga ta pidi töö juurde minema. Ta ei suutnud uskuda, et polnud varem selle peale tulnud.

Üheksakümmend seitse

Selleks ajaks, kui Garcia politseimajja jõudis, oli Hunter istunud fototahvli ees umbes poolteist tundi. Aju oli läbi võtnud kümneid stsenaariume, püüdes meeleheitlikult leida vastust küsimustele, mida see lakkamatult esitas. Ta polnud kõikidele küsimustele vastust leidnud, aga üks stsenaarium tundus loogilisem kui teised ja ta tahtis seda teistega arutada.

Kapten Blake jõudis kohale viimasena. Alice oli tulnud viis minutit enne Blake'i.

„Mulle torkas pähe üks teooria," ütles Hunter nende tähelepanu fototahvlile suunates. Ta oli sättinud osad fotod teise järjekorda. „Palun kuulake mind ära, sest see võib alguses natuke pöörane tunduda."

Kapten Blake grimassitas nägu. „See mõrtsukas tükeldab ohvreid ning teeb nende kehaosadest skulptuure ja varjunukke, Robert. Igasugune teooria, mis seda põhjendaks, tõde või mitte, peabki vähemalt natukene pöörane olema. Ma ei usu, et keegi meist siin mingit suurt loogikat ootab. Mida sa siis välja mõtlesid?"

„Olgu pealegi," alustas Hunter. „Me kõik oleme üritanud mõista ja tuvastada nende skulptuuride ja varjukujutiste tähendust. Kuna kolmas ohver leiti neli päeva tagasi ning sellega seoses ka kolmas skulptuur ja varjukujutis, oleme sestsaadik püüdnud kogu sellest jamast sotti saada. Carlos ja mina üritasime koguni kujutisi vaadelda rühmana, mitte eraldi."

Garcia noogutas. „Mõtlesime, et äkki on kujutised kuidagi seotud ja tekitavad mingi suurema kujutise. See lugu on algusest peale puslet meenutanud. Nii et võib-olla mõrtsukas meilt seda ootabki. Peame meile antud tükid panema õigetesse kohtadesse, et pusle valmis saada."

Kapten Blake kergitas huviga kulmu.

„Me ei avastanud midagi, kapten," jätkas Garcia, tõmmates tema indu pearaputusega maha. „Ükskõik, kuidas me neid ka kokku ei sättinud, tulemus oli null. Kõik skulptuurid tekitavad varjukujutise ja ongi kõik. Need ei ole omavahel seotud." Hunter nõustus. „Jõudsime järeldusele, et need pole omavahel seotud, ei ole suurema lõpetamata pildi väiksemad tükid." „Hästi," sõnas kapten. „Te siis üritasite uuesti eraldi nende tähendust välja nuputada."

„Jah," vastas Hunter. „Aga kuna eile selgus, et teine ohver Andrew Nashorn ja kolmas ohver Nathan Littlewood tundsid teineteist – võimalik, et hilisteismeeast saadik –, hakkasin kaaluma uusi võimalusi."

„Nagu näiteks?" uuris kapten.

„Carlos ütles eile midagi, mis jõudis mulle kohale alles keset ööd, aga oleksin pidanud selle peale varem tulema."

Kapten Blake ja Alice vaatasid Garcia poole, kes omakorda vaatas Hunterit.

„Mida ma ütlesin?"

„Et sulle pole kunagi nukud meeldinud. Ja sa rääkisid oma viienda klassi õpetajast."

Kapten Blake põrnitses teda pingsalt.

Garcia kehitas õlgu, nagu oleks see tühiasi. „Nukud tekitasid minus õudu. Tekitavad natuke siiamaani."

„Aga mida su viienda klassi õpetaja tegi?" küsis Alice.

„Ta korraldas teatrikursuse ja lasi meil iga kuu nukuteatrit teha." Garcia sügas närviliselt vasakut põske. „Jestas, kuidas ma seda vihkasin. Vihkasin ka seda õpetajat. Vihkasin kogu seda aastat."

„Ja see on vaatenurk, mille peale ma varem ei mõelnud," sõnas Hunter.

„Millest sa räägid, Robert?" küsis kapten Blake. „Sest ega vist keegi *meist* ei saa sellest aru."

„Teater, kapten. Nukuteater." Hunter seisis esimesest sündmuspaigast, Derek Nicholsoni majast leitud skulptuuri koopia kõrvale. „Nukke kasutatakse teatrites ainult ühel eesmärgil."

Kõigi näoilme selgines grammikese.

„Etenduse lavastamiseks?" pakkus Alice.

„Loo jutustamiseks," ütles Garcia sekund hiljem.

Hunter naeratas. „Just nimelt."

Üheksakümmend kaheksa

Kapten Blake libistas kähku pilgu üle Garcia ja Alice'i nägude – kumbki ei paistnud veel Hunteriga päris samal lainel olevat.

Hunter ei jäänud ootama. „Arvan, et oleme olnud õigel teel algusest peale, lihtsalt keskendunud valele asjale. Selle taga on suurem pilt." Ta osutas tahvlile. „Aga see pole üksainus pilt. Ja varjunukud olid vihje." Hunter köhatas ja jätkas. „Arvan, et mõrtsukas lavastab etendust, nagu nukumeister. Ta jutustab meile lugu, andes ühe stseeni korraga."

Jahmunud vaikus.

Kõik kolm vaatasid korraga ebalevalt Hunterilt tahvlil olevatele fotodele. Alice hakkas alahuult närima. Hunter oli pannud tähele, et naine teeb seda, kui millelegi keskendus. Ta sai aru, et nad üritavad kogu hingest temaga sammu pidada.

„Näitan teile, mida silmas pean, alustades esimesest kujutisest." Ta kustutas tuled, pani taskulambi põlema ja suunas selle valguskiire skulptuuri koopiale. Selle taha seinale ilmusid taas kord koera ja lindu meenutavad varjukujutised.

„Me pidasime esimest kujutist koiotiks ja rongaks. Olen kindel, et Alice leidis nende kahe ko-oslusele õige tõlgenduse – see tähendab valetajat, reeturit, kedagi, kes petab. Arvan, et meil on õigus ka seda otseselt esimese ohvriga seostades. Mõrtsuka jaoks oli Derek Nicholson valetaja."

„Jah, seda arvasime me kõik," sõnas kapten Blake.

Hunter pani ruumis tuled uuesti põlema ja osutas varju fotole, mille nad olid saanud teise kuriteopaika, Andrew Nashorni purjejahti jäetud skulptuurist. Pildil oli kuradit meenutav suur sarvedega nägu, mis vaatas justkui kaht seisvat ja kaht maas lamavat inimest, kusjuures viimased olid teineteise otsas. „Nii, ma arvan, et teise kujutise puhul panime osad asjad pihta ja osad mööda." Ta nookas Alice'i suunas. „Arvan, et Alice'il oli jällegi õigus, oletades, et mõrtsukal on mingi plaan. Ta jahib konkreetseid inimesi. Ta ei vali ohvreid suvaliselt rahvasummast. Selle skulptuuri tegemise ajaks oli ta tapnud kaks neist. Me arvasime, et kaks maas lamavat kuju tähistavad neid." Hunter viitas neile fotol. „Ja meile tundus, et mõrtsuka nimekirjas on veel kaks nime, keda tähistavad püsti seisvad kujud."

Kapten Blake astus tahvlile lähemale. „Ja sa arvad, et see on vale?"

„Osaliselt. Ma ei usu, et maas lamavad kujud tähistavad selleks hetkeks tapetud ohvreid, mida meie arvasime. Võib-olla tähendavad kaks seisvat kuju, et teise mõrva ajal oli mõrtsuka nimekirjas veel kaks nime."

Garcia grimassitas nägu, pidades aru. „Mida siis need kaks pikali olevat kuju tähistavad?"

„Kaklust."

Järgmised sekundid valitses vaikus. Kõik ruumis viibijad vaatasid kulmu kortsutades ja silmi kissitades fotot, püüdes seda Hunteri kirjeldatud uue vaatenurga valguses näha.

„Ma räägin teile, mida kogu see kujutis minu arvates tähendab," sõnas Hunter ja kõik pöördusid tema poole. „Kujutlege nelja sõpra ja ütleme, et need olid Nicholson, Nashorn, Littlewood ja keegi neljas, keda me veel tuvastanud pole. Need neli sõpra läksid ühel õhtul välja jooma, pidu panema või midagi sellist. Nad tõmbasid nina liiga täis, muutusid liiga käratsevaks, nagu mehed vahel ikka, võib-olla olid koguni narkotsi mõju all, ja läksid kellegagi tülli, kas võõraga või inimesega, kes oli algselt nendega kaasas. Tüli eskaleerus ja läks üle kakluseks. Isegi kui see algas naljana ..." Hunter viitas taas pikali olevatele kujudele, „... ei lõppenud see nii."

Gracia pigistas lõuga, kuulates hoolega Hunteri iga sõna, hakates vähehaaval paarimehe mõttelõngale pihta saama. Järsku ta taipas.

„Ja nad tapsid ta ära," ütles Garcia.

Varjukujutis, mida ta oli vaadanud loendamatu arv kordi, omandas nüüd tema silme all täiesti uue tähenduse. „Kaklus väljus täielikult kontrolli alt," jätkas Garcia. „Ülejäänud seisid ja vaatasid pealt või siis andsid ka mõne rusika- või jalahoobi. Piisab ühest valest löögist meelekohta või komistamisest ja pea äralöömisest vastu kõnniteeserva või seina ja kaklus lõpeb ... halvasti."

Hunter noogutas. „See juhtus tõenäoliselt kogemata, aga arvan, et keegi sai surma. Selline teooria siis."

Fotot vaadates ja Hunteri tõlgendust kuulates tundus kapten Blake'ile, et pilt moondub tema silme all.

„Aga siis on keegi puudu või on meil numbrid sassis," tähendas Alice.

„Mis mõttes?" uuris kapten.

„Kui me seda varjukujutist esimest korda nägime, teadsime, et mõrtsukas oli juba tapnud kaks inimest ja uskusime, et ta kavatseb tappa veel kaks, keda tähistasid kaks püsti seisvat kuju. Kui see kujutis tähistab kahte kaklejat ja ülejäänud vaatavad pealt, ja, nagu Robert pakub, üks neist kogemata surma saab, jääb alles kolm kuju. See, kes kakluses ellu jääb ja kaks, kes seisavad." Alice tõstis püsti kolm näppu. „Meil on kolm ohvrit – Nicholson, Nashorn ja Littlewood. Ja see tähendaks, et mõrtsukas on kõik ära tapnud. Tema nimekiri on lõpetatud."

„Sa unustad tema." Hunter osutas kõige suuremale kujule. Moonutatud pea, millel olid küljel sarvelaadsed moodustised, mis vaatas arvatavat kaklust pealt. „Sa arvasid, et see kuju tähistab mõrtsukat, mäletad? Kuradit. Ma ei usu seda. Arvan, et iga mõrva puhul kasutab mõrtsukas skulptuuri ja selle tekitatud varjukujutist *selle* konkreetse ohvri tähistamiseks. See jäeti põhjusega Andrew Nashorni purjekasse. Arvan, et see kuradit meenutav kujutis tähistab Nashorni."

„Aga milleks sarved?" küsis kapten Blake.

„Võib-olla viitamaks sellele, et tema oli ninamees või algataja. Igas sellises noorukitekambas on alati ninamees, kapten. See, kelle eeskuju teised järgivad. Võib-olla oli Nashorn see, kes kakluse algatas. Või see, kes selle lõpetamise asemel kaklejaid tagumist jätkama ärgitas."

Ruumis tekkis ebamugav vaikus.

Hunter andis teistele aega oma teooriat kaaluda.

„Võib-olla pole see isik surnud," lausus Alice. „Võib-olla on sul õigus ja toimuski kaklus, aga kannatanu ei saanud surma, vaid füüsiliselt või vaimselt viga. Võib-olla on ohver nüüd aastaid hiljem tagasi ja tahab kätte maksta."

Hunter raputas pead. „Ei, ta on surnud."

„Kuidas sa saad selles kindel olla?"

„Sest mõrtsukas ütleb meile seda."

Üheksakümmend üheksa

Hunter juhtis nende tähelepanu viimasele kahele varjukujutise fotole tahvlil. Neile, mille tekitas kaheosaline skulptuur Nathan Littlewoodi kabinetis.

„Mõrtsukas jättis viimasesse kuriteopaika kaks varjukujutist," ütles ta, „aga ma arvan, et me tõlgendasime neid vastupidises järjekorras. See peaks olema esimene." Ta viitas Littlewoodi parema käsivarre ja käelaba tekitatud kujutisele – sellele, mis jättis mulje, nagu keegi põlvitaks, käsi pea kohale tõstetud, võib-olla palvetades. Põlvitava kuju ees olid mingid tükid. Need varjud tekitas Littlewoodi reie küljest lõigatud liha.

Garcia värises. Kukla juurest sai alguse tunne, mis meenutas elektrivoolu, ja levis kogu kehas meeletu kiirusega. Hunter ei pidanud talle midagi selgitama. Ta taipas seda nagunii.

„Issand jumal," ütles ta, kallutades pea veidi küljele. „Me ei saanud aru, miks mõrtsukas jättis meile ühte kuriteopaika kaks kujutist. Ja ennekõike oli meil raskusi selle mõistmisega. See meenutas põlvitavat inimest, kes nagu palvetab, mingid esemed tema ees põrandal laiali. See pole üldse see." Garcia tõmbas sügavalt hinge ja hoidis seda pikali kinni, enne kui aeglaselt välja hingas. „Keegi tükeldab surnukeha."

Tema sõnad põrkasid seintelt tagasi nagu kummipall.

Kapten Blake seisis täiesti liikumatuna. Korraks ei suutnud ta isegi silmi pilgutada. „Sa siis arvad, et see sõprade seltskond läks kaklema, peksis kellegi surnuks ja lõikus surnukeha tükkideks, et see hävitada?"

Hunter noogutas ja viitas viimasele varjukujutise fotole – Nathan Littlewoodi kabinetist leitud skulptuuri teine osa –, see, mis meenutas kastis lebavat inimest vaatavat inimest.

„Nad panid tükeldatud surnukeha sellest vabanemiseks mingisse kasti!" ütles Alice, ohates pikalt. Kujutised tundusid nüüd koos arusaadavad.

Hunter ootas, silmitsedes nende murelikke ilmeid. Möödus peaaegu minut, enne kui kapten Blake suu avas.

„Millal see sinu arvates juhtuda võis?"

„Umbes kolmkümmend aastat tagasi, paar aastat siia-sinna. See pidi juhtuma siis, kui Nicholson, Nashorn ja Littlewood olid väga-väga noored – hilisteismelised või kahekümnendate eluaastate alguses, arvatavasti enne seda, kui Littlewood kakskümmend seitse aastat tagasi abiellus."

„Nii et ilmne järeldus on see, et mõrtsukas oli tolle ohvriga kuidagi seotud ja ihkab nüüd kättemaksu," sõnas kapten.

„Jah," kinnitas Hunter.

„Aga miks alles nüüd?"

„Sest mõrtsukas ei teadnud tegelikult juhtunust veel paar kuud tagasi mitte midagi," selgitas Hunter.

Järsku langesid kõik tükid Garcia peas oma kohale.

„Nicholson," ütles ta oma laua taha naastes, võttis märkmiku ja lehitses seda kähku.

Kapten Blake ja Alice pöördusid tema poole.

„Siin see on. Derek Nicholsoni hooldusõde mainis, et tema patsient mainis jumalaga rahu tegemist. Kellelegi millegi kohta tõe rääkimist. Ta olevat öelnud, et hoolimata sellest, kui palju sa elus head teed, mõned eksimused jäävad elu lõpuni piinama."

Garcia pani märkmiku lauale tagasi. „Seda ta arvatavasti silmas pidaski. Eksimus, mis piinas teda kogu elu." Ta vaatas Hunteri poole. „See inimene, kes tal kodus külas käis. Mees, kelle isikut me pole veel tuvastanud."

Hunter noogutas.

„Hooldusõde ütles ka, et Nicholsonil käis pärast voodihaigeks jäämist ainult kaks külalist," selgitas Garcia kaptenile ja

Alice'ile. „Ringkonnaprokurör Bradley oli üks neist, aga teist külalist ei suutnud me tuvastada. Tema peab olema mõrtsukas. Nicholson avaldas talle viimaks juhtunu kohta tõe. Ta ei tahtnud seda saladust hauda kaasa võtta."

„Ja paar nädalat hiljem ta tapeti," sõnas kapten Blake. „Algas kättemaksu amokijooks."

„Nii et kui sul on õigus," ütles Alice Hunterile, kui ka tema ajus järjekordne pusletükk paika langes, „oli Derek Nicholson mõrtsukaga varasemast ajast sõber või vähemalt tuttav. Kui Nicholson palus sel isikul oma koju tulla, et südametunnistust kergendada, pidi ta teda tundma. Ja sellepärast mõrtsukas Nicholsoni valetajaks pidaski." Naine raputas pead. „Või pigem petturiks. Ta tundis end reedetuna. Täpselt seda varjukujutis meile ütleski."

Hunter noogutas.

„Ja järgmise ohvri ja varjukujutisega kirjeldas mõrtsukas Andrew Nashorni grupi või kamba ninamehena, keda nad kõik järgisid," jätkas Alice.

Peanoogutus.

„Ja Nathan Littlewoodi hoolde jäeti surnukeha maha matmine."

„Ma ei usu, et tema selle maha mattis," vaidles Hunter vastu. „Arvan, et ta lõikas selle tükkideks ja pani tükid mingisse kasti. Arvan, et isik, kes selle kasti maha mattis, on mõrtsuka nimekirjas viimane. Kamba neljas liige. Järgmine ohver."

Kõik vaikisid ja seedisid mõnda aega seda informatsiooni.

„Aga nagu öeldud ..." Hunter masseeris kaela, „... on see hetkel vaid pöörane teooria. Mul pole veel mingeid tõendeid."

„Pöörane või mitte, aga kõik tükid tunduvad sobivat," lausus kapten Blake, vaadates uuesti tahvlil olevate fotode poole. „Ja see selgitaks ka, miks mõrtsukas ohvreid tükeldab. See on kättemaks – silm silma, hammas hamba vastu."

Kapten pidas korraks vahet, mõeldes selle üle endamisi. Esimesest mõrvast oli möödas kuusteist päeva ja hetkel oli ta valmis igasugusest vähegi usutavast võimalusest kinni haarama. Pealegi vihkas temagi FBI-ga koostöö tegemist.

„Hästi, see on usutav ja ka loogilisem kui miski muu, mida me seni oleme oletanud. Jääme praegu selle juurde. Laseme tiimil kolme ohvri minevikku süüvida. Kui nad tõesti olid sõbrad, tahan teada, kes see neljas oli. Kui te peate sügavamale kaevamiseks FBI-ga ühendust võtma, tehke seda. Nad ei meeldi ka mulle, aga neil on vahendeid, mida meil pole, ja nad saavad neile ligi kiiremini kui meie. Laske tiimil, kes Derek Nicholsoni tausta uuris, minna rohkem sügavuti. Peame teada saama, kes tal surivoodil külas käis. Rääkige uuesti tema hooldusõdedega. Ja laseme ühel tiimil hakata otsima juhtumeid, kui ohver leiti tükeldatuna kastist, konteinerist, tikutoosist, kust iganes. Tean, et seda surnukeha võib-olla ei leitudki, aga kui leiti ja kui sul on õigus …" Blake ütles seda Hunterile, „… leiame Skulptori siis, kui ohvri tuvastame."

Sada

Järgmised kakskümmend neli tundi möödusid hägus. Kõik töötasid nii kiiresti kui suutsid, aga selle ajaga oli saavutatud minimaalset edu.

Alice oma andmebaasidest otsimise kogemusega oli pakkunud end otsima juhtumeid, kui surnukeha oli tükeldatud ja mingisugusesse kasti pandud, aga ta ei jõudnud sellega suurt kuhugi. Tema oskused olid digitaalses maailmas. Kui kusagil internetis oli mingeid andmeid, leiaks ta need kahtlemata üles, aga kui oli vaja otsida midagi, mis juhtus aastaid enne digitaalsete andmebaaside loomist, oli asi juba kõvasti keerulisem. Alice teadis, et kui mõnele madalapalgalisele ametnikule oli millalgi antud ülesanne informatsioon paberilt arvutisse kanda, leiab ta selle üles. Aga kui see informatsioon oli endiselt kusagil pimedas arhiivis, siis sinna see ka jääb. Eelarve nappuse ja töötajate vähesuse tõttu ei suuda enamik valitsusasutusi oma paberkandjatel olevat informatsiooni mitte kunagi täielikult digitaliseerida.

★ ★ ★

Hunter ja Garcia läksid uuesti Derek Nicholsoni tööpäevade hooldusõe Amy Dawsoni juurde. Naine oli näinud ajaleheartikleid ja kolme ohvri fotosid. Ta ei saanud aru, miks sarimõrvar härra Nicholsoni ette võttis.

Hunter võttis taas jutuks selle, et Derek Nicholson oli tahtnud jumalaga rahu sõlmida ja kellelegi millegi kohta tõtt rääkida, aga Amy ütles talle, et muud polnud tema patsient öelnudki. Nicholson polnud maininud ka muid nimesid. Amyl polnud aimugi, mis tõest jutt käis, ja ta ei mäletanud ka midagi uut teise isiku kohta, kes härra Nicholson tol päeval külastas.

Nicholsoni nädalavahetuse hooldusõe Melinda Wallisega, kes tol hommikul surnukeha leidis, vestlemine oli peenetundelisem tegevus. Ta oli pärast mõrva kolinud tagasi vanematekoju La Habra Heightsis, kanjonis asuvasse maapiirkonda, mis jäi Orange'i ja Los Angelese maakonna piirimaile. Isegi Hunteri oskustega osutus Melindalt info kättesaamine peaaegu võimatuks. Trauma, mille põhjustas selles toas nähtu, teadmine, et ta oli olnud halastamatust mõrtsukast paari sammu kaugusel, ja talle mõeldud verega kirjutatud sõnum seinal olid ajanud juured sügavale naise teadvusesse ja alateadvusesse. Isegi pärast mitut aastat psühhoteraapiat, mida tema perekond endale lubada ei saanud, ei ole ta enam kunagi endine. Paraku oli ka Melindast saanud Skulptori ohver.

Sada üks

Enne politseimajja naasmist käisid Hunter ja Garcia läbi veel ühest kohast – Allison Nicholsoni juures Pico-Robertsonis Beverly Hillsist veidi maad lõunas.

Derek Nicholsoni noorem tütar elas luksuslikus kolmetoalises korteris ihaldusväärses Hillcresti piirkonnas, mis asus kuulsa Hillcresti golfiklubi kõrval. Hunter oli varem helistanud Nicholsoni mõlemale tütrele. Nad leppisid kokku kohtumise kell veerand kaheksa Allisoni kodus.

Hillcresti piirkond meenutas pigem puhkekeskust kui elamukompleksi. Sealsete elanike kasutada oli väga suur spordiklubi, kus oli kardiotrenni ala, saun, kaks basseini, kaks ilusalongi, kõrged palmid, kosed ja välikamin koos puhkeala ja grillidega. Keeruliste elektrooniliste väravate ja turvamehe juures panid uurijad oma nimed kirja ning nad suunati külaliste parklasse.

Allisoni kortermaja uksehoidja juhatas Hunteri ja Garcia lifti juurde ning ütles, et preili Nicholsoni korter asub viimasel korrusel.

Luksus, mis oli alguse saanud elektrooniliste väravate juures, saavutas haripunkti Allisoni korteris. Elutuba oli peaaegu sama suur kui korvpalliväljak, kalli põrandakattematerjaliga, muljetavaldavate lühtrite, Pärsia vaipade ja isegi graniidist kaminaga. Mööbel oli peaaegu täielikult antiik ja seintel rippusid kallid maalid. Ent sisekujundus oli võluv, andes korterile väga mõnusa õhustiku.

Allison võttis uurijad vastu viisaka, ent kurva naeratusega. Tema tumepruunid silmad olid täis leina. Kahtlemata oli lein mõjutanud ka tema välimust. Olivia oli sama väsinud moega. Allisonil olid alles seljas töörõivad – täiuslikult istuv tume kostüüm ja hall rüüsidega kolmnurkse kaelusega pluus. Ta oli kontsakingad jalast võtnud ja oli nendeta umbes 165 cm pikk.

„Palun võtke istet," ütles ta, viidates kahele helepruunile nahast tugitoolile.

Olivia seisis akna all, pikad juuksed klambriga kuklale kinnitatud.

„Meil on väga kahju teid tülitada," alustas Hunter istet võttes. „Meil ei lähe kaua." Ta näitas mõlemale õele Nashorni ja Littlewoodi fotosid, mis olid olnud ka LA Timesi esikaanel. Ei Allison ega Olivia osanud öelda, kas nende isa oli olnud nendega sõber. Kumbki nägu ega nimi ei tulnud neile tuttav ette.

„Kes need inimesed on?" küsis Olivia.

„Teie isa sõbrad," vastas Hunter. „Ammusest ajast. Me ei ole kindlad, kas nad enam olid sõbrad."

Allison oli segaduses.

„Ammusest ajast?" küsis Olivia taas. „Kui ammusest?"

„Umbkaudu kolmkümmend aastat tagasi," vastas Garcia.

„Mis asja?" Allisoni pilk liikus uurijatelt õele ja siis tagasi Garciale. „Me polnud siis isegi sündinud. Kuidas mu isa ja kolmekümne aasta tagused sõbrad sellega seotud on?"

„Me arvame, et need mõrvad ei olnud suvalised ja et mõrtsukas on võtnud sihikule kindla sõpruskonna," selgitas Hunter.

„Kindla sõpruskonna?" kordas Olivia. „Kui palju neid on?"

„Me arvame, et vähemalt neli."

Hunteri sõnad jäid korraks õhku rippuma.

„Miks?" Olivia tuli lähemale. „Miks see mõrtsukas neid tapab?"

„Me pole kindlad." Hunter ei näinud mingit mõtet praegu Oliviale ja Allisonile oma teooriast rääkida.

„Ja te usute, et mõrtsukas tapab veel." Hunter nägi Olivia silmis läiget.

Uurijad ei vastanud. „Nii et te arvate, et see mõrtsukas on võtnud sihikule kindla seltskonna," jätkas Olivia. „Aga te ei tea, kui palju neid on. Inimesed, kes olid kolmkümmend aastat tagasi sõbrad, aga te pole kindlad, kas nad enam sõbrad *on*. Ja te ei tea sedagi, *miks* ta neid tapab. Te ei tea just palju, ega?"

Hunter nägi, et Allisonile tulevad taas pisarad silma. Ta oli märganud tugitoolide taga puidust kummutit, mille peal olid eri suuruses raamitud pildid. Kõik oli perekonnafotod.

„Mõtlesin, et äkki teil on oma isa noorusajast fotot, mida me saaksime laenata," ütles Hunter Allisonile. „Sellest oleks meile palju abi. Te saate selle tagasi."

Allison noogutas. „Mul on vana pulmafoto." Ta viitas kummutile, mille kõrval Olivia seisis.

Olivia pöördus, vaatas fotosid ja kõhkles hetke, muutudes taas emotsionaalsemaks. Ta võttis pildiraami ja vaatas fotot sekundi, enne kui selle Hunterile ulatas. 10x15 cm fotol oli lähivõte Derek Nicholsonist ja tema abikaasast, õnnelik naeratus näol. Allison oli ema koopia, eriti silmad. Hunterile meenus foto, mille ta oli saanud Nicholsonist ja mis oli tehtud aasta enne vähidiagnoosi – peale kiilaneva pealae ja vanusega kaasnevate kortsude polnud mees kuigi palju muutunud.

Garcia autos istudes, kui viimane mootori käivitas, helises Hunteri mobiiltelefon – tundmatu helistaja.

„Uurija Hunter," vastas ta.

„Uurija, siin Tammy politsei infotelefonist. Mul on liinil keegi, kes tahab rääkida Skulptori juurdlust juhtiva uurijaga." Hunter teadis, et infotelefoni dispetšereid õpetatakse võltskõnesid eristama. Iga kord, kui mõni tähtis juurdlus uudistesse jõudis, said nad selliseid kõnesid kümneid – inimesed, kes soovisid saada pakutud tasu, joodikud, narkomaanid, napakad, naljamehed, petised, tähelepanuotsijad või lihtsalt inimesed, kellele meeldis politsei aega raisata. Kui juurdlus oli seotud võimaliku *sarimõrvariga*, kasvas kõnede hulk kümnekordseks, sadu, vahel koguni tuhandeid kõnesid päevas. Selle juurdluse algusest alates oli see esimene kõne, mille infotelefoni töötaja Hunterile või Garciale edastas. „See naine ütleb, et tal on mingit informatsiooni," lisas Tammy.

„Missugust informatsiooni?" uuris Hunter, andes Garciale märku oodata.

Tammy köhatas. „Ta väidab, et tundis kõiki kolme ohvrit."

Sada kaks

Räpane kohvik asus Ratliffe Streeti ja Gridley Roadi nurgal Norwalkis, Los Angelese edelaosas. Kõik lauad peale ühe olid hõivatud. Kohviku eesakna all istus viiekümnendates eluaastates mustanahaline naine. Laual tema ees oli poolik kohvitass kõrvale lükatud. Selle veerandtunni jooksul, mille ta seal oli istunud, oli ta mõelnud kaks korda püsti tõusmisele ja lahkumisele. Ta polnud ikka kindel, ega ta tühjast asjata suurt kära tee, aga see tundus liiga suur kokkusattumus, et *ainult* seda olla.

Naine oli neid märganud enne, kui nad sisse astusid, kui nad autot maja ette parkisid. Ta tundis võmmid endiselt kaugelt ära. Naine tõstis uurijate sisenedes pea ja Hunter nägi kohe nägu, mis kunagi ammu oli olnud ilmselgelt ilus, ent nüüd tundus aukuvajunud ja elust tühjaks pigistatud. Naise vasakul põsel oli pikk kitsas arm, mida ta ei üritanudki varjata. Nad vaatasid korraks teineteisele otsa.

„Jude?" küsis Hunter tema laua juurde jõudes. Ta teadis, et see pole naise pärisnimi, aga selle oli naine talle telefonis öelnud. Naine noogutas, silmitsedes meeste nägusid.

„Mina olen uurija Hunter ja see on uurija Garcia. Kas me tohime istet võtta?"

Jude tundis Hunteri hääle nende veidi vähem kui pool tundi tagasi toimunud napi telefonivestluse järgi ära. Ta vastas kerge õlakehitusega.

„Kas toon teile veel kohvi?" pakkus Hunter.

Naine raputas pead. „Pean hommikul vara ärkama ja olen täna juba nagunii liiga palju kofeiini tarbinud." Tema hääl oli kergelt kähe, isegi seksikas, ent kindel. Tal oli seljas kraeta pikkade varrukatega valge särk, punane roos vasaku rinna kohale tikitud. Tema lõhnaõli oli delikaatne, midagi vürtsikat, kuiva ja eksootilist nagu nelk või tähtaniis.

„Kas te soovite midagi, härrased?" küsis ülekaaluline ettekandja laua juurde tulles.

„Olete kindel?" küsis Hunter üle, naeratades Jude'ile.

Naine noogutas.

„Palun kaks musta kohvi, ilma suhkruta," ütles Hunter ettekandja poole vaadates.

Ettekandja noogutas ja hakkas naaberlaualt nõusid kokku korjama.

Nad istusid mõne sekundi vaikuses. Kui ettekandja tagasi kööki läks, vaatas Jude üle laua Hunterile ja Garciale otsa.

„Nagu ma teile telefonis ütlesin, pole ma kindel, kas see on üldse oluline, aga see on mind nüüdseks kaks päeva häirinud. Ma ei usu eriti kokkusattumustesse."

Hunter põimis sõrmed vaheliti ja toetas käed lauale. Ta teadis, et kõige parem on lasta naisel rääkida ilma küsimusi esitamata.

„Sõitsin kaks päeva tagasi metrooga tööle, nagu igal hommikul," jätkas Jude. „Üritan ajalehtede lugemist vältida, ennekõike LA Timesi. Neis on liiga palju saasta, eks ole? Ja ma puutun nagunii iga päev kokku suure hulga igasuguste ebameeldivate asjadega. Igatahes oli minu vastas istuval naisel ajaleht käes. Ta lehitses seda ja ma märkasin esilehel pealkirja." Jude ajas huuled torru ja raputas korraks pead. „Ma ei mõelnud algul selle peale. LA-s möllab järjekordne mõrtsukas, nii et ei midagi uut, eks? Aga siis sundis üks foto mind uuesti vaatama."

Ettekandja tuli kahe musta kohviga tagasi.

„Milline foto?" küsis Garcia, kui ettekandja oli kuulde-kaugusest väljas.

„Ühest ohvrist." Jude kummardus ettepoole ja toetas küünarnukid lauale. „Keegi Andrew Nashorn."

Garcia noogutas rahulikult. „Mis selle fotoga oli? Mis sundis teid uuesti vaatama?"

„Tegelikult oli põhjuseks nimi foto all. Ma tundsin selle ära." Jude märkas Garcia näol kõhklusevarju. „Koolis olin ma hullult armunud Andreas Köhlerisse," selgitas Jude. „Nende perekond oli Saksamaalt immigreerunud." Naine naeratas nukralt. Tema hambad olid kollased ja katkised. „Igatahes ma arvasin, et mul on temaga suurem võimalus, kui oskaksin natuke saksa keelt. Niisiis laenutasin kooli raamatukogust mõned kassetid. Kuulasin neid kuu aega ühtejutti. Ei õppinud suurt midagi. See on raske keel. Aga sain selgeks loomade nimed. Ja ma mäletan neid siiamaani."

Garcia hämming kasvas, ehkki ta üritas seda mitte välja näidata.

„Saksa keeles tähendab „nashorn" ninasarvikut."

„Tõesti?" Garcia vaatas Hunteri poole.

„Ka mina ei teadnud seda."

„No tähendab," kinnitas Jude. „Ja see sundis mind fotot hoolikamalt silmitsema. Ta oli muidugi vanem. Juuksed olid hallid, aga ma tunneksin selle näo kõikjal ära. See oli sama inimene. Siis keskendusin rohkem ka ülejäänud kahe ohvri fotole ja mulle meenus see kõik. Nad olid palju vanemad, aga mida kauem ma vaatasin, seda kindlam olin. Ma tundsin neid kõiki." Hunter polnud veel kohvi puutunud. Ta jälgis Jude'i näoilmet ja keha liikumist. Mingit tõmblemist, pilgu vilamist, nihelemist ei olnud. Kui see naine valetas, oli ta selles ülimalt osav.

„Või no tegelikult ma ei tundnud neid," selgitas Jude. „Sain nende käest peksa."

Sada kolm

Need sõnad tabasid Hunterit ja Garciat nagu kivikamakad, lüües neil peaaegu hinge kinni.

Garcia tõrjus üllatuse näolt. „Te saite nende käest peksa?"

Jude pööras esimest korda pilgu mujale, vaadates oma joomata kohvi. „Ma pole selle üle uhke, aga ma ka ei häbene oma elu. Me kõik oleme teinud asju, mida tahaksime olematuks teha." Ta pidas vahet, kogudes mõtteid. Hunter ja Garcia andsid talle aega. „Palju nooremana töötasin ma Hollywood Boulevardil, Stripi kaugemas otsas."

Kuulsa Hollywood Boulevardi idapoolne ots oli kunagi LA kõige tuntum punaste laternate piirkond.

„Olin sealkandis uus. Minu tavapärane kundede lantimise koht oli Venice Beachi kandis, aga toona oli Strip palju populaarsem koht. Kui suutsid kõik kliendid vastu võtta, võisid korralikult teenida." Tema hääles polnud häbi. Ta ei saanud minevikku muuta ja ta leppis sellega ülimalt väärikalt. „Ühel õhtul kutsus see tüüp mu auto peale. Kell oli palju, üle kesköö vist isegi. Ta oli päris kena ja humoorikas. Viis mu Griffith Parki juurde ühte korterisse, aga ta ei öelnud, et meid ootab seal veel kolm meest."

Jude'i pilk liikus üle uurijate kaugusse, nagu üritaks näha, mis on tulekul.

„Ütlesin neile kohe, et grupiseks mulle ei sobi. Mitte mingi summa eest." Ta vakatas ja võttis oma külma kohvi.

„Aga neid see ei huvitanud," sõnas Hunter.

„Ei, ei huvitanud," vastas Jude, kui oli lonksu võtnud. „Nad olid mingi uimasti mõju all ja jõid ka palju. Probleem polnudki niivõrd seksis nelja purjus mehega. Probleem oli selles, et neile meeldis karm seks." Ta vaikis ja mõtles siis ümber. „No, kahele meeldis see rohkem kui ülejäänutele. Selleks ajaks, kui nad lõpetasid, olin nii sinikais, et ei saanud nädal aega tööd teha."

Polnud mõtet küsida, kas Jude pöördus politseisse. Ta oli lõbutüdruk ja kurb tõde oli see, et politsei poleks teda kuulda võtnud. Ta oleks võidud koguni prostitutsiooni eest vahistada.

„Aga selliseid asju juhtus. See käis antud ametiga kaasas," ütles Jude alistunult ja ilma kibestumiseta. „Ja juhtub endiselt. Üksinda töötamine oli riskantne. Olin ennegi peksa saanud, hullemini kui tol korral. Reaalsus on see, et tänaval ei tea sa kunagi, milline tropp autoakna alla laseb ja su enda juurde kutsub."

Uurijad teadsid, et „üksinda töötamine" tähendab, et Jude'il polnud kupeldajat. Kupeldajad kaitsesid enda alluvuses töötavaid naisi. Kui keegi neid peksis või otsustas, et ei taha maksta, murti sel isikul jalaluud või tehti midagi hullematki. Häda oli selles, et kupeldaja juures teenisid naised sandikopikaid. Kupeldaja sai 80–90 protsenti naiste teenitud rahast, vahel rohkemgi.

„Juht, kes mu peale võttis ja oma sõprade juurde viis," jätkas Jude, „oli sama mees, kes oli selles ajalehes. Nashorn, ninasarvikumees."

„Ta ütles teile oma nime?" küsis Garcia.

„Ei, aga kui ta minu peal oli ja oma suurte kämmaldega mu nägu laksas, kuulsin teisi teda tagant ergutamas. Alguses arvasin, et see on nali. Et nad kutsuvad teda nalja pärast saksa keeles ninasarvikuks, aga siis sain aru, et see pole võimalik. Mäletan mõtlevat, et ta polnud ainus ninasarvik seal toas. Nad kõik olid elajad. Aga kui kuuled selle mehe nime, kes on parasjagu sul otsas ja sind peksab, kipub see igaveseks meelde jääma."

„Ja te olete teistes kindel? Kahes teises ohvris, keda ajalehes nägite – Derek Nicholson ja Nathan Littlewood."

„Ma ei kuulnud tol ööl nende nimesid, aga mäletan nende nägusid. Ma ei pannud meelega silmi kinni. Ei näidanud hirmu välja. Tean, et seda domineerivad mehed naudivad, eks ole? Alistumist. Üritasin tol ööl neile mitte alistuda, vähemalt mitte vaimselt. Kui nad olid minu peal, vaatasin neile silma. Kõigile neile." Jude suunas pilgu Garciale. „Nii et jah, olen väga kindel, et ajalehe fotodel olid veel kaks meest tollest õhtust."

Hunter silmitses naist endiselt. Naise sõnades oli viha, aga see oli jõuetu viha, miski, mis oli möödanik, risk, mis käis tema ametiga kaasas, nagu ta ise oli öelnud. Ja ta oli sellega leppinud.

„Te ütlesite, et kahele meeldis karm seks rohkem kui teistele," lausus Hunter. „Kas te mäletate, millisele kahele?"

Jude tõmbas käega läbi juuste. Tema pilk naasis Hunterile. „Muidugi mäletan. Ninasarvikumehele ja tollele Littlewoodile. Nemad olidki põhilised peksjad. Ülejäänud kaks ainult seksisid, aga nad polnud vägivaldsed. Tõtt-öelda nad vist isegi palusid neil teistel rahulikumalt võtta."

Hunter vaatas lauda katvat vakstut ja mõtles Jude'i viimastele sõnadele. Ta oli sarnast olukorda palju kordi näinud lapsena ja lugematul hulgal täiskasvanuna – *kaaslaste surve.* Seda juhtus kõikjal, isegi LAPD-s. Inimesed tegid asju, millega nad nõus ei olnud või teha ei tahtnud lihtsalt sellepärast, et saaksid olla mingi grupi liige. See võis olla midagi tavalist nagu suitsetamine või kiusamine, aga ka midagi koletut ja kahjustavat, nagu kuriteo sooritamine – isegi mõrv.

„Millal see juhtus?" küsis Hunter.

„28 aastat tagasi," vastas Jude. „Mõni kuu pärast seda lõpetasin tänavatel töötamise."

Sada neli

Kõik olid tükk aega vait. Jude oli äsja kinnitanud, et Derek Nicholson oli Andrew Nashorni ja Nathan Littlewoodi tundnud ning nad veetsid koos aega. Lisaks näis, et Hunteri teooria neljanda liikme kohta peab paika.

„Kas te olete kindel, et ei mäleta rohkem nimesid?" küsis Hunter viimaks, katkestades vaikuse.

Jude tõmbas keelega üle kuiva alahuule. „Olen selle peale mõelnud sestsaadik, kui ajalehes neid fotosid nägin ja taipasin, kes nad on. See oli üks selliseid öid, mida ei taha mäletada. Ja tõtt-öelda polnud ma aastaid selle peale mõelnud. Nagu öeldud, olin varemgi peksa saanud, lihtsalt mitte Ninasarviku ja tema kamba käest." Ta pistis käe kotti. „Muud mul öelda pole. Ma ei tea, kas sellest on teile abi, aga vähemalt on see koorem minu õlgadelt ära ja ma saan loodetavasti jälle magada."

„Üks asi veel," ütles Hunter, enne kui Jude tõusta jõudis. „Kas te kohtasite neid veel kunagi? Ükskõik, keda neist?"

Jude põrnitses oma kõhnu käsi. Tema heleroosa küünelakk oli kõikidel küüntel pragunenud. „Nägin korra seda ninasarvikumeest, paar kuud pärast seda ööd. Ma ju ütlesin, et lõpetasin veidi hiljem tänavatel töötamise ära."

„Kus te teda nägite?" küsis Garcia.

„Samas kohas, Hollywood Boulevardil. Ta võttis kedagi teist auto peale." Jude vaikis ja naeris justkui üllatunult. „Hah."

„Kas on midagi veel?" Hunter silmitses tema näoilmet. Jude pidas hetke aru, otsides mälust vana mälestust. Ta pani käekoti taas käest. „Üks tüdruk oli alles Stripil töötamist alustanud. Kutsus end Roxyks. Kuna ta oli seal uus, ajasid teised ta kergesti parematest kohtadest minema. Ütlesin talle, et töötagu sel tänavanurgal, kus mina töötasin." Jude kallutas pea küljele ja selgitas: „Tean, kui raske see võib olla, eriti uute tüdrukute jaoks. Püüdsin teda natuke aidata. Ta oli kena. Mitte rabav kaunitar, aga piisavalt ilus. Väga väikest kasvu. Ütlesin talle, et ta peab natuke juurde võtma. Meestele meeldivad kehakumerused, see on kindel. Häda oli selles, et ta oli väga närviline ja tal polnud aimugi, kuidas seista."

Hunter ja Garcia vaikisid. Jude selgitas sellegipoolest.

„Me pidime end tänaval müüma ja seal oleneb kõik sellest, kuidas sa seisad ja milline välja näed. Kui seisad valesti, ei kõneta sind keegi. Nii see käib. Umbes tunni pärast hakkas mul temast kahju. Ostsin talle kohvi ja otsustasin mõned soovitused anda. See oli tema esimene õhtu. Ta ütles, et üritas, aga ei leidnud kusagilt tööd. Oli meeleheitel ja sellepärast ta tänavale tulla otsustaski. Aga ta polnud narkomaan. Tunnen sellised ära."

Nii Hunter kui ka Garcia teadsid, et prostitutsioon ja uimastid käivad käsikäes.

Jude vaatas oma käsi. „Roxy ei tahtnud uimasteid. Vähemasti mitte tavapäraseid."

Hunteri huvi kasvas.

„Ta rääkis, et tal on laps, kes on haige. Vajas raha ravimite jaoks. Kartis oma lapse pärast hirmsasti. Ütles, et ta peab seda tegema ainult ühel, võib-olla kahel õhtul, ja siis on tal ravimite jaoks piisav summa käes." Jude raputas pead, nagu üritaks mälestust tõrjuda. „Andsin talle mõned näpunäited ja me läksime tagasi minu tänavanurgale."

„Olgu," ütles Garcia. „Mis temast sai?"

„Mina sain veidi hiljem lihtsa otsa kõrvaltänavas – kakskümmend minutit. Tagasi kõndides nägin, et ta istus autosse. Roxy lehvitas mulle mööda sõites ja siis nägin ka juhti. See oli Ninasarvik. Üritasin neid peatada, aga nad sõitsid liiga kiiresti."

„Ja mis juhtus?" küsis Hunter.

„Ma ei tea. Roxy ei tulnud sel ööl tagasi." Jude kehitas õlgu. „Ta ei tulnud ka kunagi hiljem tagasi. Vähemalt mitte minu tänavanurgale. Olin pisut mures. Arvasin, et see, mis juhtus minuga, oli juhtunud ka temaga. Et needsamad neli kaabakat võtsid ka tema ette. Nagu öeldud, ei saanud ma nädal aega vahepeal tööd teha pärast seda, kui nad olid minuga lõpetanud, ja ma olin Roxyst palju tugevam. Ma ei näinud teda rohkem, aga võib-olla ta lõpetas pärast seda ööd. Loodan, et lõpetas. Ütles, et peab seda tegema vaid ühel õhtul. Või siis lõi kartma. Seda juhtus uute tüdrukutega tihti. Kohe, kui neile sattus esimene karmi käega klient, ja see juhtus mingil hetkel paratamatult, said nad aru, et see elu pole nende jaoks. Pärast seda ei näinud ma enam ka ei Ninasarvikut ega tema sõpru."

Hunter oli endiselt uudishimulik. „Kas Roxy ütles teile oma lapse nime?" küsis ta.

„Arvatavasti, aga ma ei suuda seda enam meelde tuletada. See juhtus 28 aastat tagasi." Jude tõusis taas, et lahkuda.

Hunter tõusis koos temaga ja ulatas talle oma nimekaardi. „Kui teile veel midagi peaks meenuma, teiste meeste nimesid sellest kambast, siis palun helistage – millal tahes."

Jude vaatas Hunteri nimekaarti nagu oleks see mürgitatud. Pika kõhkluse järel võttis ta selle vastu ja väljus kohvikust.

Hunteri peas oli ainult üks mõte – ta oli eksinud. Varjukujutis, mille nad said Andrew Nashorni purjejahilt, ei kujutanud kaklust. See kujutas seksuaalset rünnakut – grupivägistamist.

Sada viis

Kell oli õhtul kümme läbi, kui Hunter viimaks koju jõudis. Uni ei tulnud. Aju ei olnud nõus välja lülituma. Vägisi üritamise asemel võttis ta uuesti ette Littlewoodi korterist saadud karbi fotodega ja laotas need elutoa põrandale laiali. Ta võrdles neid fotoga, mille Allison oli oma vanematest andnud. Hunter teadis juba, et kõik ohvrid tundsid üksteist, aga kui Derek Nicholson oli mõnel neist fotodest, siis võib-olla on ka sõpruskonna neljas liige.

Tund aega luubiga põrandal põlvitamist ja ta polnud midagi uut avastanud. Hunter oli väsinud. Jalad valutasid ja ta vajas puhkust. Silmad kipitasid väsimusest ning kael ja õlad tuikasid. Aga aju ei andnud ikka alla.

Ta kuulis kõrvalkorteri paarikest koju tulemas järjekordselt joomatuurilt, paugutades ustega ja rääkides luristavalt.

„Pean uued naabrid hankima," turtsatas Hunter endamisi. Ta keskendus varjukujutiste fotodele. Kogu viimaste tundide jooksul kuuldud informatsioon põrkas ajus ringi.

Läbi seina hakkas kostma itsitamist ja oigeid. „Oo ei, ei," sosistas Hunter. „Palun, mitte elutoas."

Oigamine valjenes.

„Kurat võtaks!" Hunter teadis, et varsti algab vastu seina prõmmimine. Ta pani sõrmed vaheliti ja peopesad pealaele, pilk kandus uuesti põrandal olevatele fotodele.

Mida rohkem ta selle peale mõtles, seda loogilisem see tundus. Nicholson, Nashorn, Littlewood ja neljas kamba liige olid kedagi seksuaalselt rünnanud. See võis olla naine, keda Jude mainis – Roxy – või mõni teine tänavatüdruk. Aga mis nende ohvriga juhtus? Kas asi läks käest ära? Kas naine sai surma?

Valjud hääled naaberkorteris ei häirinud Hunterit enam. Ta oli omas mullis, meenutas mõtetes kogu informatsiooni, mis neil juhtumi kohta oli.

Hunter oli sedavõrd süvenenud, et tal kulus paar sekundit aega, enne kui sai aru, et telefon heliseb. Ta pilgutas kaks korda silmi ja vaatas toas ringi, nagu oleks segaduses. Mobiiltelefon oli improviseeritud arvutilaual printeri kõrval. Telefon helises uuesti ja Hunter võttis selle ekraanile vaatamata kätte.

„Uurija Hunter."

„Uurija, Jude siin. Me rääkisime täna."

„Jah, loomulikult." Hunter oli üllatunud, aga tema hääletoon ei reetnud midagi.

„Vabandust, et nii hilja helistan, aga mulle meenus midagi ja ehkki ma kavatsesin helistada hommikul, ei lase see mul magada. Te ütlesite, et kui mulle midagi meenub, võin igal ajal helistada."

„Muidugi. Sellest pole midagi," vastas Hunter kella vaadates. „Mis teile meenus?"

„Nimi."

Hunteri kaelalihased pinguldusid. „Kamba neljanda liikme nimi?"

„Ei. Ma ütlesin, et ei kuulnud tol ööl nende nimesid." Üürike paus. „Mulle meenus Roxy lapse nimi. Mäletate, ma ütlesin, et ta mainis seda paar korda?"

„Jajah."

Jude ütles Hunterile nime ja viimane kortsutas kulmu. Ebatavaline, aga samas oli selles midagi tuttavat.

Jude lõpetas kõne, rõõmustades, et oli helistanud, ja lootis, et aju rahuneb nüüd ja laseb tal uinuda.

Hunter pani mobiili lauale tagasi. Jude'i öeldud nimi hõljus peas ringi. Ta otsustas selle LAPD andmebaasi sisestada. Võib-olla see sellepärast ebamääraselt tuttav tunduski.

Ta lülitas sülearvuti tööle ja kuni see käivitus, langes tema pilk uuesti põrandal laiali olevatele fotodele ja toimikutele. Sisemuses külma keerist tajudes ta peatus.

Enam polnud tal vaja LAPD andmebaasist otsida. Hunterile meenus, kus ta oli seda nime varem kuulnud.

Sada kuus

Hunter ei läinud magama. Ta sobras ülejäänud öö mälus, otsides veel vihjeid. Isegi võimalus, et tal on õigus, hirmutas teda.

Ta pidi käima läbi Olivia või Allison Nicholsoni juurest, et viimane infokild kätte saada, aga kellegi teise ukse taha minemiseks oli liiga vara. Hunter võttis oma mobiili ja valis Alice'i numbri. Naine vastas kolmanda kutsuva tooni ajal.

„Robert, on kõik korras?" Alice tundus olevat poolunes.

„Ma vajan teenet."

„Ee ... Olgu. Mida sul vaja on?"

„Kas sa saad häkkida California sotsiaalameti andmebaasi?"

Hämmeldunud vaikus.

„Jah, see pole kuigi keeruline."

„Kas sa saad seda teha kohe, kodust?"

„Kohe, kui arvuti sisse lülitan." Veel vaikust. „Sa ikka saad aru, et palud mul seadust rikkuda, eks?"

„Luban, et ei ütle kellelegi."

Alice naeris. „Hei, mind sa veenma ei pea. See on see, mida ma oskan kõige paremini."

„Olgu pealegi. Tahan, et otsiksid järgmist."

★ ★ ★

Olivia Nicholson kavatses hommikust sööma hakata, kui Hunter tema uksele koputas. Suurt midagi paljastamata selgitas Hunter, et nad olid öö jooksul saanud uut informatsiooni ja ta peab esitama veel mõned küsimused.

Nende jutuajamine oli lühike, ent tulemuslik. Olivia ütles, et tema mäletamist mööda oli tema isa vanim sõber Los Angelese ringkonnaprokurör Dwayne Bradley.

Sada seitse

Oli hiline pärastlõuna, kui telefon Garcia laual helises. Ta polnud päev otsa Hunterit näinud ega temast midagi kuulnud, aga selles polnud midagi ebatavalist.

„Uurija Garcia, mõrvarühm," vastas ta ja kuulas siis vaikides mitu sekundit.

Tema nägu tõmbus nii tugevasti kipra, et laup meenutas rehvimustrit. „Tõsiselt või ... Kus? ... Oled kindel? ... Olgu, püsi paigal, pea maja silmas ja kui midagi muutub, helista kohe." Garcia katkestas kõne ja jooksis kapten Blake'i kabinetti. Viis minutit hiljem valis ta Hunteri mobiilinumbrit. Hunter vastas esimese kutsuva tooni järel.

„Robert, kus sa oled?"

„Istun autos, ootan, kas mu aimdus on õige."

„Mis asja? Mis aimdus?"

„Seda on praegu liiga keeruline selgitada." Hunter oli juba Garcia hääles ärevuse tabanud. „Mida sa teada said?"

„Sa ei usu seda. Üks meie tiim tabas kümnesse. Saime Ken Sandsi kohta konkreetse vihje. Selgus, et ta töötab albaanlaste narkokartelli heaks. Teame, kus ta praegu on."

„Kus?"

„Kusagil Pomonas. Aadress on olemas."

Pomona oli linnast väga kaugel.

„Saime kaptenilt loa," jätkas Garcia. „Läbiotsimisorder on praegu kohtuniku laual."

„Kui kiiresti me eriüksuse kohale saame saata?"

„Viis kuni kümme minutit, et tiim teele asuks. Keegi juba otsib mulle asukoha infot, sealhulgas selle maja projekti. Eriüksuse kaptenile saame info edastada kõige enam 15–20 minuti pärast."

Hunter vaatas kella. „Ma ei jõua briifingule, Carlos. Olen linna teises otsas ja tipptund algas paarkümmend minutit tagasi. Anna mulle Pomona aadress ja ma tulen sinna."

Hunter katkestas kõne ja samal hetkel hakkas auto, mida ta oli kogu päeva jälitanud, uuesti liikuma.

„Kuramus," ütles ta, keeras süütevõtit ja andis gaasi.

Sada kaheksa

Akendeta ruum asus politseimaja keldris. Neli eriüksuse liiget istusid kahekaupa laudade taga ja viies liige üksinda tagapool. Kõigil olid seljas mustad vormiriided ja kuulikindel vest, sõna SWAT* seljale kirjutatud. Mustad kiivrid olid laudadel. Ruumi

---

* SWAT (lühend sõnadest *Special Weapons And Tactics*) on USA politsei eriüksus, mille liikmed on eriväljaõppega ja kasutavad automaatrelvi, täitmaks ülesandeid, mida peetakse tavapolitseile liiga keeruliseks ja/või ohtlikuks.

eesotsas seisis puldi taga nende kapten Jack Fallon. Garcia ja kapten Blake seisid temast vasakul.

„Kuulake nüüd, härrased," ütles Fallon käskival häälel. Ruumis tekkis haudvaikus. Ta vajutas nuppu ja Ken Sandsi kõige viimane foto, mille Hunter oli saanud vanglast, tekkis valgele ekraanile temast paremal. „See võluv tegelane on Ken Sands," jätkas Fallon. „See on temast viimane teadaolev foto, tehtud pool aastat tagasi, kui ta vabanes California osariigi vanglast Lancasteris."

„Mulle tundub ta tavaline sitakott, kapten," tähendas üks eriüksuse liige Lewis Robinson, ajades sellega teised naerma.

„See võib nii olla," lausus Fallon, tõmmates nende tähelepanu taas endale. „Ja sellepärast meie siin olemegi. Sands on peamine kahtlusalune mitmikmõrva juurdluses. Tema toimikut uskudes on ta äärmiselt vägivaldne, väga ohtlik ja ka väga intelligentne. Täiesti võimalik, et ta ongi see Skulptor – sarimõrvar, kelle kohta oleme ajalehtedest lugenud."

Eriüksuse liikmed pomisesid midagi ebamugavust tundes.

„Seega ei pea ma teile ütlema, kui haige inimesega on tegu." Fallon vajutas jälle nuppu ja ekraanile ilmusid ühekordse maja joonised. „See on meie sihtmärk Pomonas. Luureandmetel on ta hetkel selles majas."

Joonisel oli kolm magamistuba, millest ühe juures oli vannituba, elutuba, söögituba, vannituba ja suur köök.

„On ta majas üksinda, kapten?" küsis eriüksuse noorim liige Neil Grimshaw. Grimshaw oli tiimiga ühinenud alles nädal tagasi. See oli tema esimene suurem missioon. Ta tundus olevat pinges, aga talitsetud.

„Tundub, et temaga on seal veel vähemalt üks inimene," vastas Fallon ja vaatas Garcia poole.

„Enamat me ei tea," selgitas Garcia. „Üks LAPD uurija jälgib praegu maja, üritab saada võimalikult paljut uut infot."

„Kas me teame, kas teine isik on vaenulik?" küsis Robinson.

„Ei tea," vastas Garcia.

„On nad relvastatud?"

„Me ei tea."

„Kas me teame, millises toas sihtmärk viibib?"

„Meil pole seda infot."

„Raisk, kas see on mingi äraarvamismäng või?" küsis Robinson. „Sama hästi võiksime sinna kinniseotud silmadega minna. *Mida* me siis teame?"

„Kogu meile teadaolev informatsioon on teie laudadel olevates kaustades," sekkus Fallon. „Muud meil pole ja sellega peame hakkama saama. Sellepärast me eriüksus olemegi. Kas see tekitab probleeme, Robinson?"

„Lihtsalt muretsen natuke, et peame minema keskkonda, kus on teadmata arv vaenlasi, nende tulirelvade kohta pole *mitte mingisuguseid* andmeid ja muud infot pole ka peaaegu üldse, kapten, aga muud pole midagi."

„Oh, palun vabandust," vastas Fallon, nagu räägiks kaheaastasega. „Ma ei tahtnud sind hirmutada. Kas tahaksid selle korra vahele jätta, jänespüks? Võime sulle helistada, kui otsime koogitehases vahukommikoletist. Ma luban, et see ei ole väga ohtlik."

Teised pahvatasid naerma.

„No nii, peame seekord ettevaatlikud olema," jätkas Fallon. Taas tekkis vaikus. „Sandsi on seostatud Albaania narkokartelliga ja ma teame, milleks see seltskond võimeline on. Me ei hakka asjatult riskima. Läheme sisse relvad laskevalmis. Teeme kolm kahest tiimi, liigume teineteise taga – tavapärased paarilised. Grimshaw, sina oled minuga. Meie poolel on üllatusmoment. Sands ei tea, et me ta täna õhtul ette võtame, nii et peame kiiresti tegutsema. Paneme end valmis, härrased. Peame selle sitakoti rajalt maha võtma."

Sada üheksa

Los Angeleses oli hämardunud ja tuul oli oluliselt tugevnenud selleks ajaks, kui nad Pomonasse jõudsid. Kõnealune maja asus tupiktänava lõpus vaikses piirkonnas. Eriüksus, Garcia ja kaks patrullautot parkisid tänava otsa ja läksid edasi jala. Hetkel oli nende kõige tõhusamaks relvaks üllatusmoment. Nad ei tahtnud seda käest anda.

Teel Pomonasse kirjeldas Jack Fallon eriüksuse kolmele tiimile nende rünnakuplaani. Üks tiim pidi sisenema majja tagant, köögi kaudu, teine välisuksest ja kolmas läbi verandauste, kust pääses maja vasakul küljel asuvasse suurde magamistuppa. LAPD katab neid väljast juhuks, kui Ken Sands akna kaudu põgeneda üritab.

Uurijal, kes oli maja jälginud, polnud midagi uut teatada. Kõik aknad olid kinni, kardinad ette tõmmatud. Need olid kogu päeva nii olnud, mistõttu polnud võimalik midagi enamat teada saada. Mitte keegi polnud kaks viimast tundi majast väljunud ega sinna sisenenud.

Hunterit polnud kusagil. Garcia oli üritanud pärast politseimajast lahkumist paarimehele kaks korda helistada, aga Hunter ei vastanud.

„*Staatuse kontroll*," kõlas Falloni hääl valjusti ja selgelt Garcia kuularis.

„*Alfa-tiim on positsioonil*," vastas kohe esimene tiim. „*Aga me ei näe midagi. Ukse all on mingi takistus. Fiiberkaamerat sisse lükata ei saa. Me ei näe majja.*"

„*Beeta-tiim on positsioonil*," vastas teine tiim. „*Ja ka meie ei näe muhvigi. Mitte midagi pole näha.*"

Samasugune takistus oli pandud kõikide uste alla. „*Olgu pealegi, sel juhul ründame pimedana*," sõnas kapten Fallon. „*Kas LAPD on positsioonil?*"

„Oleme valmis," vastas Garcia pärast kiiret raadiosidet, otsides pilguga oma paarimeest – Hunterit polnud ikka veel. „Läbiotsimisorder on olemas. Võime minna. Olete kindlad, et tahate pimedana sisse minna?"

Viis sekundit pingeliselt vaikust.

„Meil pole valikut, kui sa just ei taha naeratades uksele koputama minna."

Garcia ei vastanud.

„Seda ma arvasingi. Nii, kõik tiimid, olge eriti valvsad. Tegutseme vastavalt plaanile. Üllatusmoment on meie poolel. Kontrollige kõiki nurki, kuulete?"

„Kuuleme."

„Alfa, Beeta, loen kolmeni: kolm ... kaks ... üks."

Kõigil kolmel tiimil olid uksehingede puruks laskmiseks mõeldud laengutega relvad, mis tegid sisenemise taraaniga võrreldes lärmakamaks, aga palju kiiremaks ka kõige paremini kindlustatud majadesse.

Garcia kuulis järjest viit kõva pauku ja siis läks põrgu lahti.

Kõik kolm tiimi sisenesid majja peaaegu samaaegselt. Lewis Robinson ja agent Antonio Toro olid Alfa-tiim. Nemad olid maja taga.

Tagauksest pääses otse kööki. Toro lasi lukud puruks. Hetk hiljem lõi Robinson ukse sisse ja tormas majja. Talle astus kohe vastu suur lihaseline mees, kes oli istunud keset kööki kandilise laua taga. Mehe ees oli terve hunnik väikeseid kilekotte valge pulbriga ja käeulatuses Uzi püstolkuulipilduja. Ukse lahtilendamine oli tema jaoks totaalne üllatus, ent esialgsest ehmatusest hoolimata oli ta juba poolpüsti. Uzi oli ka juba käes ja selle toru kerkis ülespoole, otsides sihtmärke. Paks sõrm oli päästikul.

„*Qij ju*!"* karjus ta albaania keeles, nähes esimest mustas kogu uksest sisse tormamas. Ta poleks olnud nõus rahulikult ootama ja allaandmine polnud tema jaoks valikuvariant.

Robinson kavatses hüüda, et ta relva käest paneks, aga tundis ohuolukorra kohe ära. Albaanlase pilgus oli viha ja otsustavus.

Lase või lastakse sind.

Robinson vajutas kõhklematult oma Heckler & Koch MP5 püstolkuulipilduja päästikut. See tegi kaks plõksatust. Tänu summutile ja allahelikiirusega laskemoonale polnud müra tugevam kui lapse aevastus. Mõlemad lasud tabasid albaanlast rindu. Ta vaarus tagurpidi, haavast purskas verd, mis määris valge T-särgi kiiresti punaseks. Kogu keha vallanud lihastõmblused moonutasid valust nägu ja sõrm vajutas Uzi päästikut. Torust väljusid kuulid, mis tabasid hooga seina ja lage Robinsoni ja Toro peade taga ja kohal. Üks neist möödus mõne millimeetri kauguselt Toro laubast.

Eriüksuse agendid olid Pomonasse sõites hoolega Ken Sandsi fotot uurinud. Ehkki tal olid seal pikad juuksed ja habe, olid nad mõlemad kindlad, et tunneksid ta ära.

Mees köögis polnud tema.

Sada kümme

Eriüksuse Beeta-tiimiks olid Charlie Carrillo ja Oliver Mensa. Nemad olid sisenenud majja välisuksest. Mensa oli lasknud uksehinged puruks ja Carrillo sisenes esimesena. Elutuba oli suur, ent napilt sisustatud – vana diivan, neljakohaline laud, kaks tugitooli ja teler puidust kasti peal. Diivanil istus näoga ukse

---

* albaania k. Keri persse!

poole kõhn heledapäine mees. Ta tundus olevat narkouimas. Tema kõrval oli Sig Sauer P226 X-Five poolautomaat. Mees võpatas lärmi kuuldes nagu eesel, kes ratsanikku seljast heidab. Pilk tundus korraks eemalolev ja täielikus segaduses, aga siis, nagu oleks keegi vehkinud kainestava võlukepiga, selgines tema pilk ülimalt pingsaks ja ta kavatses relva haarata.

„Ehhei," ütles Carrillo, suunates oma MP5 punase laserkiire mehe laubale. „Usu mind, semu, sa pole piisavalt kiire."

Mees peatus, käsi õhus, kaaludes valikuvariante. Ta teadis, et üks järsk liigutus ja tema aju on elutoas laiali. Pilgus põles raev.

Mensa oli liikunud ukse juurest välgukiirusel tuppa ja ehkki ta suunas relva toas otsivalt siia-sinna, oli ta juba kõhna mehe kõrval ja võtnud Sig Saueri diivanilt ära.

„Heida põrandale, käed seljal, kohe," kamandas Carrillo.

Kõhn mees ei liigutanud.

Carrillo astus lähemale. Neil polnud aeg vaielda või käske korrata. Ta viis relva toru mehe näost mõne sentimeetri kaugusele, haaras tal juustest ja surus ta põrandale.

Põlv kahtlusaluse kuklal, mehe nägu vastu maad, kasutas Carrillo spetsiaalseid kaablisideme sarnaseid käeraudu, et kõhna mehe käed ja jalad selja taga kokku tõmmata. Kõige selle peale kulus vähem kui viis sekundit.

„Qij ju, ju ndyrë derr!"* röökis mees, kui Carrillo põlve tema kuklalt ära võttis. Mees hakkas põrandal rapsima nagu kala kuival. Olenemata sellest, kui tugev ta oli, pääsu polnud.

Carrillo vaatas veel korra mehele otsa.

See polnud Ken Sands.

---

* albaania k. Keri persse, sa räpane siga!

Sada üksteist

Hunter ei sõitnud Pomonasse. Ta tegi viimasel hetkel otsuse sisetunnet kuulata. Pärast seda, kui ta kõne Garciaga lõpetas, oli ta seda autot järginud peaaegu kaks tundi. Kõigepealt viis see ta Woodland Hillsi, mis asus San Fernando Valley edelaosas, ja seejärel mahajäetud maja juurde Canoga Parki äärealadel. Ilm oli taas muutunud ja Hunter tundis õhus vihma lõhna. Ta parkis auto silma alt eemale ja läks ettevaatlikult jala edasi. Ööpimeduses kulus ta selle vahemaa läbimiseks neli minutit.

Ta läks läbi ripakil metallvärava lagunenud tööstushoone umbrohtu täis betoonkattega hoovi. See meenutas keskmise suurusega mahajäetud laohoonet või kaubajaama, aga selle seinad tundusid väljast vaadates tugevad. Mõned aknad, mida Hunter nägi, olid katki, aga need paiknesid kõrgel, hoone viilkatuse all – liiga kõrgel, et sinna redelita pääseks.

Hunter peitis end roostetava prügikonteineri taha ja silmitses hoonet mõned minutid – ei mingit liikumist. Ta tegi hoonele turvalisest kaugusest tiiru peale. Selle taha jõudes nägi ta musta pikappi. Sama pikappi, mida oli kogu päeva jälitanud.

Kõik oli väga vaikne.

Ta hakkas lähemale minema, liikudes nii vaikselt kui võimalik, kasutades hämarust enda varjamiseks.

Pikapi juurde jõudes nägi ta hoone tagaseinas umbes kahe ja poole meetri laiuse tumeda ukseava piirjooni. Suured metallist liuguksed olid lahti ja vahe oli piisavalt suur, et Hunter sealt läbi mahuks ilma, et ta neid rohkem lahti pidanuks lükkama, mis oli hea – vaevalt roostes metalluksed vaikselt avaneksid.

Ta astus sisse ja seisis hetke liikumatuna, kuulatades. Nappi valgust kandus sisse ainult lae all olevatest katkistest akendest, aga ilma kuuta õhtul ei olnud sellest Hunterile mingit abi. Haises uriini ja lagunemise järele. Õhk oli läppunud ja raske, kriipis kurku ja ninasõõrmeid iga kord, kui ta sisse hingas. Ta ei kuulnud mingeid hääli ja otsustas taskulambi põlema lülitada. Siis nägi ta, et on umbkaudu viiesajaruutmeetrises ruumis, tema ees olevas seinas üksainus terasuks. Uks tundus tumehall ja laiguline. Betoonpõrand oli täis tühje pudeleid, kasutatud kondoome ja süstlaid, klaasikilde ja muud rämpsu, mille olid siia jätnud kodutud ja narkomaanid. Vaadates hoolikalt jalge ette, et mitte sodile peale astuda, läks Hunter metalluks juurde. Ka see uks oli lahti, aga ta pidi seda rohkem lahti lükkama, et vahelt läbi mahtuda. Nüüd nägi ta, et kahvatu valge valgus tuleb kusagilt kaugemalt.

Ta kustutas taskulambi, lasi silmadel hämarusega harjuda, võttis oma Heckler & Koch USP .45 Tactical püstoli kätte ja rahustas end maha, valmis metallust lahti lükkama. Sel hetkel kuulis ta kõrvulukustavat mehaanilist heli, mis meenutas väikest mootorsaagi või elektrilist kööginuga, millele järgnes hirmunud mehehääle karjatus järgmisest ruumist.

See hetk oli käes. Ei mingit vargset hiilimist enam.

Hunter lükkas ukse lahti ja astus sisse, relv ette sirutatud. See ruum oli eelmisest väiksem, umbes sada ruutmeetrit. Nõrk valgus tuli kahest akuga töötavast põrandalambist, mis olid tagaseinast meetri ja teineteisest pooleteise meetri kaugusel. Nende vahel oli kõrge seljatoe ja käetugedega metallist tool. Toolil istuv alasti inimene oli pahkluudest ja randmetest kinni seotud. Viiekümnendates eluaastates mees. Tal olid paksud põsed, etteulatuv lõug ja hall juuksepahmakas. Ta tõstis pea ja tema kurvad anuvad silmad vaatasid Hunterile otsa.

Hunteril kulus hetk aega, et ta ära tunda. Nad olid kohtunud varem vähemalt korra. Hunter oli kindel, et mingisugusel pidulikul üritusel, arvatavasti eelmise aasta LAPD Purple Heart auhinnatseremoonial. Mehe nimi oli Scott Bradley. Ta oli Los

Angelese ringkonnaprokuröri Dwayne Bradley noorem vend.
Aga hullem oli see, et Hunter tundis ära ka tooli taga seisva isiku, kellel oli käes elektriline kööginuga.

Kõigist kahtlustest hoolimata ei suutnud Hunter õieti oma silmi uskuda.

Sada kaksteist

Kapten Fallon ja eriüksuse värskeim liige Neil Grimshaw olid Gamma-tiim. Nende ülesandeks oli siseneda majja suurtest klaasustest, mis viisid verandalt suurde magamistuppa. Kardinad olid ette tõmmatud ja nad ei saanud kuidagi teada, kas tuba on tühi või mitte ja kui seal on kedagi, siis kui palju ja kas neil on relvi. Nende trumbid olid üllatusmoment ja kiirus.

Grimshaw lasi ukseluku ühe lasuga puruks, nii et klaasikilde ja pinde lendas. Enne kui killud maha jõudsid kukkuda, oli Fallon uksed lahti löönud ja majja sisenenud, tema kogenud pilk märkas kõike. Vasakul oli sisseehitatud riidekapp, põrandal lai madrats seina vastas otse tema ees, väike kaasaskantav teler paremal kummuti peal ja maas suur peegel kümnete juba jagatud pulbri triipudega, mis sai olla ainult kokaiin. Madratsi peal oli paljas koheva hobusesabaga mees. Ta oli seljaga Falloni poole. Väikese lühikeste heledate juustega tüdruku, kelle jalad olid mehe ümber põimitud, naudinguoiged läksid kiiresti üle hirmunud kriiskamiseks. Tüdruk oli kõige enam kaheksateist.

Mees isegi ei pöördunud. Ta veeretas end vasakule, tüdruku jalad ikka tema ümber, ja sirutas käe Uzi poole, mis oli seina vastas.

Ta ei jõudnud selleni.

Fallon vajutas oma MP5 päästikut ja relv plõksatas korra vaikselt. Lask tabas mehe käeselga, kui tema sõrmed olid Uzist paari sentimeetri kaugusel. Kuul purustas luud ja kõõluseid, nii et verd pritsis laiali ja tüdrukule näkku. Mees karjatas valust, nagu möirgaks vigastatud loom. Käsi tõmbus tagasi rinna poole, pritsides tüdruku kehale ja madratsile veel verd.

„Liigutamine ei ole väga hea mõte," ütles Fallon, relva punane laserkiir suunatud mehele kuklasse.

Ka Grimshaw oli nüüd toas ja tema relva laserkiir tekitas tüdruku rinnale punase täpi. Ta keskendus nii hoolega, et ei märganud selja taga avanevat vannitoaust.

Pumppüssi pauk oli kurdistav ja see oli sihitud Grimshaw'le selga. Lasu jõud oli selline, et MP5 lendas käest ja ta ise paiskus ettepoole, kukkudes seejärel põrandale.

Fallon oli hädaohtu tunnetanud ja hakanud pöörduma enne, kui lask kõlas, ent ta ei olnud küllalt kiire. Ta nägi aegluubis suitsujuga, mis väljus 12-kaliibrilisest pumppüssist ja seda, kui Grimshaw tabamuse selga sai. Kõik muu käis automaatselt. Fallon oli LA eriüksuse parim lähilaskur. Ta oli teinud läbi tuhandeid selliseid simulatsioone ja sadu päriselu olukordi.

Ta nägi, et pumppüssi toru liigub taas, et sihtida teda. Ta vaatas tulistajale ainult korraks otsa ja hoolimata sellest, mida ta nägi, ei kõhelnud ta hetkegi. Ta vajutas päästikule ja seekord plõksatas tema relv kaks korda. Mõlemad kuulid tabasid sihtmärgi laupa peaaegu millimeetrise täpsusega, väljudes kuklast, jättes maha väikese õuna suuruse augu ja pritsides seinale ajuollust, verd ja luukilde.

Pumppüssi hoidev tüdruk tundus veel noorem kui see, kes oli madratsil hobusesabaga mehe all. Tal oli süütu koolitüdruku nägu, lohukesed ja tedretähnid põskedel. Põlvili vajudes ei olnud tema kurbades, peaaegu pisarais silmades enam elu, aga nende pilk püsis Fallonil, kuni ta vajus näoli põrandale.

Madratsil olev mees kasutas tähelepanu hetkelist hajumist ära ja sirutas teist korda käe Uzi poole, aga vasak käsi ei funktsioneerinud enam. See sundis teda keha keerama ja relva parema käega küünitama. Ta haaras relva, aga tema asendis polnud sellest mingit kasu. Ta pidi end Falloni sihtimiseks teistpidi keerama. See ei saanud aga kuidagimoodi piisavalt kiiresti juhtuda. Kui mees hakkas end tagasi keerama, sihtis Fallon juba uuesti teda.

„Viska see käest," röögatas Fallon, aga mees kisendas pöördudes raevukalt, ihates verd.

Fallon vajutas taas päästikule, taas kaks plõksu. Mõlemad kuulid tabasid hobusesabaga mehe paremat õlga, purustades rangluu ja abaluu enne, kui ta jõudis Uziga sihtida. Tema käsi muutus selsamal hetkel lõdvaks.

Tema all olev tüdruk, kes oli nüüd üleni mehe verega kaetud, tõi kuuldavale hirmukarjatuse, mis oli tema kõris hoogu kogunud sestsaadik, kui vannitoast väljunud tüdruk maha kukkus, ja siis muutus ta hüsteeriliseks.

Hobusesabaga mees pillas relva käest ja varises heledapäise tüdruku peale. Tüdruk hakkas taguma ja rabelema, et mees enda pealt ära lükata.

Relvatoru mehelt ja tüdrukult ära pööramata läks Fallon otsustavalt vannitoa poole, astudes üle teismelise surnukeha. Vannituba oli tühi.

„Siin on haavatu," karjus ta kiivri mikrofoni.

Kaks sekundit hiljem lendas magamistoa uks lahti. Alfa-tiim astus sisse, nende järel kohe Beeta-tiim, kõik suunasid relvatoru toa erinevatesse nurkadesse.

„Tuba on tühi," ütles Fallon.

„Kogu maja on tühi," vastas Toro ukse juurest.

Kõik see oli toimunud 33 sekundi jooksul ja paraku kujunenud veresaunaks.

Kuni Robinson ja Toro sihtisid madratsil olevaid isikuid, pöördus Fallon põrandal lamava Grimshaw poole.

„Grimshaw," hüüdis ta, kükitades noore mehe kõrvale. Vastust ei tulnud.

„Raisk," ütles Fallon, hoides Grimshaw verist pead käte vahel. „Miks sa vannituba ei kontrollinud? Tuba oli mul ju kontrolli all, poisu."

Fallon katsus Grimshaw pulssi.

Ei midagi.

12-kaliibriline pumppüss tulistab välja tinakuule. Need paiskuvad torust väljudes laiali. See tähendab, et laengu jõud jagatakse kuulide vahel laiali ja need kaotavad lennates hoogu. Kaugelt ei ole pumppüss kuigi tõhus, ent lähivõitluses muudab suur hulk laiali lendavaid kuule selle ideaalseks relvaks. Tüdruk oli juhtumisi sihtinud kõrgele. Suur osa kuule oli Grimshaw kuulikindlast vestist mööda lennanud ja teda kuklasse tabanud. Need olid purustanud nahka, lihaseid, artereid ja veene. Kaelast voolas verd nagu lahtikeeratud kraanist.

„Meil on meedikut vaja!" hüüdis Fallon mikrofoni, hakates Grimshaw'le südamemassaaži tegema, keeldudes uskumast seda, mida juba teadis. Mitte keegi ei saanud teda enam kuidagi aidata.

„Raisk," karjus Fallon ikka Grimshaw elutut keha süles hoides. Noormehe silmad olid alles lahti.

Beeta-tiim läks madratsi juurde, kus heledapäine tüdruk ikka veel kisendas. Robinson heitis tema peale vajunud veritsevale mehele üheainsa pilgu.

Nad olid otsitava leidnud.

Sada kolmteist

„Visake relv käest, uurija," ütles Skulptor, vaadates Hunterile sügavalt silma ja surus elektrilise noa vastu Scott Bradley kõri. Hunter ei liigutanud. Tema relv ei vääratanud.

„Olete kindel, et tahate seda mängu mängida, Robert? Sest mina igatahes olen kuradi kindel." Võimas elektrinuga töötas, selle surin kajas ruumis nagu tuhat hambaarsti puuri.

Scott oli nii hirmunud, et tema huulte vahelt pääses vaid nõrk piuksatus. Ta lasi end täis.

Hunter ei liigutanud ikka veel.

„Ise teate." Skulptor haaras ülikiire liigutusega Scotti parema käe ja tõmbas noaga üle nimetissõrme. Terad lõikasid läbi naha ja luu nii kergelt. Sõrm kukkus maha nagu surnud vagel. Verd pritsis kõikjale.

Scott karjatas kurguhäälel ja üritas kätt ära tõmmata, aga liiga hilja. Käsi oli üleni verine, sõrm läinud. Tundus, et ta kaotab iga hetk teadvuse.

„Hästi," hüüdis Hunter, tõstes alla andes vasaku käe. „Olgu, teie võit." Ta lükkas kaitseriivi peale ja pani relva maha.

Skulptor lülitas noa välja. „Lükake siiapoole. Ja kaugele."

Hunter kuuletus, lüües relva jalaga Skulptori poole. Relv libises üle betoonpõranda, kuni põrkas vastu seina.

„Varurelv ka."

„Mul ei ole seda."

„Tõsiselt?" Nuga hakkas taas tööle.

„Eiiiii!" kisendas Scott.

„Ei ole," karjus Hunter üle müra. „Mul pole varurelva."

„Olgu pealegi. Võtke siis riidest lahti ... aeglaselt. Võtke riided seljast ja visake eemale. Aluspüksid võite jätta."

Hunter tegi nagu kästud.

„Heitke nüüd pikali, kõhuli, käed-jalad laiali nagu meritäht."

Hunter teadis, et peab kuuletuma. Aeg hakkas otsa saama nii temal kui ka Scottil.

„Teate, mis?" jätkas Skulptor, sidudes Scotti käe ümber marlisidet. „Ma ei kahelnudki, et te selle ära jagate. Teadsin, et panete pusletükid kokku, näete skulptuuride tõelist tähendust, nende varje ja saate aru, mida ma öelda tahan. Ma lihtsalt ei arvanud, et see käib nii kähku. Mitte enne, kui olen lõpetanud. Mitte siis, kui viimane tükk on puudu. Kuidas te seda tegite? Kuidas te sellest aru saite?"

Hunter toetas lõua betoonpõrandale ja vaatas naisele silma. Derek Nicholsoni vanem tütar Olivia oli viimaks metall-tooli tagant välja tulnud. Ta kandis musta veekindlat kombinesooni, mis oli kurguni kinni tõmmatud. Naine tõmbas kapuutsi peast ja Hunter nägi, et tal on peas must silikoonist ujumis-müts. Jalanõud tundusid olevat kaks numbrit liiga suured. Hunterile meenus, mida kriminalistide juht oli öelnud teisest kuriteopaigast, Nashorni purjejahilt leitud jalajälgede kohta – et keharaskus oli justkui ebaühtlaselt jaotunud. See tähendas, et mõrtsukas kas lonkab või kannab meelega vale numbrit jalanõusid. Olivial oli elektrinuga endiselt käes.

„Te olite väga veenev," sõnas Hunter, meenutades esimest korda, kui ta naisega tema isa kodus kohtus. „See, kuidas te käitusite ... pisarad ... talitsematu värisemine ... meeleheide teie hääles ... jäin seda kõike uskuma."

Olivia ei pilgutanud silmagi. „Kuidas te seda siis tegite?" kordas ta.

Hunter neelatas. Ta püüdis võimalikult palju aega hankida.

„Teie ema sõber," ütles ta ja nägi, et need sõnad mõjusid Oliviale nagu piitsalöök.

355

Naine vaikis, viha ja kurbus mäslesid pilgus. Ta kogus end veidi aega. „Milline sõber?"

„Keegi, keda ta tundis. Ma ei tea õiget nime. Ta kutsus end Jude'iks."

„Mida ta rääkis?"

Hunter köhis. „Suurt mitte midagi."

Olivia ootas, ent Hunter ei jätkanud. „Rääkige edasi või ma hakkan lõikuma."

„Ta tuli meiega ohvritest rääkima. Teie ohvritest."

„Mis nendega on?"

„Nad peksid teda koos. Nagu teie ema."

Hunter nägi, et raev muutis Olivia näo värvi. Naise põletav pilk keskendus Scottile, kes kuulas hoolikalt, aga oli endiselt hirmunud ja suurtes valudes.

„Me saime varjukujutistest aru," lisas Hunter kähku, püüdes naise tähelepanu enda peale tagasi tuua. „Aga me tõlgendasime neid valesti ... osaliselt."

See mõjus. Olivia pöördus uuesti Hunteri poole.

„Meil kulus veidi aega, aga me saime aru, mida koiott ja ronk tähendavad. Te ütlesite meile nende abil, et teie isa on valelik."

„Ta polnud mu isa," kähvas naine põlglikult.

„Olgu," lausus Hunter. „Palun vabandust. Te ütlesite meile, et Derek Nicholson on valetaja, reetja," parandas ta end.

„Oligi." Olivia hääl värises vihast. „Olin kolmeaastane, kui mu ema suri. Mulle valetati 28 aastat. Meelitati valet uskuma nagu koera."

„Mul on selle pärast kahju," ütles Hunter ja pidas vahet. Kael hakkas sundasendis valutama. „Aga meil kulus tükk aega saamaks aru, et te üritasite meile lugu jutustada, stseenihaaval, nagu nukuteatris."

Scott oli segaduses.

Olivia vaikis.

„Me tõlgendasime teie teist skulptuuri ja selle varjukujutisi valesti," jätkas Hunter. „Katsetasime kümneid erinevaid tõlgendusi ja lõpuks olin ma veendunud, et te näitate meile kaklusstseeni. Kamp mehi, kes veetsid koos aega, võtsid nina täis ja klohmisid üksteist. Ühel päeval sattusid nad kaklusse, olukord väljus kontrolli alt ja keegi sai surma. Me järeldasime ka, et te ütlete meile, et Andrew Nashorn oli kamba ninamees."

„Ta oli jätis," lausus Olivia.

„Aga te ei näidanud meile kaklusstseeni, ega ju?" jätkas Hunter. „Te ei näidanud kahte maas lamavat kaklejat, keda teised pealt vaatavad. Te näitasite meile vägistamist, mida teised pealt vaatasid."

„Nad ei vaadanud. Nad vägistasid kordamööda." Olivia pilgus oli mingi kuma, nagu hoogu koguv torm.

„Ta oli lits." Scott oli viimaks leidnud piisavalt jõudu, et midagi öelda. „Andy võttis ta Sunset Stripi pimedalt tänavanurgalt peale. See naine tahtis seda. See oli tema töö. Ta keppis inimestega raha eest. Kuidas see vägistamine on?"

Olivia pöördus välgukiirusel ja andis Scottile rusikahoobi vastu lõuga, lüües tema alahuule katki, nii et verd pritsis kõikjale.

„Sina ei räägi enne, kuni ma luban, sa sitahunnik."

Hunter niheles põrandal.

„Ja teie ärge liigutage, enne kui ma luban."

„Ma ei lähe kuhugi."

Pinge kasvas.

„Ma kuulan," sõnas Olivia. „Kuidas te aru saite, et see oli vägistamine?"

„Jude töötas samuti lõbutüdrukuna. Ta jutustas meile, et oli ühel õhtul Nashorni autosse istunud ja too viis ta kuhugi, kus ülejäänud mehed ees ootasid. Nad tegid talle kambaka, peksid ja vägistasid teda." Hunter köhatas taas. „Siis rääkis Jude meile naisest, kellega oli kohtunud, Roxyst." Ta vaatas Oliviat, et naise reaktsiooni hinnata. Viimase näol oli äratundmine, aga ta vaikis.

Hunter jätkas. „Roxy ütles Jude'ile, et ta ei ole prostituut. Ta polnud seda varem teinud, aga ta oli meeleheitel. Tema laps oli haige ja tal polnud ravimite ostmiseks raha. Tema plaan oli teha seda tööd ainult ühel ööl, et natuke raha hankida. Ta tõi ennast oma lapse nimel ohvriks." Hunter vaatas Scotti. „Nii et ei, ta ei olnud lits, ta ei tahtnud seda ja ta ei keppinud inimestega raha eest. Ta oli meeleheitel, muid võimalusi polnud ja ta kartis oma lapse tervise pärast."

Oliviale tulid pisarad silma. „Mul oli astma. Mäletan, et lapsena käisid mul tõsised haigushood. Vanemaks saades see lihtsalt kadus."

„Jude ütles, et nägi Roxyt ühel õhtul Nashorni autosse istumas. Ta üritas teda takistada, aga jäi hiljaks. Rohkem ta Roxyt ei näinud."

„Tema nimi oli Sandra," lausus Olivia. „Sandra Ellwood. Ja minu nimi on Olivia Ellwood." Ta astus taas Scotti tooli taha.

Hunter ei näinud, mida ta teeb.

„Räägi talle," sisistas Olivia Scottile läbi hammaste, liigutades nuga mehe silme ees. „Räägi, kuidas see juhtus." Viha pani ta värisema.

Scott vaatas teda suuri silmi, ebalevalt.

Olivia haaras Scotti väikesest sõrmest kinni enne, kui mees jõudis reageerida, ja väänas seda tagurpidi, kuni luu murdus. See heli oli piisavalt vali, et Hunter seda läbi ruumi kuuleks. Scott karjatas valust ja Olivia andis talle kõrvakiilu. „Räägi talle või ma murran kõik su luud-kondid ja hakkan siis sind lõikuma."

Sada neliteist

Scott Bradley hirmunud ja segaduses pilk vilas Olivia ja Hunteri vahet. „Palun," ütles ta. „Mul on perekond. Mul on abikaasa ja kaks tütart."

Olivia andis talle järjekordse kõrvakiilu. „Minul oli ema." Scott nägi tema pilgus midagi, mida polnud näinud mitte kellegi teise silmis. Midagi, mis hirmutas teda nagu mitte miski muu. Katkine huul hakkas paiste minema. Ta neelas alla sülge ja verd ning võitles sooviga oksendada, enne kui taas rääkima hakkas.

„Me tundsime üksteist West Hollywoodi baaridest ja klubidest," alustas ta. „Käisime tollal pidevalt pidu panemas. Sattusime kõikjal kokku. Peagi hakkasime koos aega veetma. Andy oli see, kes selle mõtte peale tuli. Ta võtab tänavatüdruku auto peale ja viib ta kuhugi isoleeritud paika. Meie ootame ja varjame ennast ..." Scott vaatas mujale.

„Ära lõpeta," kamandas Olivia.

„Andy oli LAPD politseinik, äsja akadeemia lõpetanud. Tema piirkond oli West Hollywood. Ta teadis naisi, kel polnud kupeldajat, kaitset."

Hunter sulges silmad ja ohkas raskelt. Ilma kupeldaja kaitseta ei oleks kambaliikmetega midagi juhtunud, isegi kui olukord oleks inetuks kiskunud.

„Ühel ööl tõi Andy kaasa selle kõhna li ..." Scott takistas end enne, kui selle sõna välja ütles. „Selle kõhna naise kaasa. Ta oli ilus. Andy ütles, et tema nimi on Roxy. Ta ..." Scott raputas meenutades pead. „Ta tundus meid kõiki nähes väga hirmunud." Mees vaatas maha, vältides teiste pilku.

„Ja teile kõigile see meeldis, eks?" küsis Olivia. „Teile kõigile meeldis, kui ta oma meeletut hirmu väljendas."

Scott ei vastanud.

Hunter jälgis Oliviat. Naine seisis ikka Scotti tooli taga. Ta oli võtnud Hunteri relva maast üles ja viimane nägi, et naine tõmbas kaitseriivi maha. Neil hakkas aeg otsa saama.

„Tol õhtul läks kõik valesti ... väga tõsiselt valesti," jätkas Scott. „Me kõik ... lõbutsesime, aga mitte Derek, Derek Nicholson. Ta ei tahtnud tol ööl seda teha. Võib-olla oli asi selles, et ta hakkas abielluma või siis selles, et see Roxy aina anus, et me ei teeks talle haiget ..."

Hunter teadis, et Roxy palved ainult õhutasid meeste sadistlikkust. Mida rohkem ta kartis, seda rohkem nad hoogu läksid.

„... ta korrutas, et tal on tütar, kes on haige." Scott vakatas ja ruumis tekkis korraks vaikus. Ja korraks olid nad kõik oma mõtetega üksi.

„Räägi, kui hulluks asi läks." Olivia katkestas vaikuse.

„Olime kõik uimastite ja alkoholi mõju all. Nathan oli temaga eriti karm. Me ei pannud õieti tähele, millal see juhtus, aga naine ei hinganud järsku enam."

„Kas te peksite teda?"

„Derek ja mina ei teinud midagi. Andy ja Nathan tegid."

Olivia pilk langes Scotti käele. Ta oli valmis järgmist sõrmeluud murdma.

„Nad klohmisid teda, aga see polnud midagi väga hullu. See tegi nende jaoks asja lihtsalt huvitavamaks. Derek ja mina ainult vaatasime, ausõna. Me ei löönud teda. Meile ei meeldinud peksmine. See ei erutanud meid."

Täpselt sama oli Derek Nicholson Oliviale oma pihtimuses öelnud.

„Võib-olla ta lõi pea ära või midagi," jätkas Scott. „Ta ei saanud ju paarist kõrvakiilust surra."

Olivia vaatas Hunteri poole ja siis uuesti Scotti. „Jätka."

Scott sülitas verd. „Kui saime aru, et ta on surnud, sattusime paanikasse. Me ei teadnud, mida teha. Mitte keegi ei mõelnud kainelt. Liiga palju kärakat ja narkot. Pakkusin, et jätame ta sinna ja laseme jalga, aga Andy ütles, et see ei lähe läbi. Politseinikud leiaksid toast ja naise kehalt hulga asitõendeid, mis meid elu lõpuni trellide taha viiksid. Võiksime üritada koristada, aga mingeid garantiisid poleks. Siis tuli Andyle üks mõte."

Hunter tundis, et sisemus kisub kokku. Ta teadis, mis mõte.

„Andy läks ja ostis mitu paksu kilet, lihanoa, pika jämeda keti, lukud ja suure kandilise metallist tööriistakasti. See oli suur, aga mitte nii suur, et surnukeha sisse mahuks." Scott vaikis ja vaatas mujale.

„Ära nüüd pooleli jäta," lausus Olivia, laskmata hool raugeda. „Räägi, mida sa tegid."

„Mina ei teinud midagi," anus Scott.

Olivia andis talle kõrvakiilu. Haav alahuulel laienes, nii et verd pritsis taas.

Scott värises ja ahmis õhku, et keha rahustada.

„Räägi talle."

„Nathan töötas poole kohaga lihapoes. Ta oskas lihanuga kasutada," ütles Scott.

Olivia ei võpatanud. Ta oli seda lugu juba kuulnud.

„Derek ja mina ei suutnud seda pealt vaadata. Läksime välja, kuni Andy ja Nathan tegid, mida vaja. Derek oli omadega läbi. Ta oli endast välja selle li ... selle naise tütre pärast, et mis temast saab ja puha. Muretses rohkem tema kui meie pärast. Midagi seoses sellega, et ka tema ise kaotas lapsena ema. Tahtis politseisse minna, aga teadis, et kui ta seda teeb, läheme kõik pikaks ajaks vangi. Tal oli käsil viimane aasta juurateaduskonnas. Ta oli kihlatud ja pidi kuu aja pärast abielluma. Ta ei tahtnud oma elu ära rikkuda. Pealegi oleks Andy ta maha löönud, kui ta oleks politseisse läinud. Tegelikult meid kõiki. Andy ütles seda meile." Scott tõmbas hinge. „Kui Andy ja Nathan olid lõpetanud, oli alles vaid see keti ja tabalukuga tööriistakast. Mu isal oli paat, mille võtmed olid mul olemas. Niisiis pidin mina kasti rannikust võimalikult kaugele viima ja merre viskama. Andy tuli minuga kaasa, teised läksid koju. Kast oli liiga raske. See poleks pinnale jäänud."

Viimane ohver, mõtles Hunter. *See, kes pidi surnukehast vabanema.*

„Derek pidi minema viskama naise käekoti ja dokumendid." Scott vaatas Oliviat. „Nii ta arvatavasti su leidiski. Ta ei visanud kotti ära. Jättis tema asjad alles."

Olivia ei öelnud midagi.

„Pärast seda ööd kohtusime aina harvemini, kuni enam ei kohtunudki. Läksime oma eluga edasi, aga me kõik varjasime seda saladust."

„Mitte kõik," ütles Olivia ja lõi Hunteri relva päraga Scottile vastu kukalt, nii et viimane kaotas teadvuse.

Sada viisteist

Hunter niheles taas ja Olivia suunas relva talle pähe. „Lõpetage, uurija. Uskuge mind, ma oskan lasta. Ja nii lähedalt ma mööda ei lase. Kui mu is ..." Ta köhatas vihaselt, „... Derek mulle üldse midagi õpetas, siis laskma."

„Kael valutab. Ma ainult venitasin seda."

„Lõpetage ära."

„Olgu. Ma lõpetan."

Olivia läks ruumi vasakusse äärde. „Te pole veel rääkinud, kuidas te minuni jõudsite. Tean, et saite aru, mida ma oma varjunukkudega öelda tahan, aga kuidas te taipasite, et see olen mina?"

„Kui Jude oli meile temaga juhtunust rääkinud, hakkas mu aju tööle. Kahtlustasin, et olin teist varjukujutist valesti tõlgendanud. See polnud kaklus, vaid grupivägistamine. Ma ei teadnud, et Roxy oli teie ema, aga ma oletasin, et nad olid teinud ka teiste naistega sama, mida tegid Roxy ja Jude'iga. Teistega, kel oli laps, nagu Roxyl. Ja see laps oli tõe teada saanud. Esimese varjukujutiste järgi olin kindel, et see laps sai seda teada ainult Derek Nicholsonilt. Pihtimus surivoodil."

Olivia turtsatas vihaselt naerma. „Ta suutis selle teadmisega elada, aga mitte surra. Irooniline, eks?"

Hunter teadis, kui tavaline see on, et inimesed taluvad kogu elu meeletut süümepiina, aga sellega surema olid valmis vaid vähesed.

„Derek Nicholson kutsus selle lapse oma koju, et kõik hingelt ära rääkida," jätkas Hunter. „See tähendas, et ta oli kuidagi jälginud, kes ja kus see laps on. Ma mõtlesin võimalustele, kui Jude mulle eile õhtul helistas. Talle oli meenunud Roxy lapse nimi – Levy."

Olivia niheles.

„Alguses arvasin, et see on perekonnanimi või mehe nimi. See tundus ebamääraselt tuttav, aga kui vaatasin Nicholsoni ja tema abikaasa fotot, mille teie õde oli mulle andnud, meenus mulle, kus ma seda nime olin kuulnud. See oli hüüdnimi. Allison kutsus teid selle nimega tol päeval teie kodus. See pole Olivia puhul tavapärane hüüdnimi, aga see oli teie hüüdnimi."

Olivia naeratas Hunterile nukralt. „Ema kutsus mind alati Levyks, mitte Liviks või Ollieks. See meeldis mulle. Oli teistsugune. Allison oli ainuke, kes mind nii kutsus."

„Kontrollisin seejärel teie tausta. Te õppisite arstiteaduskonnas."

Olivia kehitas õlgu. „UCLA-s, aga otsustasin lõpuks, et ei taha seda teha. Need teadmised tulid siiski kasuks."

Ta vaikis ja Hunter jätkas.

„Helistasin inimesele, kes pääses California sotsiaalameti andmebaasi. Sain teada, et Nicholson oli teid oma esimesel abieluaastal lapsendanud. Kummaline valik noorpaari puhul, kel teadaolevalt lapsesaamisega probleeme polnud. Nicholson lapsendas teid samal aastal kui tema naine Allisoni ootama jäi."

„Nii et te teate, et ta lapsendas mu süütundest oma teo pärast." Olivia hääles oli taas viha. „Süütunne, et ta oli nende elajate kamba liige, kes mu ema vägistasid ja tapsid. Süütunne, et ta lasi sel juhtuda. Süütunne, et ta ei läinud politseisse."

Hunter ei vastanud.

„Kuidas ma oleksin saanud selle teadmisega elada, Robert, kas te oskate mulle seda öelda? See oleks keeruline. Ta kutsus mu oma surivoodi äärde, rääkimaks, et kogu mu elu oli olnud vale. Mind lapsendati perekonda, kes ei tahtnud minuga armastust jagada ja minu eest hoolitseda, vaid oma süümepiinad maha matta."

„Ma ei usu, et Dereki abikaasa teadis, mis tookord juhtus," ütles Hunter.

„*Sel pole tähtsust!*" kähvas Olivia. „Derek veenis teda mind lapsendama. Ta ütles, et mu ema oli narkomaan, kes mu hülgas. Ütles, et ma olin vaene soovimatu armastuseta laps. Aga mind armastati ja taheti, kuni nemad minult ema röövisid. Derek oli see, kes mind ei tahtnud. Ta tahtis vaid oma piinavat süü-tunnet vähendada. Olin tema igapäevane heaolutablett. Tema süümepiinade vastane ravim. Piisas vaid tal mind vaadata ja tema väärastunud süda leidis pisut rahu. Ta kinnitas endale, et kõik on hästi, sest ta pakkus vaesele litsi lapsele paremat elu. Teate, mis? Ma ei tahtnud seda paremat elu. Ma olin õnnelik. Armastasin oma ema, aga Derek pani mind uskuma, et ema ei tahtnud mind. Et ta põgenes. Ja 28 aastat vihkasin ma oma ema selle hülgamise pärast."

Hunter sai nüüd aru, miks Olivias selline metsik agres-
siivsus tekkis. Ülekantud raev. 28 aastat vihkas ta oma ema
millegi eest, mida viimane ei teinud. Kui ta tõe teada sai ja et
talle oli suur osa elust valetatud, ärkas see raev üles, saavuta-
des enneolematu intensiivsuse ja eesmärgi. 28 aastat on raevu
kogunemiseks pikk aeg.

Mööda Olivia põske veeres pisar ja tema hääl murdus
korraks.

„Ma mäletan teda ikka veel – oma ema. Kui ilus ta oli.
Mäletan, et mängisime varjunukkudega igal õhtul, kui ma
magama läksin. Ta oskas neid nii osavalt luua. Mida iganes –
loomad, inimesed, inglid ... kõike. Tal polnud palju raha ja mul
ei olnud sellepärast mänguasju. Meie varjunukkude teater *oli*
minu mänguasi. Võisime istuda tundide kaupa ja lugusid välja
mõelda. Tekitasime seinale etendusi. Vaja oli vaid küünlavalgust
ja käsi. Me olime õnnelikud."

Hunter sulges korraks silmad. Sellepärast Olivia ohvrite
kehaosadest varjunukud tegigi – võigas auavaldus oma emale.
Veel üks moodus viha välja elada.

„Derek ei mänginud minuga kunagi, kas te seda tead-
site?" jätkas Olivia pead raputades. „Ta ei mänginud minuga
mu lapsepõlves pargis ega kusagil mujal. Ta ei lugenud mulle
unejuttu ega võtnud mind õlgadele ega mänginud teejoomist
nagu isadel kombeks. Mängisin varjunukkudega üksinda."

Hunter ei osanud midagi kosta.

„Kui ta oli mulle sellest rääkinud, läksin koju ja nutsin
kolm päeva. Mul polnud aimugi, kuidas edasi elada. Mu elu
oli olnud vale, heategu, et mu isa saaks öösiti magada. Mind ei
armastatud nii nagu last peaks armastama, välja arvatud siis, kui
mu ema elas. Ja nüüd teadsin ma, et need neli inimest, kes olid
tema surnukeha tükeldanud ja ta merre visanud nagu rämpsu,
olid perekonnad loonud, tööalaselt edukad olnud ja elanud oma

elu, kahetsemata korrakski, mida olid teinud. Ja kõige hullem oli see, et nad polnud selle eest karistada saanud."

Hunter teadis, et väga vähe on selliseid inimesi, kelle mõistus ei hakkaks tõrkuma pärast sellise asjaga kokku puutumist, millega Olivia oli silmitsi seisnud. Ja need vähesed, kes ei murdu, on kindlasti elu lõpuni kahjustatud.

„Te teate sama hästi kui mina, et ma ei saanud selle informatsiooniga kuidagi neid inimesi süüdistada. See juhtus 28 aastat tagasi. Mul puudusid tõendid, välja arvatud surija jutt. Politsei, ringkonnaprokurör ega keegi teine poleks midagi ette võtnud. Mitte keegi poleks mind uskunud. Oleksin pidanud edasi elama samamoodi nagu viimased 28 aastat." Olivia raputas pead. „Ma ei suutnud seda. Kas teie oleksite?"

Hunter meenutas seda, kui tema isa Bank of America harukontoris maha lasti. Ta ei olnud siis veel politseinik, aga ta mäletas oma raevu. Raevu, mis oli kusagil tema sees uinuvas olekus alles. Ja ehkki ta oli politseinik, tapaks ta oma isa maha lasknud isikutega kohtudes nad ilma igasuguse kõhkluseta.

„Oleksin äärepealt enesetapu sooritanud." Olivia kiskus Hunteri mõtted tagasi sellesse ruumi. „Ja siis taipasin midagi. Kui ma olen võimeline ennast tapma, suudan ka teisi tappa. Punkt. Ja ma otsustasin, et saagu, mis saab, ma saavutan omal moel õigluse. Oma ema nimel. Ta väärib seda."

Korraks vilas naise pilk ruumis ringi.

„See kõik jõudis minuni nagu unenäos. Nagu oleks mu ema kohal ja ütleks mulle, mida teha, suunaks mu kätt. Mu is ..." Olivia näole tekkis taas viha. „Derek Nicholson armastas mütoloogiat. Luges alatasa raamatuid, tsiteeris neid. Seega oli ainult õiglane teha temast mütoloogiline sümbol." Ta tõmbas Hunteri relva kelgu tagasi ja lasi siis lahti, laadides käsitsi padruni salve.

Viimase vaatuse aeg oli käes.

Sada kuusteist

Hunter vaatas taas Olivia poole. Ta ei pääsenud naisele märkamatult kuidagi lähemale, ilma et viimane teda tulistaks. Ruum oli liiga suur ja Olivia oli liiga kaugel, et Hunter talle kuidagi ohtlikuks võiks saada. Lisaks oli Hunter liiga kaua käed-jalad laiali maas lamanud. Lihased ei reageeriks kohe, vähemalt mitte piisavalt kiiresti.

„Kas te tahate viimast skulptuuri näha?" küsis Olivia.

„Viimast varjunukku? Minu *õigluse* etenduse lõppvaatust?"

Hunter toetas lõua uuesti vastu põrandat ning vaatas naist ja siis Scotti, kes oli endiselt teadvuseta. „Olivia, jätke. Te ei pea seda tegema."

„Pean küll! Derek Nicholson rahustas 28 aastat oma hinge ja südametunnistust, haletsedes vaese prostituudi tütart. Need kaabakad elasid 28 aastat karistust kandmata. Nüüd on minu kord oma hinge rahustada, kuni mul see veel alles on. Tõuske püsti," kamandas ta.

Hunter kõhkles.

„Ma ütlesin, tõuske püsti!" Naine suunas relva tema peale.

Hunter ajas end aeglaselt püsti, lihased ja liigesed valutasid.

„Minge sinna." Olivia osutas ruumi vasakule seinale, põrandalampide taha. „Toetage selg vastu seina."

Hunter kuuletus.

„Näete seda taskulampi maas endast paremal?"

Hunter vaatas maha ja noogutas.

„Võtke kätte."

Ta tegi seda.

„Hoidke rinna kõrgusel ja lülitage põlema."

Hunter peatus, püüdes mõista, mis toimub.

„Pidin improviseerima," selgitas Olivia. „Mul oli plaanis midagi tunduvalt jõhkramat ja piinarikkamat – minu suur lõppvaatus –, aga antud olukorras peab sellest piisama. Loodetavasti teile meeldib. Pange taskulamp põlema," kordas ta. Hunter tõstis taskulambi rinna juurde ja lülitas põlema.

Olivia astus eest. Scott oli tema taga toolil ikka teadvusetuna kössis, pea kuklasse vajunud, kõri paljastatud. Mehe suu oli lahti, nagu oleks selles asendis magama jäänud ja hakkaks kohe-kohe norskama. Hunter polnud kõhuli maas lamades märganud, et Olivia oli mehe taha paari meetri kaugusele teise põrandalambi külge maapinnast umbes 140 cm kõrgusele kinnitanud peenikese, ent jäiga traadi. See oli umbes 60 cm pikk ja horisontaalselt sirgeks tõmmatud. Selle otsas oli Scotti äralõigatud nimetissõrm.

Hunter oli korraks segaduses, kuni nägi kaugemal seinal varjukujutist. Sel oli näha Scotti kuklasse kallutatud pea siluett, suu ammuli, nagu karjuks. Temast paari meetri kaugusel traadi küljes olev sõrm tekitas seinale kõvera silindrikujulise toru varju, mis oli nurga all. Kuna kujutis oli kahemõõtmeline, jäi mulje, et üks vari on teise ees. Silindrikujuline toru osutas Scotti pea varju poole – otse avatud suhu.

Sel hetkel oli kaugusest kuulda sireene. Hunter oli võtnud dispetšeriga ühendust vahetult enne laohoonesse sisenemist, aga hääle järgi oli selge, et nad on vähemalt kolme kuni viie minuti kaugusel. Liiga kaugel.

Olivia vaatas Hunteri poole. Naise näol oli otsustav rahu. „Ma teadsin, et nad tulevad," ütles ta, suunates relva taas Hunterile. „Aga see, kas teie olete elus, kui nad kohale jõuavad, sõltub ainult sellest, kui kiiresti te selle viimase kujutise ära tõlgendate."

Hunter jälgis relva.

„Ärge vaadake mind. Vaadake varjukujutist."

Hunter keskendus. Esmamulje oli, nagu ootaks keegi suu ammuli mingi vedelikuanuma all, valmis sellest jooma. Kas

Olivia kavatses Scottile midagi kurku kallata? Ta sel moel tappa? See oleks tema senise teguviisi täielik vastand. Hunteri peas valitses segadus.

Olivia käes oleva relva pauk meenutas tuumaplahvatust. Kuul tabas seina mõne sentimeetri kaugusel Hunteri peast ja ta nõksatas, pillates taskulambi käest. „Eluga, eluga, Robert," ütles naine. „Te peaksite ju nutikas olema. Kogenud võmm. Kas te ei suuda pingeolukorras tegutseda?"

Sireenid olid lähemal.

„Varjud," ütles Olivia. „Vaadake varje. Tõlgendage neid, sest aeg hakkab otsa saama." Hunter võttis taskulambi uuesti kätte. Ta vaatas, aga ei näinud midagi. Mida kuradit see kõik tähendab?

Põmm!

Teine kuul tabas seina Hunterist vasakul. Seekord tema näole veelgi lähemal. Betoonikilde lendas kõikjale. Mõned tabasid Hunteri põske, tekitasid kipitust ja tungisid ihusse. Ta tundis, kuidas soe veri hakkab mööda nägu alla nirisema, aga ei lasknud taskulambist lahti. Pilk püsis varjudel.

„Ma luban, uurija, et järgmine lask *tabab* teid pähe." Olivia astus sammu lähemale.

Hunteri aju üritas toime tulla lähisekunditel suremise võimalusega, otsides samal ajal vastuseid.

Ta nägi silmanurgast Oliviat uuesti sihtimas.

Ta ei suutnud mõelda.

Ja siis nägi ta seda.

Sada seitseteist

„Salvestamine," ütles Hunter, kui Olivia sõrm päästikut vajutama hakkas. Kujutisel oli mikrofon, mis oli suunatud Scotti suu peale, mitte joogianum. „Te salvestasite seda. Kui ta seda lugu jutustas, salvestasite te kõike. Ülestunnistus."
Olivia lasi relva alla. Ta peaaegu naeratas. Ta tõstis vasaku käe üles, näidates Hunterile väikest diktofoni. „Salvestasin neid kõiki. Sundisin neid jutustama, mis juhtus. Lood on täpselt sarnased. Nende hääled on siin, kõik räägivad, kuidas nad kordamööda mu ema peksid ja vägistasid, siis ta tükkideks lõikusid, tükid kasti toppisid ja merre viskasid. Kõik peale Andrew Nashorni. Tema lõualuu oli puruks. Ta ei saanud rääkida, aga sel pole enam ka tähtsust."
Hunter ei osanud midagi kosta.
Scott pomises midagi arusaamatut ja tema silmad avanesid vähehaaval.
„Püüdke," ütles Olivia ja viskas diktofoni Hunterile.
Hunter püüdis selle kinni. Ta põrnitses seda hetke kõhklevalt ja vaatas siis uuesti naise poole.
„Võite endale jätta," ütles Olivia.
„Sellest võib abi olla, aga ma ei hakka teile valetama," sõnas Hunter. „Meie kaugeltki mitte täiusliku õigussüsteemi jaoks pole sel mingit vahet, Olivia."
„Tean. Olen juba teinud kõik, mida teha tahtsin. Seadsin õigluse jalule." Naine viitas diktofonile Hunteri käes. „Mõtlesin, et saadan selle ajakirjandusele, paljastan kogu selle loo. Mitte enda – ma tean, mis minust saab –, aga oma ema pärast." Olivia kuivatas pisara silmast enne, kui see põsele jõudis valguda. „Ta vääris õiglust. Tehke sellega, mida ise tahate." Ta pani Hunteri relva maha ja lõi jalaga mehe poole.

„Vahistage see kuradi mõrd," karjus Scott oma kohalt. „Ja aidake mind siit minema, te debiilik." Ta hakkas toolil rapsima. „See lits lõikas mul sõrme otsas, kas nägite? Ma hoolitsen selle eest, et sa lähed elektritoolile, sa emata lipakas. Mu vend teeb su kohtus väikesteks hooratükkideks."

Seekord oli Hunter kiirem kui Olivia. Jõuline löök tabas Scotti vastu meelekohta. Scott vajus viltu, teist korda teadvusetu. „Ta räägib liiga palju," ütles Hunter, pöördus Olivia poole ja kehitas õlgu. „Ma pean teid vahistama. See on uurijana minu kohus, aga ma ei pane teile käeraudu."

Seekord oli Olivia näol hämmeldus.

„Me läheme siit välja ja te hoiate pea püsti." Hunter vaatas Scott Bradleyt. „Aga sellel raisal panen küll käed raudu."

Raev oli Olivia pilgust kadunud. „Te olete hea inimene, Robert, ja tubli politseinik, aga mul oli see algusest peale lõpuni valmis planeeritud. Minu lool on ainult üks lõpp. Toimetamata versioon. Ja see ei hõlma vahistamist."

Hunter nägi, et naine pistis suhu midagi viiesendise suurust, nägi tema lõuga jäigastumas ja kuulis praginat, kui Olivia selle puruks hammustas ja alla neelas. Hunter sööstis tema poole, aga Olivia varises juba kokku. Ta oli võtnud viiekümnekordse surmava tsüaniidiannuse.

Selleks ajaks, kui LAPD politseinikud laohoonesse sisenesid, oli tema süda ammu seiskunud.

Sada kaheksateist

Hunter rääkis poolteist tundi Garcia, kapten Blake'i ja Alice'iga kõigest, mis oli alates eilsest õhtust juhtunud.

„Pean tunnistama, et kui sa helistasid ja palusid mul häkkida California sotsiaalameti andmebaasi ja otsida Olivia lapsendamisdokumente, tundus see mulle väga veider palve," ütles Alice talle, „aga ma ei tulnud selle pealegi, et teda kahtlustada. Ainsana on kummaline see, kui kiiresti see protsess käis. California lapsendamisseadused on väga leebed," selgitas Alice. „Ainsaks tingimuseks on tegelikult ainult see, et lapsendatav peab olema vähemalt kümme aastat noorem kui lapsendaja. Derek Nicholson oli äsja juurateaduskonna lõpetanud. Tal oli õigussüsteemis palju sõpru ja tuttavaid."

„Kohtunikud," nentis Garcia.

„Nemad ka. Oma sidemete ja seaduste tundmisega sai ta seda protsessi kiirendada. Enamasti võtab lapsendamisprotsess Californias aega pool aastat kuni aasta. Derek Nicholsoni dokumendid kiideti heaks vähem kui kolme kuuga, küsimusi ei esitatud ja kõik oli pealtnäha korras."

„Seadusest kõrvalehiilimiseks peab seadusi tundma," tähendas Hunter.

„Tõsi," nõustus Alice. „Ja mõjuvõimsate sõprade abil on kõik võimalik."

„Olgu, aga kuidas sa teadsid, et Olivia täna õhtul järgmise ohvri ette võtab?" uuris Garcia.

„Ei teadnudki. Mul olid vaid kahtlused ja ma otsustasin riskida." Hunter tõmbas sõrmeotsaga üle vasakul põsel olevate haavade. Ta oli plaastritest keeldunud.

„Riskida?" küsis kapten Blake.

„Käisin täna hommikul ette teatamata Olivia juures, väites, et mul on uut informatsiooni ja tahan esitada veel mõned küsimused. Kui Garcia ja mina Olivia ja tema õega eile õhtul rääkisime, küsisin neilt nende isa noorpõlve fotot. Allisonil oli vana pulmafoto, mis oli tema elutoas puhvetkapi peal. *Olivia* andis selle mulle. Kui ta pildiraami käes hoidis ja fotot vaatas, nägin ma tema pilgus midagi. Mingit jõulist emotsiooni, mida pidasin leinaks. Täna hommikul, kui ma tema juures käisin, andsin foto talle tagasi ja tema pilgus oli sama emotsioon. See polnud lein. See oli midagi sügavamat, valusamat." Hunter tõmbas korra käega üle silmade. „Siis küsisin ma temalt, kas isa mängis tema või tema õega kunagi lastena varjunukuteatrit."

„Sa andsid talle mõista, et me teame, mida need skulptuurid tegelikult tähendavad," nentis Alice.

Hunter noogutas. „Aga Olivia jäi väga rahulikuks. Ta teeskles, et see küsimus üllatab teda, aga midagi muud ei reetnud. Siis küsisin, kas tema ema oli temaga varjunukuteatrit teinud ja tema rahulikkus kadus korraks. Pilk muutus väga ebamääraseks ja murdosa sekundi jooksul tema ilme leebus, ent karmistus siis ennenägematult kalgiks. Ja siis ma otsustasingi riskida. Ütlesin Oliviale, et olime öö jooksul midagi uut avastanud. Et me oleme nüüd kindlad, et mõrtsuka nimekirjas on veel ainult üks nimi. Ütlesin, et saame ohvri nime teada kahekümne nelja tunni jooksul ja siis paneme ta pideva jälgimise alla."

Garcia muigas. „Teisisõnu oli sul õigus ja ta oli Skulptor, sa lihtsalt ütlesid talle, et ta peab tegutsema järgmise kahekümne nelja tunni jooksul, kui tahab enne meid järgmise ohvrini jõuda. Sa sundisid teda kiirustama."

Hunter noogutas. „Aga mul polnud aega tulla tagasi peamajja ja paluda jälgimistiimi välja saata. Mul polnud selle palve põhjendamiseks mingeid tõendeid, ainult kahtlused ja hüüdnimi."

„Sa otsustasid seega taas kord protokolli rikkuda ja ise jälgimistiimiks hakata," ütles kapten Blake, aga tema hääles polnud karmust.

„Kahekümne neljaks tunniks," tunnistas Hunter.

„Mida ta siis ette võttis?" küsis Alice.

„Olivia püsis suure osa päevast kodus."

„Arvatavasti tegi uut plaani," sõnas kapten Blake.

„Kui ta lõpuks väljus, sõitis ta otsejoones Woodland Hillsi, kus kohtus parklas Scott Bradleyga. Mees istus tema autosse."

Kõik kortsutasid kulmu.

„Ma oletan, et Olivia oli Scottiga viimaste päevade jooksul ühendust võtnud," jätkas Hunter. „Scott on küll abielus, aga tal on nõrkus ilusate naiste vastu, eriti kui nad ütlevad, et on alistuvad. Olivia teadis, kuidas teda ahvatleda. Olen kindel, et ta valmistas Scotti mitu päeva ette."

„Ja see selgitab, miks ta teguviisi muutis," nentis Garcia.

„Kõik eelmised mõrvad toimusid kohtades, kus ohver tundis end mugavalt ja turvaliselt – Nicholsoni kodu, Nashorni purjekas ja Littlewoodi kabinet. Scott Bradleyl oli naine ja kaks tütart, nii et tema kodu kasutada oli keeruline. Tal polnud ka oma kabinetti. Ta on börsimaakler, kes töötab avatud kontoris koos kümnete teiste inimestega."

Hunter noogutas.

„Nii et Olivial pruukis vaid talle helistada ja öelda, et tahab täna õhtul kohtuda," ütles Alice. „Bradley jättis kahtlemata kõik muud plaanid rõõmsalt sinnapaika."

„Olivia ei kavatsenudki sellest eluga pääseda, ega? Isegi kui poleks vahele jäänud," lausus kapten Blake. „Ta teadis, et ei lähe vangi. Teadis, et ei ela ka enam edasi."

Hunter vaikis.

„Kui Derek Nicholson talle tõtt rääkis," võttis Alice jutu-järje üle, „hävitas ta Olivia psühholoogiliselt, andes talle palju rohkem informatsiooni, kui Olivia taluda suutis. Kui sulle öeldakse ootamatult, et sulle on kogu su elu valetatud, su ema tapeti julmalt, tükeldati ja visati minema nagu rämps – kui sulle öeldakse kõikide süüdlaste nimed, aga sa tead, et neid ei karistatud ega karistata mitte kunagi, mida sa siis teeksid? Kuidas sa saaksid enam normaalselt elada, kui see teadmine sul ajus on? Tema jaoks oleks elamine olnud piin ka ilma vangi sattumata."

„Olivia andis oma elu, et tema ema saaks õigluse," ütles Hunter. „Õigluse, mida meie kohtusüsteem poleks neile kummalegi kunagi andnud. Tegelikult tapsid need mehed ema *ja* tütre."

Tekkis pinev vaikus.

„Tean, et me tegime, mida meilt oodatakse," sõnas kapten Blake viimaks. „Aga võib-olla oleksime pidanud aeglasemalt tegutsema. Kui Olivia Nicholson oleks kõigi nelja ohvri elu võtnud, poleks mul selle vastu midagi olnud. Mitte kõige vähematki. See jätis Scott Bradley pääses kergelt, jäi ainult sõrmest ilma. Ta väärib hullemat. Ja ta väidab, et sa lõid ta uimaseks."

Hunter vaikis.

„Minu arvates oli ta meeletu pinge all," jätkas kapten. „Sellises olukorras on lihtne segadusse sattuda. Ta lihtsalt kujutas ette, et sa teda lõid." Blake vaikis ja vaatas ringi. „Jah, see vastus on minu meelest suurepärane."

Garcia jutustas seejärel Hunterile, mis Pomonas juhtus. Ken Sands oli vahistatud ja Garcia pidi võtma ühendust uurija Ricky Corbíga, kes uuris Tito mõrva. Sands oli selles peamine kahtlusalune.

Sada üheksateist

Kui Hunter ükskord paberitööga ühele poole sai, oli kesköö käes. Ta läks alla ja jättis aruande kapten Blake'i lauale, et ülemus seda hommikul esimese asjana näeks.

Tema mobiil helises taskus ja ta võttis selle välja.

„Uurija Hunter."

„Robert, Alice siin."

Hunter oli aruande kirjutamisega nii ametis olnud, et polnud isegi märganud, kui Alice mitu tundi tagasi oma asjad pakkis ja lahkus.

„Helistan ütlemaks, et oli tore sinuga taas kohtuda," jätkas naine. „Ja sinuga koos töötamine oli eriline kogemus."

„Jah, oli tore ka sinuga taas kohtuda."

„Ehkki sa ei mäletanud mind üldse."

Hunter vaikis paar sekundit. „Kuule, ega sa nüüd võõraks jää? Sa ju töötad ikka Los Angelese ringkonnaprokuröri juures, eks?"

„Jah, töötan endiselt ringkonnaprokuröri juures."

Kohmetu vaikus.

Hunter vaatas kella. „Kas sul on tegemist? Tahaksid dringile minna?"

„Praegu?" Üllatus Alice'i hääles polnud põhjustatud hilisest kellaajast.

„Jah. Olen siin peaaegu lõpetanud. Ja mulle kuluks drink ära."

Kõhklus.

„Ja seltskond," lisas Hunter.

„Jah, tulen hea meelega dringile."

Hunter naeratas. „Kohtume õige Edisonis Higgins Buildingus 2nd ja Maini nurgal?"

„Jah, ma tean seda. Poole tunni pärast?"